Die ... ...

in der deutschen Literatur

WITHDRAWN UofM

Die Stunde Null

in der deutschen Literatur

Ausgewählte Texte

Herausgegeben von
Jürgen Schröder,
Brigitte Bonath, Bertram Salzmann,
Claudia Wischinski und Angela Wittmann

Philipp Reclam jun. Stuttgart

Umschlagtext:
»markierung einer wende« von Ernst Jandl

Universal-Bibliothek Nr. 9380
Alle Rechte vorbehalten
© 1995 Philipp Reclam jun. GmbH & Co., Stuttgart
Gesamtherstellung: Reclam, Ditzingen. Printed in Germany 1995
RECLAM und UNIVERSAL-BIBLIOTHEK sind eingetragene
Warenzeichen der Philipp Reclam jun. GmbH & Co., Stuttgart
ISBN 3-15-009380-5

Inhalt

I
»Der Krieg lag im Sterben«
Variationen des Endes
11

II
»Ist das die Befreiung?«
Hoffnungen und Enttäuschungen
62

III
»Pause im Geschichtsunterricht«
Im Niemandsland der Zeit
105

IV
»Uns're Hände sind befleckt«
Die Schrecken des Erwachens
153

V
»Es ist trotz allem eine große Stunde«
Anfänge und Aufbrüche
180

I
»Der Krieg lag im Sterben«
Variationen des Endes

»Das Dritte Reich bringt sich um. Doch die Leiche heißt Deutschland.« Was Erich Kästner am 27. Februar 1945 in sein Tagebuch schrieb, spiegelt die Gedanken vieler Deutschen wider. Angesichts der ausweglosen militärischen Lage konnte zu Jahresbeginn 1945 nur noch ein kleiner Teil der deutschen Bevölkerung an den »Endsieg« glauben. Kennzeichnend war eine eigenartige Mischung aus staatlich verordneter Siegeszuversicht verbunden mit immer lauter werdenden Durchhalteparolen und einer sich zunehmend steigernden Desillusionierung der Bevölkerung, was den Kriegsausgang anging. Noch am 15. April wandte sich Hitler in einem Tagesbefehl an die Soldaten der Ostfront und versuchte, sie glauben zu machen, daß eine »Wende des Krieges« noch möglich sei. Dennoch kam das Ende des Krieges, insbesondere nach Hitlers Selbstmord am 30. April, für die meisten keineswegs überraschend. Auch stellte der 8. Mai als Tag der bedingungslosen Kapitulation lediglich eine amtliche Zäsur dar, da Deutschland bereits vor diesem Zeitpunkt besetzt war, der Krieg selbst jedoch weiterging bis zu den Bombenabwürfen auf Hiroshima und Nagasaki.

Das Ende des Krieges bedeutete für viele Deutsche den Zusammenbruch aller inneren und äußeren Werte und kann daher auch als »größte materielle und moralische Katastrophe unserer Geschichte« (Mitscherlich) gewertet werden. Über 55 Millionen Tote, davon allein sechs Millionen jüdische Opfer des nationalsozialistischen Rassenwahns, waren zu beklagen. Zwölf Millionen Deutsche gerieten in Gefangenschaft, und etwa zehn Millionen Menschen flüchteten aus dem ehemals deutschen Osten in den Westen. Fast alle

größeren Städte waren zerbombt, über Deutschland lagen
400 Millionen Kubikmeter Trümmer und 40 Prozent der
Wohnungen waren zerstört oder so schwer beschädigt, daß
ein Wiederaufbau unmöglich war. Die in Trümmern hau-
sende Bevölkerung war zumeist ohne Strom-, Wasser- und
Gasversorgung, das Nah- und Fernverkehrswesen ebenso
wie der Postverkehr waren lahmgelegt, viele Fabriken zerstört. Überall sah man Tote, Verletzte, Verkrüppelte und
Verwaiste. Nur apokalyptische Bilder, wie sie auch in Arno
Surminskis *Die letzten Menschen* heraufbeschworen werden, schienen angemessen, das Ausmaß der Zerstörung zu
beschreiben. So schilderte ein amerikanischer Offizier am
7. Mai 1945 seinen ersten Eindruck der Stadt Münster mit
den Worten »It looks like Pompeii«. Andere fühlten sich an
Karthago oder Sodom und Gomorrha erinnert. Es ist daher
nicht verwunderlich, daß bei der Bevölkerung neben einem
Gefühl der Erleichterung über das Ende des Sterbens, der
Todesangst und der Bombennächte in feuchten Luftschutz-
kellern vor allem Angst und Ungewißheit herrschten: Angst
um Angehörige, Ungewißheit über das Verhalten der Besat-
zungstruppen, Ungewißheit auch über das Allernötigste –
eine Bleibe, Nahrung, Brennstoff und Kleidung.

   Inge Müller beschreibt in ihren Gedichten *Heimweg 45*
und *Fallada 45* das Leben in der Trümmerlandschaft Berlins. Dabei erscheint sie als schockierte Betrachterin des
grausamen Kampfes ums Überleben inmitten einer un-
bewohnbar gewordenen Welt, eines Dschungels, in dessen
Ruinendickicht der Tod lauert. »Auf der Charlottenburger
Chaussee stinkt es nach Kadavern«, schrieb die Schriftstellerin Ruth Andreas-Friedrich am 12. Mai 1945 in ihr Tagebuch, »doch als wir näher hinschauen, sind es nur Pferde-
gerippe. Fleischfetzen um Fleischfetzen schnitten die Um-
wohner den toten Tieren von den Knochen, steckten sie
in die Kochtöpfe und verschlangen sie gierig. Nur die
Gedärme hängen noch faulend zwischen nackten Rippen.«
Die Lebensmittelrationen waren so knapp (im Juli 1945 er-

hielten die Bewohner Berlins noch eine Hungerration von 850 Kalorien), daß ein Überleben nur durch Schwarzmarktgeschäfte, Hamsterfahrten oder »Organisieren« möglich war. »Jeder besaß das nackte Leben und außerdem, was ihm unter die Hände geriet: Kohlen, Holz, Bücher, Baumaterial«, schreibt Heinrich Böll in *Heimat und keine*. »Jeder hätte jeden mit Recht des Diebstahls bezichtigen können. Wer in einer zerstörten Großstadt nicht erfror, mußte sein Holz oder seine Kohlen gestohlen haben, und wer nicht verhungerte, mußte auf irgendeine gesetzeswidrige Weise sich Nahrung verschafft haben oder haben beschaffen lassen.«

Schon Gottfried Benn schildert in seinem *Brief vom 19. III 45 an F. W. Oelze* den Alltag im zerstörten Berlin kurz vor der Einnahme durch die Alliierten und spricht dabei vom »Untergang eines Volkes«. Besonders pointiert wird das Gefühl des Besiegtseins in Franz Fühmanns *Vor Feuerschlünden* dargestellt. Alle Hoffnungen des Soldaten sind mit einem Mal zerstört, für ihn ist »Deutschland keine Hoffnung mehr«, eine Erfahrung, die insbesondere von Jugendlichen geteilt wurde, die unter dem Einfluß der nationalsozialistischen Erziehungsideale aufgewachsen waren. Das Ende des Krieges barg daher zunächst keine Chance für einen Neubeginn, sondern war lediglich ein »Weg in den Untergang.« Der Untergang, von Hans Erich Nossack schon 1943 bei der Zerstörung Hamburgs beschrieben, findet in Heinrich Bölls *Wo warst du, Adam?*, Volker Brauns *Sächsischem Simplizius* und Hanns-Josef Ortheils *Hecke* seine Entsprechung im sinnlosen Sterben junger Menschen. Die Hoffnungslosigkeit am Ende des Krieges wird akzentuiert durch den Tod des einzelnen.

Den Überlebenden war die ideologische Heimat zumeist genommen, sie waren in jeder Hinsicht »unbehauste Menschen« geworden. Für viele junge Menschen war das Ende des Krieges daher verbunden mit einem Ablösungsprozeß und der Abrechnung mit den Vätern. Entsprechend wird

das Kriegsende sowohl in Günter Grass' *Blechtrommel*
als auch in Hans Werner Richters *Linus Fleck* als Ende der
Vätergeneration gedeutet. Während der Kriegsgerichtsrat
Karl Friedrich Fleck seinem Leben ein Ende setzt, weil er
den Zusammenbruch seiner Werte nicht bewältigen und
»Schmach und Schande« des Besiegtseins nicht ertragen
kann, versucht Zellenleiter Matzerath unbeschadet in die
neue Zeit hinüberzuwechseln. Sein Versuch, die eigene Vergangenheit zu tilgen, findet jedoch ein gewaltsames Ende.

Erfolgreicher agiert der NS-Massenmörder Max Schulz
in Edgar Hilsenraths *Der Nazi & der Friseur*, der mit Hilfe
einer falschen jüdischen Identität und erbeuteten Goldzähnen ein neues Leben beginnt. Wie er versuchten viele, den
Blick abzuwenden und auf den Neuanfang zu lenken, der
auch schon im Begriff der »Stunde Null« anklingt. Es ging
darum, *tabula rasa* (Holthusen) zu machen. Das Kriegsende
wurde zum Anlaß genommen, die Vergangenheit zu ver-
drängen und einen neuen Anfang zu setzen. So nutzten
viele – Opportunisten, Hochstapler und Untertaucher – die
»Gunst« der Stunde Null. Auch das gehörte zu den Varia-
tionen des Endes.

VOLKER BRAUN

Sächsischer Simplizius

Im April 1945, vor dem Ende des Krieges, erhielten die Soldaten Schmidt und Sigusch den Befehl, die Frau ihres Hauptmanns aus dem westfälischen Kampfgebiet in Sicherheit zu bringen. Sie fuhren in einer DKW, die Frau im Beiwagen, in Richtung Dresden, der schon total zerbombten, nun also sicheren Stadt. Bei einer Rast an der Grenze Sachsens beschloß Schmidt, seinen Krieg zu beenden. Er sah die Felder im hellen Licht, Dörfer, die unverbrannte Erde. Er hatte alle Angst verloren, und eine Müdigkeit befiel ihn, ein endgültiger Verdruß. Er spürte sein Herz rasend klopfen, in einem wahnsinnigen Gedanken: endlich selbst zu entscheiden. Ich steige aus, sagte er und nahm das Gewehr von der Schulter, um es fortzuwerfen. Das wirst du nicht, sagte Sigusch. Das werde ich, Kamerad. Und sie richteten ihre Waffen aufeinander. Die Frau des Hauptmanns, als sie begriff, was sich ereignete, schrie: Fahren Sie weiter. Ich zeig euch an! Und auffahrend von ihrem Sitz, rief sie empört: Hilfe! Hilfe! Schmidt, zwischen dem Gewehrlauf des Freundes und der ausgestreckten Hand der Matrone, versuchte sich zu besinnen. Aber er merkte, mit einer entsetzlichen Freude, daß er kein Gefühl mehr für seine Pflicht hatte und er nurmehr an seinem Leben hing. Er schoß die Frau nieder. Im selben Augenblick hielt eine Patrouille der SS vor der Toten. Was geht hier vor. Raus mit dem Text. Die Frau des Hauptmanns. Er hat sie erschossen! rief Sigusch. Aber Schmidt sagte: Die Frau des Hauptmanns. Er hat sie erschossen! Die SS-Leute sprangen vom Motorrad. Ein Deserteur, rief Sigusch. Ein Deserteur, rief Schmidt. Dann hängt ihr beide, sagte die SS. Sigusch, kalkweiß, starrte auf den verblödeten Kameraden. Schieß, schrie er plötzlich, schieß! Und riß das Gewehr ans Kinn und schoß, und Schmidt schoß, auf die verblüffte Patrouille, die

in den Sand sank. Jetzt lag das Leben vor ihm. Dann hörten
sie den Donner der Front. Der Russe, sagte Schmidt. Die
Toten, grinste Sigusch, werden uns retten. Sie standen reglos
im Wald. Zwei Stunden später, angesichts des Feinds, aber
griff Schmidt wieder zur Waffe, indem sein Pflichtgefühl erwachte, ohne Befehl und Kommando, aus eingeübtem Gehorsam, und eröffnete vor den Augen des heulenden Kameraden das Feuer. Die Russen schossen zurück. In der ersten
Salve fiel Sigusch, wenig später Schmidt, von Schüssen
durchsiebt, am Ende des Krieges.

INGE MÜLLER

Heimweg 45

Übriggeblieben zufällig
Geh ich den bekannten Weg
Vom Ende der Stadt zum andern Ende
Ledig der verhaßten Uniform
Versteckt in gestohlenen Kleidern
Aufrecht, wenn die Angst groß ist
Kriechend über Tote ohne Gesicht
Die gefallne Stadt sieht mich an
Ich seh weg. Neben mir streiten fünf Kinder
Um ein Banknotenbündel:
An der Ecke wird die Bank auf die Straße geschüttet
Die nie zum Sparen kamen, nehmen die Sparkasse in Besitz
Stopfen die leeren Kleider aus mit bedrucktem Papier
Gegen die Kälte.
Der Traum vom Brot geht um, macht mutig die Angststarren
Treibt die Langsamen vor
Läßt die Sieger nicht ausruhn auf dem Sieg
Und die Besiegten sperren die Hände auf:

Wer ist der Preis, wer wird den Preis machen
Wir?
Übriggeblieben zufällig
Geh ich den Heimweg vom Ende der Stadt
Zum andern Ende.

Fallada 45

Ein Pferd zog einen Wagen
Durch aufgerißne Straßen
Der Kutscher auf dem Bock war tot
Der Wagen brannte lichterloh
Da lief das Pferd und die Leute schrien: Ho!
Da läuft ein Pferd, haltet das Pferd!

Sie krochen aus Kellerlöchern
Mit Beilen und mit Messern
Das Schießen war noch nicht aus
Umfiel das Pferd und sie schrien im Rauch
Da liegt das Pferd! Her mit dem Pferd!
Hungrige schnitten in seinen Bauch
Und es lebte noch das Pferd.

Sie mußten überm Essen
Das Pferdeschreien vergessen
Sie wußten aus ist aus.
Die letzte Granate zerriß noch drei
Und das halbe Pferd nahmen mit zwei
Nach Haus und da war kein Haus.

Und einer berichtete: der Krieg ist aus.

ARNO SURMINSKI

Die letzten Menschen

Wer kennt sie nicht, die Lesebuchgeschichte von der Tage-
löhnerhütte, die der Himmel gnädig mit Schnee zudeckte,
als die Franzosen in ihrem Unglückswinter durch Ostpreußen zogen? Damals hatte der liebe Gott geholfen, aber wer
sollte im Winter 45 helfen? Der liebe Gott war mehr als
hundert Jahre älter geworden; viele glaubten, er lebe gar
nicht mehr.

Als im Januar die zweite Schneedecke auf die Felder fiel,
saß der alte Maguhn bei Petroleumlicht in seiner Kammer.
Und die Frau las ihm vor, las wundersame Geschichten aus
der Franzosenzeit und vom lieben Gott, der damals noch
helfen konnte.

»Soviel Schnee gibt es nicht, um unser Haus bis zum
Schornstein zuzudecken«, sagte der alte Mann. Siebzig Jahre
hatte er in diesem Haus gelebt. Genug Schneestürme waren
von Nordosten her über das Land gefegt, aber über die
Fensterscheiben waren die Schanzen niemals hinausgekommen. Nein, es war eine Legende, diese Lesebuchgeschichte.
Eine schöne Legende, an die der Mensch sich klammern
kann, wenn er viel Schnee braucht zum Zudecken.

»Du mußt daran glauben«, sagte die Frau und klappte
das Buch zu.

Aber das Glauben war dem alten Maguhn schon lange
vergangen. Woran sollte man nicht alles glauben, an den
Kaiser, an den Führer, an das Gute im Menschen?

Am nächsten Morgen wanderte er in den Wald und fand
jene windschiefe Jagdhütte am Rande einer Fichtenscho-
nung, die seit drei Jahren nicht mehr bewohnt war, weil die
Jäger anderweitig zu tun hatten. Die Hütte kuschelte sich
flach in den Wald, war vom Wege her kaum zu erkennen.

Ein guter Schneesturm würde sie bis zum Dach zuwehen. Hier wäre das Lesebuchwunder möglich.

Er begann damit, die Hütte notdürftig herzurichten. Nagelte die Fenster zu und schippte von draußen einen Schneewall gegen die Wände. Holte aus dem Dorf mehrere Strohbündel, zog auch auf dem Handschlitten einen Sack Kartoffeln in den Wald, dazu Mehl, Salz, Streichhölzer. Was der Mensch so braucht, bevor er sich einschneien läßt.

Als nach ein paar Tagen die Nachricht ins Dorf kam, es sei alles zu packen und für die Flucht vorzubereiten, sagte die Frau: »Wir sind zu alt, um auf der Straße herumzuliegen, vor fremden Türen nach Wasser und Brot zu betteln. Wohin können alte Menschen noch flüchten? Höchstens auf den Friedhof.«

»Der alte Maguhn flüchtet nicht«, brummte der Mann. Am nächsten Tag brachen die anderen auf. Er stand auf der Straße, die erkaltete Pfeife im Mund, um ihnen nachzusehen. Ein kalter Nordostwind strich über die Weiden der Dorfstraße. Vielleicht gibt es Schnee, dachte er, denn der Nordost bringt die Schneestürme. Als der letzte Wagen verschwunden war, ging er in sein Haus, um sich aufzuwärmen. Die Frau hatte das Buch aufgeschlagen und las laut:

»Und wer auf dem Dache ist, der steige nicht hernieder, etwas aus seinem Haus zu holen.

Und wer auf dem Felde ist, der kehre nicht um, seine Kleider zu holen.

Wehe aber den Schwangern und Säugern zu der Zeit!

Bittet aber, daß eure Flucht nicht geschehe im Winter.«

Sie schaute auf und sagte: »Nun ist es doch im Winter geschehen.«

Am Nachmittag hielt er es nicht mehr aus. Er ging in das verlassene Dorf. Aber was heißt hier verlassen? Rinder standen brüllend auf dem verschneiten Anger, Hühner scharrten auf den Misthaufen. Zwischen den Kohlstrünken in den Gärten hoppelten die Kaninchen. Schweine trabten über die Höfe, auf den Fensterbänken der noch warmen

Stuben saßen die Katzen, und die Sperlinge schilpten in den Dachrinnen.

Der alte Maguhn sah nach, ob das Vieh genügend Futter hatte, pumpte Wasser in die Tränken, blickte auch in die Küchen, wo die Herdplatten Wärme ausstrahlten, obwohl die Glut schon fast erloschen war. Noch war es gemütlich in den Häusern von Kalischken, und aus einigen Schornsteinen kräuselte weißer Rauch in den Schneehimmel.

Als er am östlichen Horizont Feuerschein erblickte, unterbrach er seinen Spaziergang und kehrte heim.

»Jetzt wird es auch für uns Zeit«, sagte er zu der Frau. Sie packten Decken und Bettzeug auf den Schlitten, wickelten auf Vorrat gebackenes Brot in einen Kopfkissenbezug, zogen dreifach Strümpfe, Jacken und Kleider über ... der alte Maguhn hatte an alles gedacht. Bei Einbruch der Dunkelheit machten sie sich auf den Weg, flüchteten zwei Kilometer weit mit dem Handschlitten, bis sie den Wald erreichten, in dem das Licht keine Kraft mehr besaß und die Fichten dem Feuerschein der brennenden Dörfer im Wege standen.

»Vielleicht gibt es Schnee«, sagte der alte Maguhn und dachte an die verräterischen Spuren, die sie hinterlassen hatten. Zuallererst mußte er den Eisenofen zum Glühen bringen. Er legte Scheite nach, während die Frau im Schein eines Talglichts das Abendessen zubereitete, mit dem Messer das Kreuz über dem Brot schlug.

Ein geruhsamer Abend, von Schneewällen umgeben. Fern von den Straßen des Leidens in jenen Tagen des Weltuntergangs. Als sie gegessen hatten, schlug die Frau das Buch auf und traf die Stelle, an der es heißt:

»Unser Gott, willst du sie nicht richten?

Denn in uns ist nicht Kraft gegen diesen großen Haufen, der wider uns kommt. Wir wissen nicht, was wir tun sollen.«

»Kannst du nicht etwas anderes lesen?« brummte der alte Maguhn und steckte seine Pfeife an, die erste Pfeife in der Waldhütte.

Als sie am nächsten Morgen aufwachten, schneite es. Keine Spuren auf dem Weg. Der Wind hatte einen Berg Neuschnee vor die Tür getragen.

»Und der liebe Gott hat doch geholfen«, sagte die Frau. Um keine neuen Spuren zu hinterlassen, blieben sie in der Hütte. Zu essen gab es genug, Schnee schöpften sie aus dem Fenster, tauten ihn auf, kochten das Wasser auf dem eisernen Ofen. Sie heizten nur in der Dunkelheit, wegen der Rauchsäulen.

Kein Krieg in der Waldhütte. Kein Kanonendonner. Nur einmal rasten Flugzeuge über die Baumkronen, ließen Eiszapfen und Schneelawinen vom Dach fallen.

»Gewitter im Januar«, murmelte die Frau.

So vergingen die Tage. Der Schnee schmolz, und neuer Schnee fiel in den Wald.

»Ob unsere schon wieder zurück sind?« fragte die Frau eines Morgens. Es war am Sonntag Reminiscere, am Tage des Erinnerns. »So eine Flucht kann doch nicht ewig dauern. Einmal muß jeder heimkehren.«

»Ich werde ins Dorf gehen«, sagte der alte Maguhn.

Am sonnigen Vormittag machte er sich auf den Weg, umkreiste vorsichtig das Dorf, hielt sich im Schutz der Weidenbäume, schlich vom Teich her das Dorf an, kam durch das gefrorene Schilf, erstieg den letzten Hügel ...

Da lag es. Es räucherte nicht mehr. Die Brandruinen waren liebevoll bezuckert mit Neuschnee. Verschwunden war das Haus des alten Maguhn, in sich zusammengesunken, ein mächtiger Haufen Unrat unter dem Schnee. So also gehen die wundersamen Lesebuchgeschichten in neuerer Zeit aus. Keine brüllenden Rinder auf dem Anger von Kalischken. Krähen, mehr nicht. Auch in den Häusern, die vom Feuer verschont geblieben waren, fand der alte Maguhn kein Leben. Ausgehobene Fenster, zerschossene Dachpfannen, umgekippte Schränke, zertrümmerte Stühle, eine Handgranate hatte einen Kachelofen in Stücke gerissen, tote Schweine, eine aufgespießte Katze, im Straßengraben

aufgeschlitztes Bettzeug (Ach, die schönen Gänsedaunen!)
... aber nirgends Menschen.

Ob er ihr die Wahrheit sagen durfte? Die Frau würde ins
Dorf laufen, um die Verwüstung zu sehen. Sie würde sterben beim Anblick von Kalischken.

»Es ist noch keiner zurück«, sagte der alte Maguhn, als er
die Hütte im Wald betrat.

»Lieber Gott, wo treiben sich die Menschen bloß rum?«
rief sie. »Es ist schon März und keiner zu Hause. Ob noch
immer Krieg ist?«

Der alte Maguhn gab keine Antwort, fing an, mit der Axt
Holzscheite zu spalten und pustete in die Glut des Eisenofens. Wenige Tage darauf erkrankte die Frau. Durchfall
und Erbrechen. Das kam von dem vielen Schmelzwasser.

»Du mußt mir ein paar Pfefferminzblätter von unserem
Hausboden holen«, sagte sie am Sonntag Palmarum.

Er versprach es, obwohl die Pfefferminzblätter in Rauch
aufgegangen waren. Aber irgendwo würde er Pfefferminztee finden, unter fremden Dachlatten oder in zugigen
Scheunen.

Er ging also am Sonntag Palmarum nach Kalischken,
fand reichlich Pfefferminztee, aber immer noch keine Menschen. Die Sperlinge beherrschten das Dorf, paarten sich in
den Dachrinnen, als wäre nichts vorgefallen in dieser Welt,
flogen ein und aus in den guten Stuben von Kalischken.
Auch die Stare waren heimgekehrt ... aber keine Menschen. Konnte es sein, daß die Welt untergegangen war
und nur sie beide im Wald von Kalischken zurückgelassen
hatte?

»Heute ist ja Storchentag«, sagte die Frau, als Maguhn
mit dem Pfefferminztee heimkehrte. »Es kommt selten vor,
daß Palmarum und der Storchentag zusammenfallen. Sind
unsere Störche schon da?«

»Ja«, log der alte Mann. »Sie hucken auf dem Dach und
wundern sich, daß kein Mensch da ist in Kalischken.«

»Wenn ich gesund bin, komm ich mit ins Dorf«, sagte die

Frau. Sie sorgte sich vor allem um den Garten. Es wurde höchste Zeit, damit anzufangen, denn bald kommt das Unkraut.

Märzensonne tut gut, Märzensonne heilt. So sagte man in Kalischken. Aber die Sonne, die im späten März 45 durch das Hüttenfenster auf das feuchte Bettzeug der alten Frau schien, raubte ihr die letzten Kräfte.

»Gibt es denn keinen Doktor?«

»Ich werde einen suchen«, sagte der alte Maguhn. Wohl wußte er, wie sinnlos diese Suche war, aber er wanderte los, wollte einen Arzt finden ... vor allem aber Menschen. Tag für Tag. Auf den ausgedehnten Wanderungen dachte der alte Maguhn ans Sterben. Ohne Furcht. So wie man im Sommer an den Winter denkt. Wenn du siebzig Jahre alt bist und neben dir die Welt untergeht, macht es keine Mühe, ans Sterben zu denken.

Nein, es gab keinen Arzt!

War das ein Frühling! Warm und heiter. Ein nichtendenwollendes Konzert der Vögel im Geäst neben der Waldhütte. Dieser Geruch von aufgetauter, frischer Erde!

»Bevor ich sterbe, will ich unser Dorf sehen«, sagte die Frau.

»Warum willst du schon sterben?« fragte der alte Maguhn. »Jetzt fängt die warme Jahreszeit an, da wird alles besser.«

Aber er glaubte selbst nicht an die warme Jahreszeit. Eine unerklärliche Unruhe hatte ihn befallen, die Krankheit der Einsamkeit, gegen die es keine Medizin gibt. Immer wieder brach er auf, um Menschen zu suchen, brachte aus den Gärten von Kalischken die ersten Blumen mit, aber keine Nachricht aus der Welt der Menschen. Dafür fand er ein humpelndes Pferd, das dem Inferno entronnen und bis Kalischken gelaufen war. Er nahm es mit in den Wald, doch krepierte es zwei Tage später und begann, Geruch auszuströmen. Auf dem Friedhof hatte ein Fuchs seinen Bau gegraben, hatte Schädel und Knochen aus dem Erdreich gewühlt und in der Gegend verstreut. Ja, die Endzeit hatte begonnen. Die Gräber taten sich auf. Der alte Maguhn saß oft vor dem Fuchsbau und dachte an das Ende.

Eines Tages entdeckte er ein Flugzeug, das in großer Höhe über das Land flog. Ergriffen blieb er stehen. Es gab noch Menschen, die diesen Untergang überlebt hatten, die in Flugzeugen durch den Himmel flogen.

Er wollte die Nachricht seiner Frau bringen, wollte ihr sagen, daß die Welt noch einmal davongekommen sei ... doch als er die Hütte betrat, fand er die Frau tot auf dem Stroh liegen. Gestorben einen Tag vor Himmelfahrt, am 9. Mai, zu jener Zeit, als der Weltuntergang endete.

Wenn man bedenkt, wie Menschen in jenen Tagen zu sterben pflegten in den Eislöchern des Haffs, auf dem Grund der Ostsee, in den brennenden Hafenhallen von Danzig-Neufahrwasser, in den endlosen Straßengräben der Erschöpfung ... Es ist schon eine Gnade, so zu sterben. In einer grünumrankten Hütte, mitten im Frühlingswald, zwei Kilometer von zu Hause entfernt. Vor ihr lag die Schrift aufgeschlagen:

»Siehe, ich will dich sammeln zu deinen Vätern,
daß du in deinem Grab mit Frieden gesammelt werdest,
daß deine Augen nicht sehen all das Unglück, das ich
über diesen Ort und die Einwohner bringen will.«

Der alte Maguhn setzte sich neben die Tote und klappte das Buch zu. Nun war er ganz allein, der letzte Mensch. Da verlierst du die Lust am Leben. Da merkst du, daß Leben nur einen Sinn hat, wenn andere mit dir leben. Fühlst dich im Stich gelassen, bekommst Sehnsucht nach der kalten Geborgenheit der Toten, möchtest in den Fuchsbau kriechen.

Er aß in aller Ruhe, was es zu essen gab. Trat vor die Tür, um nach dem Wetter zu schauen. Schichtete das gespaltene Holz auf. Schuf Ordnung in der Hütte. Wusch das Kochgeschirr aus. Goß Wasser in die Glut des Eisenofens ... So, damit wäre alles getan.

Dann holte er einen Strick und band ihn um den Balken, der das Dach der Hütte trug. Eine Schlinge ans Ende.

»Ich weiß, es wird dir nicht gefallen«, sagte er laut und blickte zu der toten Frau. Aber was sollte der alte Maguhn machen? Für ihn gab es nichts mehr zu erledigen in dieser einsam gewordenen Welt.

Nun sei man nicht böse, der alte Maguhn kommt gleich.

HEINRICH BÖLL

Wo warst du, Adam?

Er hatte nur noch zehn Minuten zu gehen, geradeaus durch die Gärten, dann links herum zwischen Heusers und Hoppenraths durch, ein Stück Hauptstraße hinunter, und er war zu Hause. Vielleicht würde er unterwegs noch jemand treffen, den er kannte, aber es begegnete ihm niemand, es war vollkommen still, nur die entfernten Geräusche fahrender Lastwagen erreichten ihn, aber ans Schießen schien um diese Zeit keiner zu denken. Nicht einmal die regelmäßigen Explosionen von Granaten, die ihm wie Warnsignale erschienen waren, erfolgten jetzt.

Er dachte mit einer gewissen Bitterkeit an Ilona: irgendwie schien es ihm, sie habe sich gedrückt, sie war tot, und zu sterben war vielleicht das einfachste – sie hätte jetzt bei ihm sein müssen, und ihm schien, sie hätte auch bei ihm sein können. Aber sie schien gewußt zu haben, daß es besser war, nicht sehr alt zu werden und sein Leben nicht auf eine Liebe zu bauen, die nur für Augenblicke wirklich war, während es eine andere, ewige Liebe gab. Sie schien vieles gewußt zu haben, mehr als er, und er fühlte sich betrogen, weil er jetzt bald zu Hause war, dort leben würde, lesen, möglichst nicht viel arbeiten, und beten, um Gott zu trösten, nicht um ihn um etwas zu bitten, das er nicht geben konnte, weil er einen liebte: Geld oder Erfolg, oder irgend etwas, das einem half, sich durchs Leben zu pfuschen – die meisten Menschen pfuschten sich irgendwie durchs Leben, auch er würde es tun müssen, denn er würde keine Häuser bauen, die unbedingt von ihm gebaut werden mußten – jeder andere mittelmäßige Architekt konnte sie bauen ...

Er lächelte, als er an Hoppenraths Garten vorbeikam: sie hatten immer noch nicht ihre Bäume mit diesem weißen Zeug besprizt, von dem der Vater behauptete, es sei unbedingt nötig. Er hatte immer Krach mit dem alten Hoppenrath deswegen, aber der alte Hoppenrath hatte immer noch nicht dieses weiße Zeug auf seinen Bäumen. Jetzt war es nicht mehr weit bis zu Hause – links lag Heusers Haus, rechts Hoppenraths, und er braucht nur noch durch diese schmale Gasse zu gehen, dann links ein Stück die Hauptstraße hinunter. Heusers hatten das weiße Zeug an ihren Bäumen. Er lächelte. Er hörte drüben den Abschuß genau und warf sich hin – sofort –, und er versuchte weiterzulächeln, erschrak aber doch, als die Granate in Hoppenraths Garten schlug. Sie krepierte in einer Baumkrone, und ein milder dichter Regen von weißen Blüten fiel auf die Wiese. Die zweite Granate schien weiter vorn zu liegen, mehr auf Bäumers Haus zu, dem Haus seines Vaters fast gegenüber, die dritte und vierte lagen in gleicher Höhe, aber mehr links, es schien mittleres Kaliber zu sein. Er stand langsam auf, als auch die fünfte dorthin schlug – und dann nichts mehr kam. Er horchte eine Zeitlang, hörte keinen Abschuß mehr und ging schnell weiter – im ganzen Dorf bellten die Hunde, und er hörte das wilde Flügelschlagen der Hühner und Enten in Heusers Stall – auch die Kühe brüllten dumpf in manchen Ställen, und er dachte: sinnlos, wie sinnlos. Aber vielleicht schossen sie auf den amerikanischen Wagen, den er nicht hatte zurückfahren hören, doch als er um die Ecke der Hauptstraße bog, sah er, daß der Wagen schon weg war – die Straße war ganz leer –, und das dumpfe Gebrüll der Kühe und das Bellen der Hunde begleiteten ihn die wenigen Schritte, die er noch zu gehen hatte.

Die weiße Fahne am Haus seines Vaters war die einzige in der ganzen Straße, und er sah jetzt, daß sie sehr groß war – es schien eins von Mutters riesigen Tischtüchern zu sein, die sie bei Festlichkeiten aus dem Schrank holte. Er lächelte wieder, warf sich aber plötzlich hin und wußte, daß es zu spät war. Sinnlos, dachte er, wie vollkommen sinnlos. Die sechste Granate schlug in den Giebel seines Elternhauses – Steine fielen herunter, Putz bröckelte auf die Straße, und er hörte unten im Keller seine Mutter schreien. Er kroch schnell ans Haus heran, hörte den Abschuß der siebenten Granate und schrie schon, bevor sie einschlug, er schrie sehr laut, einige Sekunden lang, und er wußte plötzlich, daß Sterben nicht das einfachste war – er schrie laut, bis die Granate ihn traf, und er rollte im Tod auf die Schwelle des Hauses. Die Fahnenstange war zerbrochen, und das weiße Tuch fiel über ihn.

BERTOLT BRECHT

Deutschland 1945

Im Haus ist der Pesttod
Im Frei'n ist der Kältetod.
Wohin gehen wir dann?
Die Sau macht ins Futter
Die Sau ist meine Mutter
O Mutter mein, o Mutter mein
Was tuest du mir an?

HANS EGON HOLTHUSEN

Tabula rasa

Ein Ende machen. Einen Anfang setzen,
Den unerhörten, der uns schreckt und schwächt.
Noch einmal will das menschliche Geschlecht
Mit Blut und Tränen diese Erde netzen.

Wir sind nicht mehr wir selbst. Wir sind in Scharen.
Wir sind der Bergsturz, der Vulkan, die Nacht.
Der ungestüme Wille der Caesaren
Wirft uns in großen Haufen in die Schlacht.

Was für ein Dämon, der uns ohn' Erbarmen
Ergreift und wringt und schleudert hin und her!
Wir häufen Tote, ratlos, wir verarmen
Von Jahr zu Jahr. O rasender Verzehr!

Wir brachen alle Brücken ab, zerstörten
Sehr rasch und unbeirrbar, was uns frommt.
Aus allen Dächern Feuer! Wir beschwören
Die Zukunft, die mit der Verzweiflung kommt.

Wir reden ungereimtes Zeug. Wir haften
Nicht mehr am Wahren. Wunderlich vergällt
Ist uns der Schmerz. Noch unsre Leidenschaften
Sind Griffe in die Luft, die nichts enthält.

Und doch, wir leiden sprachlos, aber wer,
Wer schweigt aus uns, und was wird uns verschwiegen?
Wer zählt die Trümmer unserer Welt – und mehr:
Die Dunkelheiten, die dazwischen liegen.

Wer ist es, raunend in Verborgenheit,
Und wohnt in eines Menschenherzens Enge
Und keltert *einen* Tropfen Ewigkeit
Im dunkeln Wirbel unsrer Untergänge.

Vor Feuerschlünden

Ich bog in die volle Dunkelheit, tief unter der Straße rauschten Wasser. – Dachte ich an Trakl? Ich hastete zum Bahnhof, bei uns fuhren noch Züge; der Weg war weit, eine gute Stunde, und ich hinkte noch am Stock. Am ehesten, daß ich irgendeine der idiotischen Strophen summte, mit denen man sich in die Trance automatischen Marschierens einstampft, eine Landsknechtsstrophe, eine Landsknechtsweise, ich habe keine Erinnerung außer der von einem gehetzten Hasten durch eine laue und finstere Nacht. Doch ich weiß, daß Ahnung und Wahnwitz und lauernde Angst sich schon zur Gestalt eines Engels verdichteten, einer Gestalt, die damals oft beschworen wurde, auch regelmäßig von meinem Vater: Der Engel der Deutschen, Michael, werde mit seinem Schwert den Himmel spalten und seinem Volk zur Rettung niederfahren, im Flammenpanzer, zur letzten Stunde, da die Nacht am finstersten ist. – Ich hatte Michael nie als Schutzengel empfunden, er war der Engel der Apokalypse, das war er schon vor jenem Mai, der Engel der sechsten Posaune und des fallenden Feuers, der in allen Sprachen der Erde verkündet: Gefallen, gefallen ist Babylon, die geworden zur Heimstatt der Dämonen, zum Schlupfwinkel aller unreinen Geister, zum Nest aller abscheulichen Vögel, gefallen, gefallen ist Babylon, die Große, die mit dem Zornwein alle Völker trunken gemacht! – Dieser Engel war mir furchtbar vertraut gewesen, seitdem Feuer vom Himmel gefallen, und er war ein Gesandter mit Schwingen aus Schnee und Schläfen von Scharlach; der Engel meines Herzens war mild und rein, doch nun hatte er kotige Flügel und Würmer tropften von seinen Lidern, dergestalt nahm ich Trakl mit mir. – Ich trug auch das graue, großformatige Buch mit der zerbrochenen Leier auf dem

Einband noch im Tornister, fünf Tage oder sechs, dann warf ich es samt Tornister, Mantel, Decke und Fleischbüchsen weg, um schneller zu den Amerikanern zu kommen, die, wie es hieß, an der Elbe hielten.

Alles, was nun durch die böhmischen Wälder hetzte, strebte zu den Amerikanern; der Krieg war vorbei, kein Engel erschienen, unter den Eichen und Fichten marodierte SS und henkten Standgerichte eines nach Süden flüchtenden Feldmarschalls nach Norden flüchtende Soldaten, und Zehntausende Gefangene trotteten gen Osten, mit schon schlürfendem Schritt, die Köpfe gesenkt, einem unfaßbaren Schicksal entgegen, das, da es nicht wie erwartet der sofortige Tod war, für den Rest der jungen und alten Leben nur sibirische Bleigruben heißen konnte. – Es war das Ende des Nationalsozialismus, und wir zweifelten nicht am Untergang dessen, das wir mit dem Namen »Deutschland« benannten, es war ja das, was uns widerfuhr. – Der Krieg war verloren; kein Engel erschienen; der Weg zur Elbe von einem Sieger versperrt, dessen Brunnen wir zugeschüttet, dessen Apfelbäume wir umgehauen, dessen Erzgruben wir ersäuft und dessen Städte wir niedergebrannt hatten, kein Zweifel, daß er nun Rache nahm. – In dieser Stunde sah jeder ein düsteres Zeichen – das meine: ein vereister Viehwaggon voll singender ukrainischer Frauen, der ins Grau einer Februardämmerung rollte; und wir rissen die Hoheitszeichen von den Uniformblusen, die Offiziere warfen die Schulterstücke ab, die Feldgendarmen ihre blinkenden Brustschilder, und da und dort merzte SS mit glühendem Eisen ihr Siegel aus dem eigenen Fleisch. – Was blieb, war Leere; sie dehnte sich aus. – Als ich westwärts durch die Wälder zur Elbe gehetzt, wollte ich in irgendeine Fremdenlegion; ich war dreiundzwanzig, hatte ein Notabitur und konnte doch nichts als ein Maschinengewehr bedienen und gehorchen und Befehle ausführen, ein Kolonialdienst würde mich brauchen können, das war meine letzte Hoffnung, da Deutschland keine Hoffnung mehr war. Doch an

allen Wegen zur Elbe und rings um die Wälder standen Soldaten in langen, erdbraunen Mänteln, mit langen Bajonet-
ten auf den Gewehren, ihre Wachtfeuer rauchten, sie tran-
ken und lachten, und Glocken schallten, manchmal ratterte
ein Maschinengewehr, und an den Eichen schaukelten Ge-
henkte. – Ein Selbstmordversuch im Dickicht am Feldrain,
dann war auch mein letzter Ausbruch gescheitert, und ich
trottete mit den Zehntausend ostwärts, siebzehn Tage, ste-
chende Sonne, die Kirschbäume blühten, wir aßen ihr Harz
und aßen das Gras vom Rastplatz und schwammen in den
Bächen und Teichen und aßen Wasser und aßen Erde und
hörten die Glocken der mährischen Türme und starrten in
die fremden, schon unbegreiflich vertrauten Gesichter der
jungen Kirgisen, die uns eskortierten, und es war Mai. – In
diesen Tagen dachte ich nichts; es war ein Gefühl vollkom-
menen Leichtseins, Schweben in einem leeren Raum. –
Nicht mehr da, noch nicht dort. – Nach dem Schwimmen
lagen wir nackt in der Sonne, träges Dasein eines Tieres,
jenseits des Hungers wie der Verzweiflung, vielleicht ein
paar Tage Glück des Nichts. – Ich besaß nur noch das, was
ich auf dem Leib trug, und das war wenig: noch Koppel und
Stiefel, schon keinen Mantel, keine Uhr, kein Feuerzeug,
keine Füllfeder, kein Messer; auch kein Buch, das lag irgendwo am Wegrand: ein Tornister voll Fleischbüchsen und
Trakls Gedichten, ich dachte nicht einmal, ob einer es finde
und ob er drin lese, ich dachte nichts.

Und dennoch trug ich diese Gedichte als ein fahles Glühen mit mir, vor dessen Schein ich nun die Welt sah. So sieht
man in Sonnenuntergang, im trüben November, eine Landschaft, wenn sich Nebel und Abendrot zu einer schwelen-
den Dämmerung mischen, in der Bäume und Häuser
schwarz ausgefüllt stehen, die Nähe nur noch schwarz, die
Ferne nicht mehr unterscheidbar, Vergehen in ein Reich der
Schatten und dennoch das Walten unwirklicher Helle vor
dem Bewußtsein naher Nacht. – *Dämmerung und Verfall*;
es war Mai, die Kirschbäume blühten, und wir trotteten

grau vor Hunger und Grauen gen Osten, zu einem Auf-
fanglager bei Brünn, wo wir verhört wurden und kahlgeschoren und statt des abgenommenen Soldbuchs die Wojen-
noplenny-Buchstaben erhielten, gelbe Ölfarbe auf den
Rücken der Uniformjacke und aufs Hosenbein und auf das
Käppi, das war nun unser neues Daheim, und dann auch
zum ersten Mal Verpflegung, und ich hockte im Lehm vor
den überfüllten Baracken und weichte Trockenbrot in die
Hirsesuppe und hörte die lautlos dröhnenden Verse:

> Es ist ein Licht, das der Wind ausgelöscht hat.
> Es ist ein Stoppelfeld, in das ein schwarzer Regen fällt.
> Es ist ein Weinberg, verbrannt und schwarz mit Löchern
> voll Spinnen.
> Es ist der Weg in den Untergang.

Es waren die Verse Trakls, die ich mit eigenen Zeilen ver-
mengte, unablässig geleierte Litanei eines vergehenden, nur
noch im Selbstmitleid Halt suchenden Bewußtseins. – So
nahm ich Trakl mit in die Gefangenschaft, mein Grübeln
und Verzweifeln trug seine Farben: Schatten, die sich vor einem erblindeten Spiegel umarmten, und auf silbernen Soh-
len glitten frühere Leben vorbei. – Es war Trakls *Psalm*, den
ich damals auswendig kannte; ich habe seinen Wortlaut
lange im Gedächtnis bewahrt, und wenn man mich im Sommer 1945, auf dem Transport vom Durchgangslager Brünn
zum Arbeitslager Nephtigorsk im Kaukasus, gefragt hätte,
welches das bestimmende Ereignis meiner letzten Jahre gewesen, hätte ich ohne Zögern geantwortet: die Bekanntschaft mit Georg Trakls Gedicht.

GOTTFRIED BENN

Brief an F. W. Oelze

B. 19. III 45.

Lieber Herr Oelze, vielen Dank für Ihren Brief vom 10 III, am 18 III eingegangen. Als ich ihn in der Hand hielt, begann der neue grosse Angriff u ich nahm ihn mit in die Katakomben der Kirche zum Heilsbronnen, in die wir d. h. meine Frau u. ich gelegentlich flüchten. Der Pfarrer, oben Stahlhelm, unten Khakibeinkleider u. in der Mitte einen eleganten Winterulster macht die Honneurs. Er steht vor dem Radioapparat leicht geneigt, als ob er vor der Predigt noch ein kurzes Gebet verrichtet u. verkündet den Weg der Bomberströme. Oft fällt der Name Nienburg als rückwärtige Begrenzung u. ich sage: »ein Gruss von Oelze, also wohlan, willkommen Festungen und Marauders!« Viele Leichen gestern wieder, offenbar giebt es keine Bahren u Tragen mehr, die Toten werden an den Beinen in die nahe gelegenen Wohnungen geschleift. Aus Dresden sagte einer beiläufig: »sie liegen immer noch da, man fasst sie mit Messer u. Gabel an, da sie so weich sind«. Also, – davon abgesehn, es ist eindrucksvoll, wie dies gewiss enge religiöse Milieu selbst des Protestantismus etwas von Haltung u. Feinheit an sich hat, was mein altes Pfarrhausherz sympathisch berührt. Während die Bomben fallen, unterhalte ich mich mit dem Pfarrer über das religiöse Leben in seiner Gemeinde – : Dort also las ich Ihren Brief. –

Dass von den 2½ Millionen Menschen, die schätzungsweise noch in Berlin leben, irgendjemand arbeitet, halte ich für ausgeschlossen. Entweder sind Lichtsperrstunden oder es ist Alarm oder Voralarm, Telefon geht kaum noch irgendwo, die Verkehrsmittel sind unzuverlässig, kaum im Betrieb. Tags Staubstürme von den Trümmerhaufen, nachts fallen die Fensterscheiben heraus, die Ruinen heulen u. stür-

zen ein, Zeitzünder gehn hoch in grossen Massen u. die
Wände zittern. Auch die noch stehenden Häuser haben soviel Erschütterungen erlebt, dass sie jeden Moment umfal-
len können. Eine verlorene Stadt. Möglicherweise gehn wir
nach *Neuhaus* a d. Elbe, einem Dorf, wo jemand ein paar
leerstehende Katen entdeckt hat. Dann würde ich mir erlau-
ben, Ihnen dies mitzuteilen. Sollte ich hingelangen, würde
ich dort noch einen Schluss zu dem Essayband schreiben:
»Willkommen den literarischen Emigranten«, Bezug neh-
mend auf jenen »Offenen Brief an die l. E«, 1933. Ich
würde sagen, dass ich meine damaligen Positionen im we-
sentlichen aufrecht erhalte u. dass ich auch rückblickend das
Bleiben in Deutschland für das Richtigere halte. »Der
Untergang eines Volkes, selbst wenn es sich um das . . . . handelt, ist eine ernste Sache, die sich nicht mit literarischen
Arabesken von Miami aus abtun lässt, auch nicht mit einem an sich
vielleicht gerechtfertigten Hass abtun lässt, hier handelt es
sich um Kern- u. Substanzfragen – tua res agitur!« Im übrigen wird natürlich nochmals die ganze Radikalität meiner
antagonistischen Einstellung gegen .. klargestellt. .. Ich
denke, dass es in Ihrem Sinne ist, wenn ich unser Hierbleiben noch einmal rechtfertige u. begründe. Wer über
Deutschland reden u. richten will, muss hier geblieben sein.
Dies eine banale Skizzierung der Planung für Neuhaus.

   Mögen die Wagen mit Ihren Sachen aus Steinhagen gut
ankommen. Es kommt erstaunlich viel noch an.

                 Tausend Grüsse in die Stadt der
»rückwärtigen Begrenzung«!
                           Ihr
                          Benn.
Verheissung wohl nur für die Landschaft westlich der Elbe,
da allerdings wohl nahe Verheissung.

THOMAS MANN

Tagebucheintragung

Pacif. Palis., Dienstag den 8. V. 45

Außergewöhnlicher und ermüdender Tag. Nüchtern mit K. nach Beverly Hills zum / Röntgen-Laboratorium: / Zahlreiche Durchleuchtungen und Aufnahmen nach Einverleibung von etwas Wismut-Getränk. Dauer: eine Stunde. Zu Hause wieder zu Bette gegangen, geschlummert und Zeitung gelesen. Keine Nahrung. ½3 Uhr erneute Fahrt zum Laboratorium mit Erika. Kontroll-Aufnahme, wieder im weißen Hemd mit Rückenverschluß. Umständlich. Nahrung freigegeben. Im Auto etwas Wermut und Cigarette. Zu Hause Suppe, Kotelets und Kaffee. Zeitschriften gelesen. Vorm Abendessen Brief an Hardt diktiert (der *keinen* Geburtstags-Rezitations-Abend geben soll) und Handschriftliches erledigt. A. M. Frey gedankt für seine Besprechung des Moses. – Abends franz. Champagner zur Feier des VE-day. Hörten die Reden von Truman und Churchill. Die Russen nehmen Breslau, Dresden, Olmütz. Beschreibung der Unterzeichnungsszene in Reims. Jodls Ansprache und Appell an die »Generosität«. Radio-Ansprache des Dönitz an das Volk. Die Grundlage des national-sozialistischen Staates sei zerstört, die Partei vom Schauplatz verschwunden. Er wolle versuchen, in den kommenden schweren Zeiten hilfreich zu sein. Goering und Himmler sollen bei ihm in Flensburg sein. Sagt, das Recht müsse in Deutschland herrschen und das Ziel sein, der europäischen Völkerfamilie anzugehören nach Überwindung des Hasses, der Deutschland jetzt rings umgebe. Weiter geht die Verleugnung des Nazitums nicht und kann von dieser Seite nicht weitergehen. – Die Russen suchen weiter vergebens nach Hitlers Leichnam.

Die Blechtrommel

Wir kamen jetzt kaum noch raus aus dem Loch. Es hieß, die Russen seien schon in Zigankenberg, Pietzgendorf und vor Schidlitz. Jedenfalls mußten sie auf den Höhen sitzen, denn sie schossen schnurstracks in die Stadt. Rechtstadt, Altstadt, Pfefferstadt, Vorstadt, Jungstadt, Neustadt und Niederstadt, an denen zusammen man über siebenhundert Jahre lang gebaut hatte, brannten in drei Tagen ab. Das war aber nicht der erste Brand der Stadt Danzig. Pommerellen, Brandenburger, Ordensritter, Polen, Schweden und nochmals Schweden, Franzosen, Preußen und Russen, auch Sachsen hatten zuvor schon, Geschichte machend, alle paar Jahrzehnte die Stadt verbrennenswert gefunden – und nun waren es Russen, Polen, Deutsche und Engländer gemeinsam, die die Ziegel gotischer Backsteinkunst zum hundertstenmal brannten, ohne dadurch Zwieback zu gewinnen. Es brannten die Häkergasse, Langgasse, Breitgasse, Große und Kleine Wollwebergasse, es brannten die Tobiasgasse, Hundegasse, der Altstädtische Graben, Vorstädtische Graben, die Wälle brannten und die Lange Brücke. Das Krantor war aus Holz und brannte besonders schön. In der Kleinen Hosennähergasse ließ sich das Feuer für mehrere auffallend grelle Hosen Maß nehmen. Die Marienkirche brannte von innen nach außen und zeigte Festbeleuchtung durch Spitzbogenfenster. Die restlichen, noch nicht evakuierten Glokken von Sankt Katharinen, Sankt Johann, Sankt Brigitten, Barbara, Elisabeth, Peter und Paul, Trinitatis und Heiliger Leichnam schmolzen in Turmgestühlen und tropften sang- und klanglos. In der Großen Mühle wurde roter Weizen gemahlen. In der Fleischergasse roch es nach verbranntem Sonntagsbraten. Im Stadttheater wurden Brandstifters Träume, ein doppelsinniger Einakter, uraufgeführt. Im

Rechtstädtischen Rathaus beschloß man, die Gehälter der
Feuerwehrleute nach dem Brand rückwirkend heraufzuset-
zen. Die Heilige-Geist-Gasse brannte im Namen des Heiligen Geistes. Freudig brannte das Franziskanerkloster im
Namen des Heiligen Franziskus, der ja das Feuer liebte und
ansang. Die Frauengasse entbrannte für Vater und Sohn
gleichzeitig. Daß der Holzmarkt, Kohlenmarkt, Heumarkt
abbrannten, versteht sich von selbst. In der Brotbänken-
gasse kamen die Brötchen nicht mehr aus dem Ofen. In der
Milchkannengasse kochte die Milch über. Nur das Gebäude
der Westpreußischen Feuerversicherung wollte aus rein
symbolischen Gründen nicht abbrennen.

Oskar hat sich nie viel aus Bränden gemacht. So wäre ich
auch im Keller geblieben, als Matzerath die Treppen hoch-
sprang, um sich vom Dachboden aus das brennende Danzig
anzusehen, wenn ich nicht leichtsinnigerweise auf eben jenem Dachboden meine wenigen, leicht brennbaren Hab-
seligkeiten gelagert gehabt hätte. Es galt, meine letzte
Trommel aus dem Fronttheatervorrat und meinen Goethe
wie Rasputin zu retten. Auch verwahrte ich zwischen den
Buchseiten einen hauchdünnen, zart bemalten Fächer, den
meine Roswitha, die Raguna, zu Lebzeiten graziös zu bewegen verstanden hatte. Maria blieb im Keller. Kurtchen
jedoch wollte mit mir und Matzerath aufs Dach und das
Feuer sehen. Einerseits ärgerte ich mich über die unkon-
trollierte Begeisterungsfähigkeit meines Sohnes, andererseits sagte Oskar sich: Er wird es von seinem Urgroßvater,
von meinem Großvater, dem Brandstifter Koljaiczek haben.
Maria behielt das Kurtchen unten, ich durfte mit Matzerath
hinauf, nahm meine Siebensachen an mich, warf einen Blick
durch das Trockenbodenfenster und erstaunte über die
sprühend lebendige Kraft, zu der sich die altehrwürdige
Stadt hatte aufraffen können.

Als Granaten in der Nähe einschlugen, verließen wir den
Trockenboden. Später wollte Matzerath noch einmal hinauf, aber Maria verbot es ihm. Er fügte sich, weinte, als er

der Witwe Greff, die unten geblieben war, den Brand lang
und breit schildern mußte. Noch einmal fand er in die Wohnung, stellte das Radio an: aber es kam nichts mehr. Nicht
einmal das Feuer des brennenden Funkhauses hörte man
knistern, geschweige denn eine Sondermeldung.

Fast zaghaft wie ein Kind, das nicht weiß, ob es weiterhin
an den Weihnachtsmann glauben soll, stand Matzerath mitten im Keller, zog an seinen Hosenträgern, äußerte erstmals
Zweifel am Endsieg und nahm sich auf Anraten der Witwe
Greff das Parteizeichen vom Rockaufschlag, wußte aber
nicht, wohin damit; denn der Keller hatte Betonfußboden,
die Greffsche wollte ihm das Abzeichen nicht abnehmen,
Maria meinte, er solle es in den Winterkartoffeln verbud-
deln, aber die Kartoffeln waren dem Matzerath nicht sicher
genug, und nach oben zu gehen, wagte er nicht, denn die
mußten bald kommen, wenn sie nicht schon da waren, unterwegs waren, kämpften ja schon bei Brentau und Oliva,
als er noch auf dem Dachboden gewesen war, und er bedau-
erte mehrmals, den Bonbon nicht oben im Luftschutzsand
gelassen zu haben, denn wenn die ihn hier unten, mit dem
Bonbon in der Hand fanden – da ließ er ihn fallen, auf den
Beton, wollte drauftreten und den wilden Mann spielen,
doch Kurtchen und ich, wir waren gleichzeitig drüber her,
und ich hatte ihn zuerst, hielt ihn auch weiterhin, als das
Kurtchen zuschlug, wie es immer zuschlug, wenn es etwas
haben wollte, aber ich gab meinem Sohn nicht das Parteiabzeichen, wollte ihn nicht gefährden; denn mit den Russen
soll man keine Scherze treiben. Das wußte Oskar noch von
seiner Rasputinlektüre her, und ich überlegte mir, während
das Kurtchen auf mich einschlug, Maria uns trennen wollte,
ob wohl Weißrussen oder Großrussen, ob Kosaken oder
Georgier, ob Kalmücken oder gar Krimtataren, ob Ruthe-
nen oder Ukrainer, ob womöglich Kirgisen das Matzerathsche Parteiabzeichen beim Kurtchen fänden, wenn Oskar
unter den Schlägen seines Sohnes nachgäbe.

Als Maria uns mit Hilfe der Witwe Greff trennte, hielt

ich den Bonbon siegreich in der linken Faust. Matzerath
war froh, daß sein Orden weg war. Maria hatte mit dem
heulenden Kurtchen zu tun. Mich stach die offene Nadel in
den Handteller. Nach wie vor konnte ich dem Ding keinen
Geschmack abgewinnen. Doch als ich dem Matzerath seinen Bonbon gerade hinten, am Rock, wieder ankleben
wollte – was ging mich schließlich seine Partei an –, da waren sie gleichzeitig über uns im Laden und, was die krei-
schenden Frauen anging, höchstwahrscheinlich auch in den
Nachbarkellern.

   Als sie die Falltür hoben, stach mich die Nadel des Ab-
zeichens immer noch. Was blieb mir zu tun übrig, als mich
vor Marias zitternde Knie zu hocken und Ameisen auf
dem Betonfußboden zu beobachten, deren Heerstraße von
den Winterkartoffeln diagonal durch den Keller zu einem
Zuckersack führte. Ganz normale, leichtgemischte Russen,
schätzte ich, da an die sechs Mann auf der Kellertreppe
drängten und über Maschinenpistolen Augen machten. Bei
all dem Geschrei wirkte beruhigend, daß sich die Ameisen
durch den Auftritt der russischen Armee nicht beeinflussen
ließen. Die hatten nur Kartoffeln und Zucker im Sinn, während jene mit den Maschinenpistolen vorerst andere Erobe-
rungen anstrebten. Daß die Erwachsenen die Hände hoch-
hoben, fand ich normal. Das kannte man aus den Wochen-
schauen; auch war es nach der Verteidigung der Polnischen
Post ähnlich ergebungsvoll zugegangen. Warum aber das
Kurtchen die Erwachsenen nachäffte, blieb mir unerklärlich. Der hätte sich ein Beispiel an mir, seinem Vater – oder
wenn nicht am Vater, dann an den Ameisen nehmen sollen.
Da sich sogleich drei der viereckigen Uniformen für die
Witwe Greff erwärmten, kam etwas Bewegung in die starre
Gesellschaft. Die Greffsche, die solch zügigen Andrang
nach so langer Witwenschaft und vorhergehender Fasten-
zeit kaum erwartet hatte, schrie anfangs noch vor Über-
raschung, fand sich dann aber schnell in jene ihr fast in Vergessenheit geratene Lage.

Schon bei Rasputin hatte ich gelesen, daß die Russen die Kinder lieben. In unserem Keller sollte ich es erleben. Maria zitterte ohne Grund und konnte gar nicht begreifen, warum die vier, die nichts mit der Greffschen gemein hatten, das Kurtchen auf ihrem Schoß sitzen ließen, nicht selbst und abwechselnd dort Platz nahmen, vielmehr das Kurtchen streichelten, dadada zu ihm sagten und ihm, auch Maria die Wangen tätschelten.

Mich und meine Trommel nahm jemand vom Beton weg auf den Arm und hinderte mich somit, weiterhin und vergleichsweise die Ameisen zu beobachten und an ihrem Fleiß das Zeitgeschehen zu messen. Mein Blech hing mir vor dem Bauch, und der stämmige, großporige Kerl wirbelte mit dicken Fingern, für einen Erwachsenen nicht einmal ungeschickt, einige Takte, zu denen man hätte tanzen können. Oskar hätte sich gerne revanchiert, hätte gern einige Kunststückchen aufs Blech gelegt, konnte aber nicht, weil ihn noch immer das Matzerathsche Parteiabzeichen in die linke Handfläche stach.

Fast wurde es friedlich und familiär in unserem Keller. Die Greffsche lag immer stiller werdend unter drei Kerlen abwechselnd und als einer von denen genug hatte, wurde Oskar von meinem recht begabten Trommler an einen schwitzenden, in den Augen leicht geschlitzten, nehmen wir an, Kalmücken abgegeben. Während er mich links schon hielt, knöpfte er sich rechts die Hose zu und nahm keinen Anstoß daran, daß sein Vorgänger, mein Trommler, das Gegenteil tat. Dem Matzerath jedoch bot sich kaum Abwechslung. Immer noch stand er vor dem Regal mit den Weißblechdosen voller Leipziger Allerlei, hielt die Hände hoch, zeigte alle Handlinien; doch niemand wollte ihm aus der Hand lesen. Hingegen erwies sich die Auffassungsgabe der Frauen als erstaunlich: Maria lernte die ersten Worte Russisch, zitterte nicht mehr mit den Knien, lachte sogar und hätte auf ihrer Mundharmonika spielen können, wäre die Maultrommel greifbar gewesen.

Oskar jedoch, der sich nicht so schnell umstellen konnte, verlegte sich, Ersatz für seine Ameisen suchend, auf das Beobachten mehrerer platter, graubräunlicher Tiere, die sich auf dem Kragenrand meines Kalmücken ergingen. Gerne hätte ich solch eine Laus gefangen und untersucht, weil auch in meiner Lektüre, weniger bei Goethe, um so häufiger bei Rasputin von Läusen die Rede war. Weil ich aber mit einer einzigen Hand den Läusen schlecht beikommen konnte, trachtete ich, das Parteiabzeichen loszuwerden. Und um meine Handlungsweise zu erklären, sagte Oskar: Da der Kalmücke schon mehrere Orden an der Brust hatte, hielt ich jenen mich stechenden und am Läusefangen hindernden Bonbon dem seitwärts von mir stehenden Matzerath mit immer noch geschlossener Hand hin.

Man kann jetzt sagen, das hätte ich nicht tun sollen. Man kann aber auch sagen: Matzerath hätte nicht zuzugreifen brauchen.

Er griff zu. Ich war den Bonbon los. Matzerath erschrak nach und nach, als er das Zeichen seiner Partei zwischen den Fingern spürte. Mit nunmehr freien Händen wollte ich nicht Zeuge sein, was Matzerath mit dem Bonbon tat. Zu zerstreut, um den Läusen nachgehen zu können, wollte Oskar sich abermals auf die Ameisen konzentrieren, bekam aber doch eine rasche Handbewegung Matzeraths mit, sagt jetzt, da ihm nicht einfällt, was er damals dachte: Es wäre vernünftiger gewesen, das bunte runde Ding ruhig in der geschlossenen Hand zu halten.

Er aber wollte es los werden und fand trotz seiner oft erprobten Phantasie als Koch und Dekorateur des Kolonialwarenladenschaufensters kein anderes Versteck als seine Mundhöhle.

Wie wichtig solch eine kurze Handbewegung sein kann! Von der Hand in den Mund, das reichte aus, die beiden Iwans, die links und rechts friedlich neben Maria gesessen hatten, zu erschrecken und von dem Luftschutzbett aufzujagen. Mit Maschinenpistolen standen sie vor Matzeraths

Bauch, und jedermann konnte sehen, daß Matzerath versuchte, etwas zu verschlucken.

Hätte er doch zuvor wenigstens mit drei Fingern die Nadel
des Parteiabzeichens geschlossen. Nun würgte er an dem sper-
rigen Bonbon, lief rot an, bekam dicke Augen, hustete, weinte,
lachte und konnte bei all den gleichzeitigen Gemütsbewegun-
gen die Hände nicht mehr oben behalten. Das jedoch duldeten
die Iwans nicht. Sie schrien und wollten wieder seine Handteller sehen. Aber Matzerath hatte sich vollkommen auf seine
Atmungsorgane eingestellt. Selbst husten konnte er nicht
mehr richtig, geriet aber ins Tanzen und Armeschleudern,
fegte einige Weißblechdosen voller Leipziger Allerlei vom
Regal und bewirkte, daß mein Kalmücke, der bisher ruhig
und leichtgeschlitzt zugesehen hatte, mich behutsam absetzte,
hinter sich langte, etwas in die Waagerechte brachte und aus
der Hüfte heraus schoß, ein ganzes Magazin leer schoß, schoß,
bevor Matzerath ersticken konnte.

Was man nicht alles tut, wenn das Schicksal seinen Auftritt hat! Während mein mutmaßlicher Vater die Partei ver-
schluckte und starb, zerdrückte ich, ohne es zu merken oder
zu wollen, zwischen den Fingern eine Laus, die ich dem
Kalmücken kurz zuvor abgefangen hatte. Matzerath hatte
sich quer über die Ameisenstraße fallen lassen. Die Iwans
verließen den Keller über die Treppe zum Laden und nahmen einige Päckchen Kunsthonig mit. Mein Kalmücke ging
als letzter, griff aber keinen Kunsthonig, weil er ein neues
Magazin in seine Maschinenpistole stecken mußte. Die
Witwe Greff hing offen und verdreht zwischen Margarine-
kisten. Maria hielt das Kurtchen an sich, als wollte sie es
erdrücken. Mir ging ein Satzgebilde durch den Kopf, das ich
bei Goethe gelesen hatte. Die Ameisen fanden eine veränderte Situation vor, scheuten aber den Umweg nicht, bauten
ihre Heerstraße um den gekrümmten Matzerath herum;
denn jener aus dem geplatzten Sack rieselnde Zucker hatte
während der Besetzung der Stadt Danzig durch die Armee
Marschall Rokossowskis nichts von seiner Süße verloren.

Linus Fleck

Der Krieg lag im Sterben. Er starb mit den ersten warmen Frühlingstagen, die den letzten Schnee zum Schmelzen brachten, mit dem Föhn, der von den Bergen herab in die Täler fiel, und mit dem Rauschen der Bäche in den Wäldern, das täglich stärker wurde.

Noch war das Echo von Maschinengewehrgarben, von Panzerabschüssen und von Bombendetonationen zu hören, und die Bewohner der kleinen Stadt, die zwischen zwei sanft abfallenden Bergen lag, hockten in ihren Kellern und warteten auf das Ende.

»Mein Sohn«, sagte der preußische Kriegsgerichtsrat Karl Friedrich Fleck und richtete sich mühsam von seiner harten Feldbettstelle auf, »wir haben zum zweitenmal verloren. Gott war uns nicht gnädig. Er wollte uns vernichten. Schmach und Schande wird über uns kommen. Für mich ist beides, die Schmach und die Schande, mein Sohn, unerträglich. Ich werde deshalb aus dem Leben gehen, aufrecht, wie ich es gelebt habe.«

»Jawohl, Vater«, sagte sein Sohn, der am Fußende des Bettes stand, verzog sein etwas rundliches Gesicht zu einer Grimasse, machte eine leichte Verbeugung und blies die Kerze aus, die neben dem Bett auf einem Hocker stand. Sie hatte die dunkle Dachkammer nur notdürftig erhellt. Der Kriegsgerichtsrat ließ sich stöhnend auf sein Bett zurückfallen und schloß die Augen.

»Wohin gehst du, Linus?«

»Ich weiß nicht, Vater.«

»Und was soll aus dir werden, wenn ich nicht mehr bin?«

»Ich weiß es nicht, Vater.«

»Großer Gott, beschütze ihn«, flüsterte der Kriegsgerichtsrat. Er begann, mühsam und unregelmäßig zu atmen,

doch nach kurzer Zeit erfüllten sanfte Schnarchtöne den
Raum. Linus verließ die Dachkammer. Er haßte dieses tägliche Sterben seines Vaters. Das Gerede von Schmach und
Schande kam ihm lächerlich vor, und die Sorgen um ihn,
Linus, waren nach seiner Ansicht völlig unbegründet. Er
würde schon mit dem Leben fertig werden. Er war sechzehn Jahre alt und hatte sich bisher vor allem erfolgreich gedrückt, was ihm unangenehm war, vor der Hitlerjugend,
vor dem Flakhelferdienst und vor der Schule, in der er als
unbegabt und faul angesehen wurde. Er würde auch mit
den Siegern umzugehen wissen. Man mußte sie nur gebüh-
rend empfangen und begrüßen.

Behutsam setzte er die schweren Nagelschuhe voreinan-
der, die er im »dienstlichen« Auftrag seines Vaters tragen
mußte, und trat in den schmalen Flur hinaus. Er verab-
scheute diese Rumpelkammer, in der sie seit zwei Jahren als
Evakuierte lebten. An einem kalten, schneeverwehten Janu-
armorgen hatte sein Vater mit ihm das bombardierte Berlin
verlassen, um unter ständigen patriotischen Reden in dieses
oberbayerische Nest zu flüchten.

»Es geht um den Endsieg, mein Sohn«, hatte sein Vater
damals gesagt und dann von versenkten Tonnagen, von
richtigen und falschen Absetzbewegungen und von der Ge-
heimwaffe gesprochen, mit der man den Feind in ein besse-
res Jenseits befördern würde. Linus hatte den Widerspruch
zwischen Reden und Handeln wohl bemerkt, aber trotzdem genickt und nichts entgegnet. Es hatte keinen Sinn, seinem Vater zu widersprechen. Er war ein Schlachtenlenker
und -denker aus der Perspektive des Biertisches und des
Kochtopfes, der immer gefüllt sein mußte. Kriegsgerichtsrat
zu Beginn des Krieges, hatte man ihn schon nach einem Jahr
wegen Erschlaffung der Herzkranzgefäße nach Hause geschickt.

Sein Sohn, dachte Linus und blieb vor einem Barockspiegel stehen, der leicht verschmutzt über einer alten Kom-
mode hing. Ja, er war der Sohn des alten Fleck, hieß eigent-

lich Lienhard, nannte sich aber Linus, und erträumte sich
ein Leben, das nichts mit dem seines Vaters zu tun hatte.
Sein Gesicht war nicht das seines Vaters. Es war weder knochig noch hager, sondern rundlich, von einer angenehmen,
weichen Glätte, die Augen von einem nebligen, verschwom-
menen Grau, die Ohren klein, fast zierlich, die Stirn schien
etwas zu niedrig, aber doch noch hoch genug, um eine gewisse Intelligenz zu verraten, die sein Vater, wie er glaubte,
nicht besaß. Auch die Nase, sonst ohne besondere Merk-
male, zeigte nach seiner Ansicht gewisse Spuren von Intelligenz; was unterhalb der Nase kam, Lippen und Kinn, war
zu kindlich und weich; es müßte später mit einem wahrscheinlich dunkelblonden oder vielleicht ins Rötliche schimmernden Bart bedeckt werden, um die männliche Note zu
betonen.

Linus gefiel sein Gesicht. Es war seiner Ansicht nach aus-
drucksvoll, und er konnte es verwandeln, wie er wollte. So
schob er jetzt die Unterlippe etwas vor, zog die Nase nach
oben, und aus dem Barockspiegel lächelte es ihm entgegen,
etwas englisch, etwas amerikanisch, wie er glaubte, und so,
wie man es haben mußte, wenn der Feind die Stadt besetzte.

»Oh, Captain«, flüsterte er, »I love always the Ameri-
cans. I will hope you are very happy in this country ... Welcome to you.«

Er sprach die Sätze knarrend aus, als hätte er eine Perle
im Mund, die bald zur einen, bald zur anderen Seite zwischen seinen kurzen Mausezähnen hin und her rollte. Ein
mittelmäßiger Englischschüler, hatte er sich in den letzten
Wochen einige Sätze gemerkt, die man jetzt vielleicht gebrauchen konnte.

Laut polternd ging er mit seinen schweren »Dienstschu-
hen« die Treppe des hellhörigen, einstöckigen Holzhauses
hinunter, schritt über die knarrende Diele, an der Wohnung
des Malers Christoph Merck vorbei, und setzte sich vor
dem Haus auf die Steintreppen.

Es war ein lauer Frühlingsabend. Die Wälder, die sich an
den Bergen hinzogen, atmeten jetzt Dämmerung aus, und
von den Wiesen kam der Geruch des aufblühenden Löwen-
zahns. Das kleine Holzhaus, »mein Künstlerheim« hatte es
Maler Merck genannt, lag an einem Abhang, und Linus
konnte von hier aus in die Stadt sehen. Er sah auf das Dach
des Hotels *Zum Schwarzen Adler*, auf den altertümlichen
Turm des Rathauses und, weiter hinten, auf die jetzt
schwarz schimmernden Fenster des Gymnasiums, das ihm
in den zwei Jahren seines bayerischen Aufenthaltes viel
Ärger und Kummer und nur wenig Freude bereitet hatte.

Der Lärm des Maschinengewehrfeuers in den Bergen war
verstummt, nur das Surren der Flugzeuge war noch am
abendlichen Himmel. Kein Licht flammte unten in der Stadt
auf. Die Fenster und die Straßen blieben dunkel und ver-
sanken allmählich und fast lautlos in der heraufkommenden
Nacht.

Linus dachte nach. Eine neue Zeit kam heran. Sie kam
mit den Gefechten in den Bergen, mit den bombardieren-
den Flugzeugen und mit der amerikanischen Armee, die aus
dem Süden heranrückte. Er, Linus, würde diese Zeit zu nut-
zen wissen. Er würde die Schule verlassen, sich mit den
Amerikanern befreunden und davongehen, um ein neues
Leben zu beginnen. Aber da war sein Vater . . .

»Linus, Linus«, kam es stöhnend aus dem offenen Dach-
fenster. Es klang wie die Stimme eines Sterbenden. Schmach
und Schande, dachte Linus, sprang auf und lief in das
Haus.

Verärgert betrat er die Dachkammer.

»Was ist, Vater?«

»Ich sterbe, Linus.«

»Aber, Vater!«

»Es ist an der Zeit, mein Sohn. Als der Kaiser . . .«

»Ach Vater, hör mit dem Kaiser auf. Der ist doch längst
tot.«

»Aber der Führer.«

»Der ist neuerdings auch tot.«

»Gott erbarme sich ihrer«, flüsterte der Kriegsgerichtsrat, faltete die Hände vor dem Gesicht zusammen und ließ sie auf die Brust fallen. Linus schloß das Fenster, ließ die Verdunkelung herunter und zündete die Kerze auf dem Hocker an. Der Schein der Kerze fiel auf das Gesicht seines Vaters. Es war ein eingefallenes, verhungertes Gesicht. Linus sah auf die Glasphiolen neben dem Kerzenhalter, in denen sich das Veronal befand, das er vor drei Tagen von einer letzten durchziehenden deutschen Sanitätsabteilung für seinen Vater als Schlafmittel erbettelt hatte. Die Glasphiolen waren jetzt leer. Linus erschrak.

»Wo hast du das Veronal gelassen, Vater?«

»Ich habe es geschluckt, mein Sohn.«

»Alles, das ganze Veronal?«

»Alles, mein Sohn.«

»Du bist wahnsinnig, Vater!«

»Nein«, flüsterte der Kriegsgerichtsrat mit schon erlöschender Stimme, »es ist gut so. In wenigen Minuten stehe ich vor meinen Vätern. Gott hat mich gerufen. Er will nicht, daß ich diese entsetzliche Niederlage miterlebe. Und du, Linus, vergiß deine Mutter nicht. Sie hat mich zwar belogen und betrogen und ist mit einem anderen auf und davon gegangen, irgendwohin ins Ausland, ich glaube nach Amerika, aber ich verzeihe ihr. In dieser Stunde verzeihe ich allen, hörst du, Linus, allen.«

»Ja, Vater.«

»Auch dir, Linus; komm, nimm meinen Segen.«

Linus kniete vor dem Bett nieder. Er kannte dieses Spiel. Es wurde fast jeden Tag verziehen, gesegnet und gestorben, aber an jedem nächsten Morgen schlug sein Vater die Augen wieder auf, um aufs neue das gleiche Spiel zu beginnen. Er würde auch die starke Dosis Veronal überleben.

Linus haßte dieses Spiel, aber er ergab sich darein, so wie man sich in etwas ergibt, das nicht zu ändern ist. Den Kopf demütig auf der Bettkante, wartete er auf die segnende

Hand seines Vaters und dachte an seine Mutter, die vor dem
Krieg auf und davon gegangen war, mit einem Journalisten
polnischer Abstammung, der sich Kossgarden nannte, ein
Name, den Linus nie vergaß und den sein Vater nur mit
Verachtung aussprach. Auf und davon, hatte es sein Vater
genannt, und dabei war es geblieben. Linus hörte wieder
das schrille Lachen seiner Mutter, wenn sein Vater seine
nationale Würde verteidigte, sich zum Antisemitismus,
zum Dritten Reich und zum Führer bekannte, und die
Szene durchzitterte und verängstigte ihn noch in der Erinnerung.

»Wo bleibt dein Segen, Vater«, flüsterte er turnusgemäß,
aber neben ihm blieb alles still. Es war so still in der Kammer, daß er glaubte, seinen eigenen Atem zu hören. Das mit
dem »eigenen Atem« hatte er in einem der vielen Bücher gelesen, die er in der letzten Zeit verschlang.

»Vater«, sagte er. »Warum sagst du nichts?«

Er bekam keine Antwort. Er dachte, ich muß das Licht
löschen, vielleicht stört ihn das Licht, und seine Hand glitt
zu dem Kerzenhalter hin und riß eine der Glasphiolen herunter, die klirrend zu Boden fiel. Er erschrak und ärgerte
sich zugleich über seinen Vater. Warum hatte er alle
Veronaltabletten auf einmal geschluckt? Er würde nicht daran sterben, und sie waren so schwer zu besorgen. Morgen
würde das vielleicht nicht mehr möglich sein. Wie sollte er,
Linus, ein Sechzehnjähriger, den Amerikanern beibringen,
daß er Veronaltabletten brauchte. Sicher, er traute sich einiges zu . . .

»*Welcome to you, Captain*«, würde er sagen, aber wer
wußte denn, was so ein amerikanischer Captain darauf antworten würde. Vielleicht hatten sie außer ihren Panzern
noch Lassos und Hundepeitschen. Hatte der Oberstudiendirektor Knass nicht gesagt, sie seien noch Halbaffen, direkt
vom Baum in den Jeep gesprungen und ohne jede Kultur?
Er, Linus, glaubte das nicht. Ihm kam es eher vor, als sei der
alte Knass mit seinem Reichsführer-Himmler-Gesicht, auf

das er so stolz war, selbst unmittelbar vom Baum in die Obersekunda gesprungen.

Linus spürte seine Knie. Sie taten ihm weh vom langen Knien. Wo blieb der Segen seines Vaters? Er kannte jeden Satz dieses Segens und konnte ihn auswendig nachsprechen.

»Mein Sohn«, so würde sein Vater zum zwanzigsten oder dreißigsten Male sagen, »bewahre dir einen aufrechten Charakter. Geh durch das Leben, wie ich es immer getan habe, tapfer, untadelig, wahrheitsliebend. Vergiß nie, daß du ein Deutscher bist. Das verpflichtet. Du bist mein Sohn, der Sohn des Kriegsgerichtsrats Karl Friedrich Fleck, dessen Vorfahren Soldaten, Pastoren und Staatsbeamte waren. Lebe in ihrem Geist, für Volk und Nation, treu und voller Pflichterfüllung.«

»Ja, Vater«, würde er, wie immer, darauf antworten, »tapfer, untadelig, wahrheitsliebend. Ich verspreche es dir.«

Es blieb alles still. Linus erhob sich, beugte sich vor und lauschte auf den Atem seines Vaters. Eine dumpfe Detonation rollte fern in den Bergen hin. Es war ihm, als käme etwas Unheimliches, Unfaßbares durch das Dachstubenfenster. Der Flügel des Todes oder sein Atem oder, wie Oberstudiendirektor Knass es genannt hätte, der Wille des Ewigen.

Linus begriff es nicht. Zu oft hatte er mit seinem Vater das Sterben und die letzte Minute mit Segengeben und Segenempfangen, mit Ermahnungen und Reuebekenntnissen gespielt. Jetzt empfand er nichts mehr.

EDGAR HILSENRATH

Der Nazi & der Friseur

»Warschau war gefallen. Die Russen standen vor Krakau,
Lodz und Tilsit ... und zirka 20 km vor dem Konzentrationslager Laubwalde. Im Lager war alles in Auflösung begriffen. Die SS packte. Wir waren 112 Mann. Und jeder von
uns war von einem einzigen Gedanken besessen: Abhauen!
Ehe die Russen hier waren! Abhauen! Nach Deutschland!«
Max Schulz griff nach einer Camel, suchte nach Streichhöl-
zern. Frau Holle schob sie ihm zu.

»Ja, so war das«, sagte Max Schulz. »5 Lastautos standen
bereit. Wir mußten fort. Und die Gefangenen konnten wir
nicht mitnehmen. Es waren nicht mehr viele da. Und die,
die noch da waren, die sollten erschossen werden.

Die Gefangenen schleppten Kisten zu den Lastautos und
luden sie auf. Wir konnten nicht allzuviel mitnehmen:
Lebensmittel, Munition, auch eine Kiste mit Schmuck und
eine Kiste mit den Goldzähnen der Toten, Reste nur, die
aus Zeitmangel nicht mehr ins Reich geschickt werden
konnten. Ja, so war das«, sagte Max Schulz. »Als die letzte
Kiste aufgeladen wurde – und das war die Kiste mit den
Goldzähnen – da passierte ein Unfall. Die Kiste fiel auf den
Boden und zerbrach, und die Goldzähne kullerten heraus.

Ich stand neben den Lastautos und paßte scharf auf, obwohl ich Bauchschmerzen hatte. Aber ich biß die Zähne zusammen – meine Zähne – denn das hatten wir ja gelernt.

Also, so war das. Die Goldzähne kullerten auf den Boden. Eine andere leere Kiste war nicht aufzutreiben. Hatten
wir nicht. Und so befahl ich einem Gefangenen, ein paar
Pappkartons herbeizuschaffen. – Aber wozu erzähl' ich
Ihnen das. Das ist unwichtig. Das war eben so. Die Goldzähne wurden dann aufgelesen, in einige mittelgroße Pappkartons gefüllt und schließlich aufgeladen.

Na ja, so war das. Ich erhielt dann Befehl, die Gefangenen zu erschießen. Wie gesagt: Viele waren es nicht mehr. Ich hatte sie gezählt: 89. Die letzten Überlebenden. 89? Was ist das schon! Die kann ein einziger Mann erledigen.

– Aber ich hatte Bauchschmerzen. Und ich ging zu meinem Untersturmführer und sagte ihm das. Aber der wollte davon nichts hören.«

Max Schulz stieß dicke Rauchwolken vor sich hin.

»Na ja«, sagte Max Schulz. »Ich erschoß sie eben mit Bauchschmerzen.«

Max Schulz starrte Frau Holle an. »Als wir das Lager verließen«, sagte er langsam, »da fing es zu schneien an. Es war eine Zeitlang windstill, und die Schneeflocken fielen lautlos wie Vogelfedern vom Himmel. Wir fuhren durch den polnischen Wald in Richtung Deutschland. Und der Wald sah wie ein deutscher Märchenwald aus, mit einem stillen Himmel über den hohen Bäumen und Schneeflocken wie die Federn weißer Vögel. Genauso mußte der Wald aussehen, über dem Frau Holle die Federbetten ausschüttelt – die Frau Holle in Grimms Märchenbuch ... Grimms Märchenbuch ... das Lieblingsbuch des Itzig Finkelstein ... als Itzig Finkelstein ein kleiner Junge war ... das Märchenbuch ... aus dem er mir vorlas ... der Itzig Finkelstein ... das er so liebte ... sein Märchenbuch ... und das ein deutsches Märchenbuch war –

Aber dann ... dann kam Wind auf. Und der deutsche Märchenwald verwandelte sich, schien im Schneegestöber zu verschwinden, wurde wieder ein polnischer Wald. – Und die Front war ganz nah. Die saß hinter uns im Dickicht, kauerte irgendwo in der Nähe, saß dort im Wald hinter uns wie ein gottverdammter feuerspeiender Salamander, blieb aber nicht lange sitzen, kroch hinter uns her, kroch so schnell wie wir, obwohl wir fuhren und gar nicht krochen, deckte uns mit Feuerwerk ein.

Ich stand neben Günter. Im letzten LKW. Und neben uns
stand der Lagerkommandant Hans Müller, stand neben den
Kartons mit den Goldzähnen, paßte auf die Goldzähne auf,
schien keinem von uns mehr zu trauen, stand dort neben
mir und neben Günter und starrte auf die Goldzähne.

Wir froren. Wir hatten uns tief in unsere Mäntel gehüllt.
Ich hielt mich an Günter fest. Der LKW hatte niedrige
Bordwände und kein Dach. Wir waren eingeschneit.

Ich sagte zu Günter: ›Deutschland!‹

Und Günter sagte: ›Ja, Deutschland!‹

Und der Lagerkommandant Hans Müller sagte: ›Die
Front kommt immer näher. Dieses verdammte Schneegestöber. Wenn wir doch nur schneller fahren könnten. – Und ich
wette, meine Herren, daß die Kerle auf uns warten!‹

›Welche Kerle?‹ wollte Günter wissen.

›Die Partisanen‹, sagte der Lagerkommandant Hans Müller. ›Am anderen Ende des Waldes.‹

Und Günter sagte: ›Wo ist das eine Ende? Und wo ist das
andere Ende? Dieser Wald hat doch kein Ende.‹

›Die Partisanen‹, sagte der Lagerkommandant Hans Müller ..., ›die warten auf uns. Passen Sie auf. Vielleicht
gar nicht am Ende des Waldes. Vielleicht schon vor dem
Ende.‹

›Und wir fahren nach Deutschland‹, sagte ich. ›Zwischen
der Front und zwischen den Partisanen ... da fahren wir
durch. Wir fahren eben durch. Oder nicht?‹

›Klar fahren wir durch‹, sagte der Lagerkommandant
Hans Müller. ›Und wie!‹

Ich kriegte wieder Bauchschmerzen. Diesmal war's nicht
der Fall von Warschau. Diesmal waren's die Partisanen! Die
saßen überall. Und ich wußte: Wir fahren in eine Falle!

Ich fragte nicht um Erlaubnis. Ich taumelte nach rückwärts, riegelte die Klapptür auf, ließ meine Hosen herunter,
hockte mich hin, mit verzerrtem Gesicht, ließ meinen frie-
renden Hintern im Freien hängen, klammerte mich an der

Bordwand fest, hatte den Kopf zwischen den Knien, be-
kleckste den Waldweg ... den verschneiten.

Als mich der Lagerkommandant so sah, verzog auch er
das Gesicht, wurde von mir angesteckt, taumelte ebenfalls
nach rückwärts, riß die Hosen noch schneller runter als ich,
hockte sich neben mich hin, sagte: ›So scheißen doch nur
Untermenschen!‹ sagte: ›Was ist denn das!‹ sagte: ›Aber
doch nicht wir!‹ stöhnte vor Schmerzen, zog eine dunkle
Spur hinter uns auf dem Waldweg, dem verschneiten, zog
die Spur neben der meinen ...

Die anderen ... die Kameraden ... die lachten bloß ...
wandten die Köpfe nach uns um ... standen eingeschneit
im offenen LKW ... standen dort wie die Sardinen ... standen ohne Deckung ... lachten ... machten Witze ... auch
Günter.

Plötzlich stoppte der erste LKW. Und auch die anderen
stoppten. Auch unserer. Ganz plötzlich. Die Wagenkolonne
stand still. Lag was auf dem Waldweg. Ein gefällter Baum.
Und dann knallte es. Auch ganz plötzlich. Und wie das
knallte! Aus dem Wald. Die knallten. Die Partisanen. Denn
das waren die Partisanen! Hatten bloß alte Gewehre. Aber
schossen gut! Ja, das konnten die.

Ich hockte neben Hans Müller, dem Lagerkommandanten. Und der hockte neben mir. Wir wurden nicht getroffen.
Aber die anderen, die standen lachend im offenen LKW ...
standen ohne Deckung ... hörten plötzlich zu lachen auf ...
sackten zusammen.«

»Sie hätten mal sehen sollen«, sagte Max Schulz, »wie
schnell ich meine Hosen hochzog. Noch nie in meinem Leben hab ich meine Hosen so schnell hochgezogen. Auch der
Lagerkommandant Hans Müller. Der war sogar noch
schneller als ich. Im Nu hatte der seine Hosen hoch, sprang
nach vorn ... in den blutigen Haufen der niedergemähten

Kameraden ... griff nach einem Gewehr und jagte eine Salve nach der anderen in den Wald hinein.

Ich tat dasselbe. Machte's ihm nach. Schießen konnte ich. Und die Bauchschmerzen waren weg. Das hätten Sie mal sehen sollen!«

»Was hätt' ich sehen sollen?« fragte Frau Holle.

»Wie wir den Wald verzauberten«, sagte Max Schulz. »Denn das war unser letztes Gefecht.

Als wir unsere letzte Patrone verschossen hatten, wurde es ganz still. Der Wald schwieg. Und die Front schwieg. Und die Partisanen schwiegen. Sogar der Wind legte sich, und es fiel kein Schnee mehr.

›Los, weg‹, schrie der Lagerkommandant Hans Müller.

Und ich sagte bloß: ›Ja, verdammt nochmal!‹

Wir schmissen unsere Gewehre in den Haufen der Verwundeten und Toten. Hans Müller, der Lagerkommandant, ergriff einen der Kartons mit den Goldzähnen, hob ihn hoch und warf ihn mit einem kräftigen Ruck ins Gebüsch. Dann sprangen wir runter, rannten los und verschwanden im Wald.«

»Was war eigentlich mit Günter? War Günter gleich tot?«

»Das weiß ich nicht«, sagte Max Schulz. »Günter lag zwischen den anderen. Ich sah ihn erst am nächsten Tag wieder.«

»Erzählen Sie mir das ... wie Sie ihn wiedersahen.«

»Ja«, sagte Max Schulz. »Später.«

»Und wie war das mit dem Wald? War der wirklich verzaubert?«

Max Schulz nickte. »Der Wald schwieg. Aber als wir losrannten ... da fing der Wald zu lachen an.«

»Ich glaube, Sie spinnen«, sagte Frau Holle. »Ein Wald kann doch nicht lachen.«

»Doch«, sagte Max Schulz. »Das kann der Wald. Er wurde auch wieder lebendig. Die Front begann wieder zu toben. Und die Partisanen kamen aus ihrem Versteck hervor und feuerten hinter uns her. Und die Wolken öffneten

sich. Der Wind heulte in den Bäumen und peitschte uns fri-
schen Schnee ins Gesicht. Wir rannten mit klebrigen Unter-
hosen, rannten wie Untermenschen.

Ich verlor den Lagerkommandanten Hans Müller aus den
Augen. Wie lange ich im Wald herumirrte, weiß ich nicht
mehr. Ein paar Stunden vielleicht. Später fand ich einen ver-
lassenen Bunker, kletterte hinein und verbrachte dort die
Nacht.«

»Die Nacht?« fragte Frau Holle.

»Ja, die Nacht«, sagte Max Schulz.

»Ich schlief einige Stunden, wurde im Schlaf von der
Front überrollt, merkte das gar nicht, wachte dann auf,
hatte Angst, wunderte mich, sagte zu mir: ›Was soll das?‹

Ich kletterte aus dem Bunker heraus. Es war noch stock-
dunkel. Ich bürstete meine Uniform mit den Fingerspitzen
ab, knallte die Hacken zusammen und brüllte den Himmel
an.

Ich brüllte: ›Es werde Licht!‹

Ich brüllte: ›Es werde Licht!‹

Ich brüllte: ›Es werde Licht!‹

Aber nichts geschah. Jahrelang hatte ich in aller Früh
den Himmel angebrüllt. Und der Himmel hatte immer ge-
horcht. Und jetzt ... auf einmal ... ging das nicht mehr.
Der Himmel gehorchte nicht.

Ich zündete ein Streichholz an und schaute auf meine
Uhr. Sie war stehengeblieben.

Erst etwas später begann es zu dämmern.«

»Sie sind doch ein Spinner«, sagte Frau Holle. »Eigentlich
hätt’ ich mir das gleich denken müssen. Bei Ihnen weiß man
nicht, was wahr ist, und was nicht wahr ist. – Und was war
mit Günter?«

»Ach ja, Günter ...« sagte Max Schulz. – »Ich ging später,
als es heller wurde, zu der Stelle des Überfalls zurück. Die
Partisanen waren mit den LKWs davongefahren. Sie hatten

alle erwischt, außer uns beiden – den Lagerkommandanten
Hans Müller und mich – hatten die Toten und Verwundeten
aus den LKWs herausgeworfen, und die lagen in wirrem
Durcheinander auf dem Waldweg. Die Partisanen hatten
natürlich dann auch die Verwundeten getötet. Kurz: es
lagen nur Tote auf dem verschneiten Waldweg. Ich kratzte den Schnee von den Gesichtern herunter ... von einigen nur ... auch von ihren Körpern ... entdeckte schließlich Günter ... Günter ... ohne Schädeldecke und ohne
Schwanz.«

»Wie sah Günter aus ... ohne Schwanz?« fragte Frau
Holle.

»So wie eine menstruierende Frau«, sagte Max Schulz ...
»mit einem roten Loch zwischen den nackten Beinen.«

»Nackt?« fragte Frau Holle.

»Ja«, sagte Max Schulz. »Sie waren alle nackt.«

»Wissen Sie, wie ein polnischer Wald im Januar aussieht?« fragte Max Schulz ... »frühmorgens, kurz nach Sonnenaufgang?«

»Nein«, sagte Frau Holle.

»So wie auf dem Bild im Wohnzimmer von Finkelsteins«,
sagte Max Schulz. »Die hatten nämlich ein großes Bild im
Wohnzimmer ... eine Winterlandschaft ... eine fremde
Landschaft mit einer kalten roten Sonne, finsteren Bäumen,
von deren knorrigen Zweigen die Eiszapfen wie spitze Dra-
chenzähne herabhingen ... hängende Zähne, die die Erde
anfletschten, als wollten sie die Erde aufspießen ... und all
das und noch mehr war eingedeckt mit einem weißen Lei-
chentuch und mit seltsamen grauen Schleiern verwoben.
Nur die nackten Toten auf dem Waldweg, die fehlten auf
dem Bild der Finkelsteins.«

»Wer waren die Finkelsteins?« fragte Frau Holle.

»Die Finkelsteins waren die Finkelsteins«, sagte Max
Schulz. »Wer soll das sonst schon gewesen sein?«

»Ich stand also da ... in dem verdammten polnischen Wald, stand auf dem Waldweg, stand neben den Toten, dachte: Mensch, Max ... wie kommst du jetzt nach Deutschland?

Am liebsten hätte ich losgeheult, dachte aber daran, daß mir die Tränen noch an den Wimpern zu Eis würden ... denn in Polen ist es kalt im Januar, so kalt, daß einem die Spucke einfriert, wenn man das Maul zu weit aufreißt.«

»Dann hält man lieber die Klappe«, sagte Frau Holle.

»Es blieb mir auch nichts anderes übrig«, sagte Max Schulz. – »Ich stand also auf dem Waldweg, starrte auf die Toten, stand dort frierend, unausgeschlafen, zähneklappernd, hungrig ...

Die Partisanen hatten natürlich alles mitgenommen ... auch die Lebensmittel. Ich wußte, daß ich ohne Nahrung und richtigen Unterschlupf nicht überleben würde. Irgendwo mußte ich unterkommen, irgendwo, wo es Streichhölzer gab – denn ich hatte die letzten verbraucht –, wo ich Feuer machen konnte und wo es auch was zu essen gab. Auch mußte ich mir Zivilkleider beschaffen, meine Uniform wegschmeißen und – so sagte ich mir – versuchen, mich hinter den russischen Linien nach dem Westen durchzuschlagen ... bis nach Deutschland. Keiner durfte wissen, wer ich war. Mit uns machten die Brüder kurzen Prozeß. Mit uns ... von der SS.

Ja, und das war so:

Bevor ich weiterging, suchte ich im Gebüsch nach den Goldzähnen. Die waren noch da. Der Karton war eingeschneit. Ich kratzte Schnee und Eis ab, lud ihn auf den Rücken, ging dann den Waldweg entlang, bog rechts ab und tauchte wieder zwischen den hohen vereisten Bäumen unter, weil das sicherer war. Nachdem ich eine Weile so vor mich hin getrottet war, blieb ich stehen, lud den Karton mit den Goldzähnen ab und vergrub ihn mit den Händen im Schnee. Die Bäume rings um die Stelle markierte ich mit meinem Taschenmesser.

Ich wußte, daß der Lagerkommandant Hans Müller genauso wie ich im Wald herumirrte, und war irgendwie froh, daß ich ihn aus den Augen verloren hatte. Hans Müller würde bestimmt zu der Stelle des gestrigen Überfalls zurückkehren, um nach den Goldzähnen zu suchen. Ich sagte mir: Es ist besser, daß du die Zähne hast als er. Wenn die Zeit reif ist, wirst du die Zähne wieder ausgraben – und zwar ehe es taut ... vielleicht in ein paar Wochen oder so – und dann wirst du weitermarschieren ... mit den Zähnen ... bis nach Deutschland. Und dort wirst du die Zähne verkaufen und dann ein neues Leben anfangen.

HANNS-JOSEF ORTHEIL

Hecke

Am Nachmittag des 6. April, gegen 15 Uhr, sah der Hecker Bauer die Khakiuniformen der Amerikaner oberhalb der Stallungen. Sie bewegten sich langsam durch das Grün; dann erkannte er den Spähwagen, der wie ein Spielzeug aus dem Wald kollerte und langsam auf die Scheunen zurollte.

Man hatte sich in der Küche versammelt, als er die Nachricht den anderen mitteilte, die sprachlos herumsaßen und warteten, als der Junge plötzlich zu weinen begann. Zum ersten Mal redete meine Mutter ihn in der allen verständlichen Sprache an, als er heftiger weinte. Da hob sie ihn mit einer kaum glaublichen Kraftgebärde auf den Arm, lief mit der größten Schnelligkeit ins Schlafzimmer, um dort ein Bettuch von der Matratze zu reißen. Man wollte sie noch zurückhalten, doch sie lief – das weinende Kind auf dem Arm – die Stiegen hinauf zum Dach, wo sie das Tuch, nur

flüchtig um eine Holzstange gewickelt, wie eine Flagge be-
festigte.

Erschöpft und als habe sie die letzte notwendige Tat voll-
bracht, die endlich den ersehnten Frieden bringe, begann sie
in der Küche zu singen. Sie wirkte so ruhig, daß das Kind
aufgehört hatte zu weinen und sie anbettelte. Seit sie die
Flagge gehißt hatte, war nichts geschehen, doch man hörte
die Panzer näherrollen, die den voraneilenden Soldaten zu
folgen schienen, deren Stimmen nun ganz in der Nähe wie
rasch in Bewegung geratendes Geplänkel zu hören waren.
Sie nahm am Küchentisch Platz und setzte den Jungen auf
den Schoß, um ihm ein Honigbrot zu schmieren, als die
Soldaten in die Küche eindrangen. Die dort Versammelten
erhielten den Befehl, sich vor das Haus zu begeben. Sie
wurden mit hastigen Bewegungen nach draußen getrieben,
Schreie und Rufe feuerten sie an, eine kleinere Gruppe von
Soldaten durchstöberte die Scheunen, eine andere machte
sich im Haus breit. Man drängte die Bewohner an die Wand
und ließ sie dort mit erhobenen Armen stehen; ihnen gegenüber wurde ein Maschinengewehr aufgepflanzt. Aus
einer Scheune wurden zwei deutsche Soldaten gezerrt, die
desertiert waren und sich dort versteckt hatten. Sie wurden
hinter das Haus getrieben und dort verprügelt. Ihre Schreie
schreckten den Jungen auf, der neben der Mutter stand; sie
redete auf ihn ein, aber er begann zu weinen. Als sich der
ganze feindliche Trupp vor dem Haus versammelt hatte, erhielten die Frauen die Erlaubnis, das Kind hineinzubrin-
gen. Meine Mutter nahm den Jungen auf den Arm, die
Schwester begleitete sie, die anderen folgten. Drei Amerikaner gingen mit ins Haus, um dort Wasser zu trinken. Die
Frauen mußten eine Probe nehmen, die Pumpe wurde be-
dient. Dann setzte sich meine Mutter an den Tisch, das Honigbrot, das sie zuvor dem Jungen geschmiert hatte, lag
noch auf einem Teller. Sie drückte es ihm in die Hände, er
nahm es und wollte zubeißen, als die Granaten in den Raum
einschlugen.

Während die anderen sich hinwarfen, blieb sie noch immer sitzen. Ein Artilleriegeschoß war ins Schlafzimmer eingeschlagen, die Wand zur Küche war durchbrochen, Schränke und Möbel zerstört, im Stall hatte sich das Vieh losgerissen.

Meine Mutter fuhr sich über die Stirn, ein Splitter hatte sie dort gestreift, sie blutete ein wenig, war jedoch sonst unverletzt, während ein anderer, kräftigerer Splitter dem Kind in den Hinterkopf geschlagen war.

Sie richtete den toten Körper auf und begriff nicht, was geschehen war, als der Junge immer von neuem zurückfiel, einknickte und ihr schließlich aus dem Schoß zu fallen drohte. Die Maschinengewehrsalven der Amerikaner schlugen weiter unten im Wald ein, wo die versteckt feuernde deutsche Artillerie in Stellung gegangen war.

Als der Gefechtslärm aber gleichsam vor den Toren und über den Dächern des Gehöftes aufbrauste und es schon klang, als gebe es keine Ruhe, bis auch dieses Versteck mit allen Mauern im Boden versunken sei, sollen die einander feindlichen Truppen plötzlich einen hohen, wie aus der Ewigkeit des Gerichts herrührenden Schrei gehört haben, einen Laut, wie man ihn sich nicht habe vorstellen können, ein Trompeten über alle menschlichen Kräfte hinaus, das den Gefechtslärm mit einem Schlag, ohne daß dies vorher zu erwarten gewesen wäre, zum Verstummen brachte.

Sie soll die Hoftür geöffnet haben, sie soll mit dem Kind auf dem Arm hinausgekommen sein, gerade in die Schußlinie der feindlichen Lager. Niemand, sagt man, habe sich hinterhergewagt, alle hätten den Atem angehalten, und die Stille sei nun endgültig die eines Endes gewesen, das man sich nicht fürchterlicher habe denken können.

Wahrhaftig sei es auch nicht mehr zu Auseinandersetzungen gekommen, die deutsche Artillerie habe ihre Stellung wohl aufgegeben und ein Großteil der amerikanischen Soldaten habe sie ins Tal verfolgt. Die anderen hätten sich auf

dem Hof breitgemacht, seien aber dort nicht zur Ruhe gekommen, ebensowenig wie die Bewohner, da meine Mutter
mit dem Gestorbenen auf den Knien unter einem Kirsch-
baum gehockt habe, von nun an stundenlang, ohne noch
einen einzigen Laut von sich zu geben, ja die ganze Nacht
hindurch, ohne Bewegung, ja auch den ganzen folgenden
Vormittag, bis man der wie Versteinerten das Kind habe aus
den Händen reißen müssen, um es vorläufig in der Nähe zu
begraben. In dem Augenblick jedoch, in dem sie den Körper des Jungen nicht mehr habe spüren können, sei sie, wie
einige sagen, zur Seite gefallen und habe dort, wo sie so
lange gesessen, noch Stunden gelegen.

II
»Ist das die Befreiung?«
Hoffnungen und Enttäuschungen

»Ist das die Befreiung?« Die in Valentin Sengers Roman *Kaiserhofstraße 12* gestellte Frage ist symptomatisch für Hoffnungen und Enttäuschungen, die untrennbar mit dem Datum des 8. Mai 1945 verbunden sind. Nur schwer lassen sich die Ereignisse und das Erleben des Kriegsendes auf einen gemeinsamen Nenner bringen. Im Spannungsfeld zwischen Zusammenbruch und Neubeginn zeigt die Realität der »Stunde Null« viele Gesichter.

Das Ende des Krieges war für viele Deutsche ein befreiendes Erlebnis. Bei aller Not und scheinbaren Ausweglosigkeit dominierte bei den meisten Menschen ein tiefes Gefühl der Erleichterung. In vielen Nachkriegsberichten folgt auf das Verbrennen von Hakenkreuzfahnen und Hitlerbildern unmittelbar der Begrüßungsjubel am Straßenrand. Schokoladenriegel, Glenn Miller-Klänge und berückend schöne Frühlingstage vermengen sich zu einer Erinnerungssüße, die der damals 13jährige Rolf Schneider so beschreibt: »In meiner Erinnerung bleibt der Sommer des Jahres 1945 die freieste Zeit, die ich je erlebt habe, voll von Anarchie, Sonderbarkeit und so unwirklich, wie es sonst nur Träume sind.« Das Fahrrad, das Uwe Johnsons *Achim* von einem sowjetischen Soldaten geschenkt bekommt, gehört zu dem Stoff, aus dem diese Träume sind. Aber neben dem Gefühl der Freude stand zugleich tiefe Niedergeschlagenheit, nicht nur bei den ideologisch vom NS-Staat Vereinnahmten, sondern auch bei Verängstigten und Verzweifelten. Wie in Heinrich Bölls Roman *Billard um halbzehn* thematisiert, fielen der Welle der im Familienkreis begangenen Tötungen in den letzten Stunden des Krieges auch Kinder zum Opfer.

Vor diesem Hintergrund kann eine adäquate Benennung des Kriegsendes nur durch das Nebeneinander mehrerer Begriffe erfolgen. Denkt man an die Opfer der Gewalt, wie sie Helen Epsteins Studie *Kinder des Holocaust* und Günther Anders' Gedicht *Zeitungsnachricht* sichtbar machen, dann war die »Stunde Null« die Offenlegung der Bilanz der Gewaltherrschaft und die Eröffnung der Chance zur Versöhnung, soweit Elend und Leid dieser Dimension überhaupt wiedergutgemacht werden können. Hat man die Unterdrückung von Freiheit und den zuletzt noch einmal gesteigerten Terror der Nazis vor Augen, die Rekrutierung von Minderjährigen zum Kriegseinsatz und die sinnlosen Erschießungen, dann wird nachvollziehbar, warum viele Deutsche die Alliierten tatsächlich als Befreier herbeisehnten. Trotzdem dominierte die Angst. Wer konnte ahnen, was die Stunde der Befreiung bedeutete? War das eine »Stunde Null« im Sinne eines Zeitenschnitts, der total Besiegte zur Hoffnung berechtigte? Die Panik vor »den Russen« ließ die Amerikaner, wenn schon nicht als Befreier so doch als Retter vor noch schlimmerem Schicksal erscheinen. Aber auch sie kamen keineswegs als Friedensengel, sondern mit der ausdrücklichen Direktive, Deutschland als »besiegtes Feindesland« zu behandeln und nicht »zum Zwecke der Befreiung« zu besetzen.

Im Machtbewußtsein des Siegers begnügten sich die Soldaten nicht mit den durch unzählige Schilderungen berühmt gewordenen Armbanduhren. Zur traumatischen Demütigung wurden die ersten Tage nach der »Befreiung« durch Plünderungen und Vergewaltigungen. Mit dem zur Formel für den Besatzerterror geronnenen Stichwort »Frau komm« trafen sie Nazi-Anhängerinnen ebenso wie die Opfer des verbrecherischen Regimes. Die »Stunde Null« war nicht nur eine Sternstunde der Menschheit, sie war ebenso ein Augenblick der Lähmung und der Ohnmacht. Auch für viele, die seit zwölf Jahren auf den Augenblick der Befreiung gewartet hatten. Valentin Sengers Bericht und Inge

Deutschkrons Roman *Ich trug den gelben Stern* sind Dokumente für desillusionierte Hoffnungen und den Fortgang der Leidensgeschichte der Opfer.

Trotzdem wurde das Ende des Krieges nachträglich zu einem idealen Augenblick stilisiert, den es weder in der Realität noch in den Köpfen der Zeitgenossen in Deutschland gab. In der DDR, in der man sich in antifaschistischer Tradition sah und damit als ›Sieger der Geschichte‹ verstand, wurde gegen den Begriff »Stunde Null« zwar schnell Front gemacht. »Wir begannen nicht im Jahre Null«, proklamierte beispielsweise der Literaturkritiker Wolfgang Joho. Um den Bruch zur NS-Zeit dennoch zu betonen, rückten die SED-offiziösen Schlagwörter »Zeitenwende«, »Revolution« und »Befreiung« in den Mittelpunkt der Sprachregelung. Zum 25. Jahrestag des Kriegsendes hieß es in der *Neuen deutschen Literatur*: »jede künstlerische Kunde vom Werden und Wachsen des Neuen im Sozialismus heute weiß sich gleichermaßen ideell dem Neubeginn des 8. Mai, der Befreiungstat unserer sowjetischen Freunde dankbar verpflichtet, denn ohne diesen Sieg des Humanen wäre das Glück unserer Zeit nicht denkbar«. Der Historiker Gerhard Beier hingegen beschreibt ein Erlebnis in Leipzig auf andere Weise: »Da gibt es eine ›Straße der Befreiung 8. Mai 1945‹. Einige haben sich noch Anfang der 60er Jahre standhaft geweigert, diesen Namen auszusprechen. Auch wenn der Straßenbahnschaffner es von Dienst wegen mußte, dann tat er es mit einem ironisch wirkenden Unterton.« Sowohl Heiner Müllers Szene *Das Laken oder Die unbefleckte Empfängnis* als auch Christa Wolfs Erzählung *Blickwechsel* verneinen ebenfalls nachhaltig das Gelingen der ideologisch verordneten »Zeitenwende«. Wolfs Text verdeutlicht vielmehr, daß Befreiung niemals auf ein genaues Datum zu fixieren ist, sondern als individueller und gesellschaftlicher Emanzipationsprozeß von langer Dauer und generationenübergreifender Dimension verstanden werden muß.

Der 8. Mai 1945 ist für die meisten Deutschen erst allmählich zu einem Datum der Befreiung geworden. Für manche ist er es bis heute nicht. Der Einmarsch der Alliierten führte erst einmal zu Unfreiheit und Bevormundung statt zu demokratischer Selbstbestimmung und aufrichtiger Auseinandersetzung mit eigener Schuld. Dem ›Sozialismus von oben‹ stand eine ›Restauration von oben‹ gegenüber. Die Kontinuität in dem, was man den sozialen und mentalen Lebensbereich der Deutschen nennen könnte, war und ist von verbindender Ähnlichkeit.

Schon kurz nach 1945 waren die Hoffnungen zerronnen, die beispielsweise Alfred Andersch an das Ende des Krieges geknüpft hatte und die auch seinem Text *Der Seesack* eingeschrieben sind. Es sei kaum noch vorstellbar, »wie groß und wie vielfältig die Hoffnungen in diesem Interregnum deutscher Politik und in diesem ›Niemandsland‹ unserer Geschichte waren«, schrieb Hans Werner Richter, der mit Andersch die Zeitschrift *Der Ruf. Blätter für die junge Generation* herausgab, 1962 in seiner *Bestandsaufnahme*. Ruinenlandschaft und Zusammenbruchsgesellschaft vor Augen hatte der *Ruf* den Glauben artikuliert, Deutschland besitze die Kraft zur moralischen Wandlung und zur radikalen gesellschaftlichen Erneuerung. Richter skizziert im Rückblick folgendes Stimmungsbild: »Vorwiegend intellektuelle Kreise gaben sich diesen Hoffnungen hin. Sie sahen trotz aller Kritik der Militärregierung und trotz des Unbehagens gegenüber der verfehlten Umerziehungspolitik ein neues Deutschland vor sich, ein Deutschland ohne Knechtschaft, Sklaverei und Unterdrückung, ohne ›Kommißstiefel‹ und jede andere Art von Militarismus, ein Deutschland der Freiheit, des Humanismus, der Wissenschaft, der Kultur, ein friedliches Deutschland, das der Verständigung und der Wohlfahrt der Völker dient. Nach der Katastrophe des ›Dritten Reiches‹, die als einmalig erkannt wurde, konnte es keine andere Entwicklung geben. Niemand schien fähig, sich etwas anderes vorzustellen. Das Jahr ›Null‹ war das Jahr des neuen Anfangs, frei von allen Belastungen der deutschen Geschichte.« Verwirklicht hat es sich nicht.

VALENTIN SENGER

Kaiserhofstraße 12

Erinnerst du dich, Mama, wie oft wir in der kleinen Wohnstube im Hinterhaus der Kaiserhofstraße zusammengesessen und davon geträumt haben, wann und wie einmal unsere Todesängste von uns genommen würden, wie wir überlegten, ob Russen, Engländer oder Amerikaner als erste nach Frankfurt kämen, um uns das Leben wiederzugeben. Und Alex malte mit Worten und Gesten aus, wie man uns befreien würde. Er konnte es am besten. Eine seiner Visionen war, sie würden, wild um sich schießend, mit einem Panzerfahrzeug in die Toreinfahrt preschen, die schweren Torflügel zerschmettern, weil sie keine Zeit hatten, sie jetzt noch zu entriegeln und zu öffnen, und dann in den Hinterhof fahren, wo die Handkarren vom Käs-Petri stehen. Mit einer kurzen Drehbewegung würde Kleinholz daraus. Doch das machten sie nur so zum Spaß. Dann würde sich die Luke öffnen, ein russischer, englischer oder amerikanischer Stahlhelm erscheinen und eine laute Stimme würde uns zurufen: »He, ihr da oben, kommt heraus! Ihr braucht keine Angst mehr zu haben, es gibt keine Nazis mehr! Habt ihr verstanden! Kommt heraus, euch kann nichts mehr passieren!«

Eine schöne Vision, doch du, Mama, warst strikt dagegen, daß Panzer auf den Hinterhof kämen, wegen des scheußlichen Lärms der Panzerketten, und schon gar nicht, wenn sie wild um sich schössen. Vom Kleinholzmachen der Käs-Petri-Karren hieltest du auch nichts. Wenn es nach dir gegangen wäre, würden mehrere Soldaten in den Hof stürmen, am besten ohne Knallerei, und einer käme die Hinterhaustreppe hoch, denn er hätte längst gewußt, wo wir zu finden sind. Dann hätte er an die Tür geklopft, einmal, zweimal, und gerufen: »Macht auf! Warum versteckt ihr euch noch?« Aber Alex war da anderer Meinung: wenn sie schon zu Fuß kämen und einer stürmte die Treppe hoch, dann sollte er zumindest nicht höflich anklopfen und fragen, ob wir zu Hause seien. Das wäre doch keine Befreiung! Nein, nein, das dürfte nur so vor sich gehen: Bevor wir noch die Türe öffnen konnten, hätte er sie mit seinen schweren Stiefeln eingetreten und uns zugerufen: »Ihr seid frei! Geht hinaus, wohin ihr wollt! Geht schon!« Und wer er auch sein würde, dieser erste, ein russischer Iwan, ein französischer Poilu, ein englischer Tommy oder ein amerikanischer GI, in unser aller Umarmung sollte ihm die Luft wegbleiben, unsere Tränen sollten ihn nässen, unsere Küsse ihn bedecken.

Dabei kamen uns wirklich die Tränen, so überwältigte uns die Vorstellung vom Tag der Befreiung und die Hoffnung, diesen Tag vielleicht doch noch einmal zu erleben.

Mama, du wußtest, daß dein Herz nicht mehr lange durchhalten würde, du hast dir nichts vorgemacht; du hattest die Kraft, auch darüber zu sprechen, und hast die Träume von der Befreiung mitgeträumt. »Wenn ich es schon nicht erleben werde«, sagtest du mit trauriger Stimme und versuchtest zu lächeln, »dann will ich wenigstens noch einmal davon träumen.«

Und Alex wurde nicht müde, immer neue Befreiungsträume zu erdichten. Für mich der schönste war, wenn wir uns vorstellen mußten, wie alle Bewohner unseres Hauses und unserer Straße vor den anrückenden Amerikanern oder Russen flüchten würden. Wir aber blieben da. Und wenn sie dann kämen, stürzten wir auf die Straße und würden rufen: »Wir sind gerettet, wir sind frei!«

Und die fremden Soldaten würden erstaunt fragen: »Warum seid ihr gerettet? Wer seid ihr?«

Wir würden antworten: »Wir sind Juden!«

Sie würden fragen: »Was seid ihr?«

Und nochmal würden wir sagen: »Wir sind Juden!«

»Das müßt ihr lauter sagen!« würden sie uns befehlen.

Und wir würden rufen: »Wir sind Juden!«

»Noch lauter!«

Und dann nähmen wir die Hände wie Trichter an den Mund und schrien in alle Richtungen so lange, bis wir heiser wären:

»Wir sind Juden! Wir sind Juden! Wir sind gerettet!«

Und auf der Straße würden wir tanzen, du, Mama, Papa, Paula, Alex und ich, bis wir vor Erschöpfung umfielen.

*

Nun waren die Befreier da.

Aber war das die Befreiung? Eine entsicherte Maschinenpistole auf meinen Bauch gerichtet? Der sie auf mich richtete, meinte es verflucht ernst. Was interessierte es ihn in diesem Augenblick, ob ich Jude oder Christ bin – er war als Sieger gekommen, wir waren die Besiegten, und ich gehörte dazu. Ja, ich fühlte mich auch so. Sollte das die Befreiung sein? Unsere Tagträume im Familienkreis waren umsonst geträumt. Keine Umarmungen, keine Küsse, keine Freudentränen, keine Rufe, keine Tänze. Ich mußte weiterlügen, weiterzittern.

Wer mir einmal gesagt haben würde, so sähe die Befreiung aus, den hätte ich einen Lügner genannt oder ihn für verrückt erklärt. Und wenn ich zehntausend Möglichkeiten in Erwägung gezogen hätte, diese eine in der Jagdhausgesellschaft von Heimarshausen wäre mir bei aller Phantasie nicht eingefallen.

Mit erhobenen Händen ging ich langsam auf die amerikanischen Soldaten zu. An einen von ihnen erinnere ich mich noch sehr genau: Er war einen Kopf kleiner als die andern und hatte eine Hasenscharte. Er fuchtelte besonders gefährlich mit seiner Maschinenpistole vor mir herum. Ich zitterte vor Angst, er könne aus Versehen abdrücken.

»Bist du deutscher Soldat?« fragte der erste Amerikaner.

»Nein.« Ich zog meinen Paß aus dem Jackett.

»Was ist das?«

»Ein Fremdenpaß«, sagte ich auf Englisch. »Ich bin kein Deutscher.« Dabei zeigte ich auf die in französischer Sprache eingedruckte Zeile »Passeport pour étrangers«.

Ein Glück für mich, daß der Amerikaner offenbar das Französisch-Gedruckte verstand. Nur mit dem »Staatenlos« wußte er nichts anzufangen, fragte aber nicht weiter, als ich ihm erklärte, meine Eltern seien aus Rußland gekommen.

Dann fragte er nach dem anderen Soldaten und gab sich glücklicherweise damit zufrieden, als ich ihm versicherte, der andere sei Zivilist, herzkrank und habe ein Attest, daß er zu krank für die Soldaten sei.

»Niemand mehr im Haus?« wollte er wissen.

»Niemand.«

Ein Amerikaner tastete mich und den anderen nach Waffen ab. Danach gab der Anführer der Truppe Anweisung, daß ein Soldat bei den Zivilisten draußen bleiben solle, während ich mit den übrigen fünf ins Haus gehen mußte. Sie durchsuchten ein Zimmer nach dem andern, ich immer voraus, öffneten jede Kammer und jeden Schrank. Der mit der Hasenscharte war dabei der eifrigste.

»Keine Waffen im Haus?« fragte einer.

»Nein«, gab ich zur Antwort.

Wir kamen in die Küche.

»Kein Schnaps?«

Ich ging in das danebenliegende Wohnzimmer, nahm aus dem Büffett eine angebrochene Cognacflasche und eine Flasche Wein heraus und reichte sie dem Soldaten.

»Das ist alles?«

Ich zuckte mit den Schultern. »Ich glaube, das ist alles.«

»Nach unten!« befahl der Truppführer.

Auf ebener Erde neben der Garage waren noch andere Räume, zu denen ich bisher keinen Zutritt gehabt hatte. Ich mußte sie öffnen und draußen stehen bleiben. Die Soldaten durchsuchten sie. Mir war nicht ganz wohl dabei. Denn nach acht Tagen Zusammenleben mit den Frauen traute ich ihnen alles zu. Doch in dem Raum befand sich nichts als

Gerümpel. Ich konnte aufatmen. Wir gingen nach draußen, nur ein Soldat blieb etwas zurück und schnüffelte noch ein bißchen in den Ecken herum.

Plötzlich stieß er einen Pfiff aus. Erschrocken drehte ich mich um. Irgendwo im Hintergrund hatte er eine Tür entdeckt, die zu einem winzigen Raum führte. Im Schein einer Taschenlampe erkannte ich, daß der Raum wie ein Luftschacht aussah und leer war. Der Soldat gab sich jedoch nicht zufrieden. Er hatte Erfahrung mit solchen scheinbar leeren Räumen, klopfte mit seiner Waffe gegen die Wände und stieß mit dem Fuß gegen den Boden. Und da klang es hohl. Jetzt konnte man auch sehen, daß der Boden nur mit einer hölzernen Abdeckplatte belegt war. Der Amerikaner hob sie auf, sie war nur leicht aufgelegt. Was ich im Lichtkegel einer Taschenlampe erkennen konnte, lähmte mich vor Schreck: Ein ganzes Lager mit Lebensmitteln in Kisten, Büchsen und Gläsern war dort gestapelt, unter anderem auch eine Kiste mit Wein und Cognac. Der Soldat sprang hinunter und reichte einen Teil der Lebensmittel und alle Spirituosen heraus. Derweil faßte mich ein anderer vorn am Jackett, schlug mich mehrere Male mit Wucht gegen den eisernen Türrahmen und schrie:

»Kein Schnaps im Haus? Was? Kein Schnaps?«

Er war wütend, weil er glaubte, ich habe ihnen den Schnaps vorenthalten wollen. Mit dem Knie stieß er mich in den Bauch und wieder schlug er mich mit dem Kopf gegen den Rahmen. Der Kleine mit der Hasenscharte richtete, wie um meine Gegenwehr zu verhindern, seine Maschinenpistole auf mich und trat mir fest gegen das Schienbein. Es tat fürchterlich weh.

Der schlägt mich tot, zuckte es mir durch den Kopf. Ich sackte zusammen. Da ließ er von mir ab. Mit einem gezischten »Fuckin' German!« stieß er mich zu Boden. Der Kleine trat mir noch mit der Fußspitze in die Nierengegend, daß ich laut aufschrie. Danach kümmerte sich keiner mehr um mich.

INGE DEUTSCHKRON

Ich trug den gelben Stern

Das dumpfe Grollen der Geschütze war näher gekommen.
Am Abend des 22. April ging ich an die nahe Hauptstraße,
die von Rehbrücke nach Potsdam führt. Sie war im Laufe
des Tages stellenweise aufgerissen und behelfsmäßig ver-
barrikadiert worden. Zehn sechzehnjährige Hitlerjungen,
die nun dem »Volkssturm« angehörten, schleppten Schutt
heran und versicherten, daß diese Sperre die herannahenden
Russen mit Sicherheit bis zum Eintreffen der sagenhaften
Armee Wenck aufhalten werde. Niemand wußte, wo diese
Armee war und ob sie überhaupt existierte. Aber jeder
sprach von ihr als der Rettung für die inzwischen einge-
schlossene Reichshauptstadt. »Außerdem hat jeder von uns
zwei Panzerfäuste«, sagten die Hitlerjungen mit kindlichem
Stolz.

Am nächsten Morgen zählte ich die Abschüsse. Nach
dem zwanzigsten war es einen Moment still. Und dann,
dann hörte ich es ganz deutlich, saugte es in mich auf,
lauschte immer wieder, um es glauben zu können, hätte
schreien mögen vor Erleichterung – das Rasseln russischer
Panzer. Ich habe es noch heute im Ohr. Ich verließ den kleinen Splittergraben in unserem Garten. Für mich war der
Krieg zu Ende, obwohl die Nachbarn mich warnten, die SS
sei im nahen Wald versteckt und würde zu gegebener Zeit
den Russen den Garaus machen. Ich war an jenem Tage sehr
glücklich und überlegte schon, wie ein normales Leben
wohl sein würde. Ich konnte damit keine Vorstellung mehr
verbinden.

Mit einem glücklichen Lächeln empfing ich den ersten
russischen Soldaten, der sich in unsere Siedlung traute. Er
kam langsam heran. Er war klein und hatte krumme Beine, ein typisch mongolisches Gesicht mit mandelförmigen

Augen und hohen Backenknochen. Er lächelte verschmitzt.
Sein Soldatenkittel war keineswegs sauber, seine Mütze saß
schief auf dem Kopf. Ich versuchte ein Gespräch, während
er so dastand und mich anstarrte. Das klappte nicht. Er
starrte mich nur an, ohne den Mund zu öffnen. Neugierig
guckte er schließlich in unseren Ziegenstall. Ich bot ihm etwas zu trinken an. Er lehnte ab. Er stand nur da und starrte
mich an. Ich hatte nicht die geringsten Bedenken. Ich war
nur glücklich. Am Nachmittag wagten sich andere russische
Soldaten heran. Sie gingen umher, vorsichtig, mißtrauisch,
prüfend, das Gewehr im Anschlag. Ich strahlte sie an. Ich
suchte jemanden, der meine Freude mit mir teilte.

   Plötzlich trat einer von ihnen vor, riß mich am Mantel
und sagte nur: »Komm, Frau, komm.« Ich begriff zunächst
gar nichts. Was sollte das? Von irgendwo hörte ich Schreie:
»Sie vergewaltigen! Sie stehlen! Helft uns!«

   Ich riß mich los. Ich begann zu rennen. Völlig außer
Atem kam ich zu meiner Mutter. »Es ist also doch wahr«,
sagte sie und fügte schnell hinzu, »wir müssen ihnen unsere
jüdische Kennkarte zeigen«, die wir im Ziegenstall ›für den
Tag danach‹ versteckt hielten, »sie werden verstehen.«

   Sie verstanden gar nichts. Sie konnten die Kennkarten
noch nicht einmal lesen.

   An jenem Tag sprang ich noch viele Male über Hecken
und Gräben, kroch durch Büsche und suchte Verstecke. Als
es Abend wurde, beschlossen wir, zu unserer Wirtin ins
Haus zu gehen. Die alte weißhaarige Frau würde sie vielleicht von uns abhalten. Es war kaum dunkel, da hörten wir,
wie sie mit Gewehrkolben an die Türen schlugen, Frauen,
die schrien, Schüsse. Sie kamen auch zu uns. Mit einer
Pistole in der Hand trieb mich einer vor sich her. Meine
Mutter warf sich dazwischen. Ich schrie und entkam irgendwie im Schutz der Dunkelheit. Es wurde eine schlimme
Nacht.

   Es war klar, ich mußte mich verstecken – wieder verstek-
ken. Auf dem Dachboden des Nachbarhauses der Hentzes

verbrachte ich mit anderen jungen Mädchen, einer Frau, die bereits vergewaltigt worden war, und ihrem Mann, die nächsten Tage und Nächte. Zu den Mahlzeiten stiegen wir hinunter und aßen, während Tante Lisa oder meine Mutter Wache stand und »Alarm« gab, wenn ein sowjetischer Soldat sich dem Hause näherte. Dann stürzten wir die Leiter hinauf, zogen sie ein, schlossen die Luke und stellten einen Eimer Wasser darauf, der demjenigen, der die Luke geöffnet hätte, auf den Kopf gefallen wäre. Einmal war eine von uns nicht schnell genug. Wir hatten die Luke noch nicht geschlossen, als zwei Russen sich mit Drohungen Einlaß ins Haus verschafften. Sie gingen auf die Luke zu und sagten: »Da deutscher Soldat!« Dann schoß einer durch die Luke. Wir drückten uns an die Dachziegel. Tante Lisa rief uns zu, herunterzukommen. Blitzschnell öffneten wir die Luke, schoben die Leiter herunter, und bevor die Soldaten begriffen hatten, was geschah, kletterten wir an ihnen vorbei und rannten ins Freie. Den Mann, den »deutschen Soldaten«, nahmen sie zunächst mit. Er kehrte später wieder, weil er beweisen konnte, daß er nie Soldat gewesen war.

Meine Mutter meinte, daß wir aufgrund unserer Vergangenheit ein Recht auf Schutz hätten. Mutig ging sie mit Tante Lisa zur russischen Kommandantur. Strahlend kamen sie zurück. Sie waren sofort zum Kommandanten geführt worden. Er zeigte sich begeistert, endlich wirkliche Antifaschisten kennenzulernen, und entschuldigte sich für die »Übergriffe«. Aber auch er sah keine Möglichkeit, uns zu helfen. Wir müßten uns eben selbst helfen, hatte er gemeint, denn er könne nicht jedem Soldaten einen Militär-Polizisten beigeben. Der Haß auf Deutsche sei zu groß, als daß man die Rachegefühle zügeln könnte.

Am Nachmittag des gleichen Tages erschienen zwei russische Soldaten bei uns. Artig klopften sie an und riefen auf Befragen, daß sie vom Kommandanten kämen. Sie seien Juden, sagten sie. Mit freundlichen Gesten traten sie ein. Meine Mutter rief, ich solle vom Dachboden herunterkommen. Wir setzten uns alle an den Küchentisch und begannen eine Unterhaltung, die aus Gesten und einigen jiddischen Sprachbrocken bestand. Sie lachten viel. Dann wandte sich der eine an mich und meinte, er würde gern »Chassene«* mit mir machen. Wir gaben vor, das Wort nicht zu verstehen. Sie sprangen auf. Ihre freundlichen Mienen waren plötzlich zu harten, bösen Grimassen erstarrt.

»Ihr seid gar keine Juden«, schrie einer von ihnen und schoß in die Luft. Während meine Mutter und Tante Lisa versuchten, die beiden zu beruhigen, rannte ich davon und suchte wieder einmal ein Versteck.

Am 1. Mai kam der Herr Kommandant persönlich. Ich hörte vom Dachboden, wie meine Mutter Tante Lisa zurief, es sei der Kommandant. Eilfertig lief Tante Lisa zur Tür. Der Kommandant war so betrunken, daß er das Wort »Mädchen« nur lallen konnte. Es war nicht schwierig, ihn abzuweisen. Er stahl ein Fahrrad und fuhr selig wie ein Kind damit davon. Am Arm hatte er eine ganze Batterie von Armbanduhren, die begehrteste Beute russischer Soldaten. Von da an traute ich mich überhaupt nicht mehr, meinen Dachboden zu verlassen. Einmal mußte ich hilflos mit anhören, wie ein Sowjetsoldat, der sich durch Schießen Einlaß ins Haus verschafft hatte, meine Mutter zu vergewaltigen versuchte. Sie lockte ihn irgendwie auf die Straße und entkam auf diese Weise.

Meist lauschte ich auf die »Stalinorgel« und versuchte aus der Richtung, die ihre Geschosse nahmen, den Stand der Kampfhandlungen zu ermitteln. Die Geschosse schienen über unser kleines Giebelhaus hinwegzuzischen, zuerst in Richtung Potsdam, später nach Berlin. Dazwischen knatterte es, knallte es, krachte es: Lärm des Krieges. Wir hatten den Kontakt zur Welt verloren. Wir wußten weder das Datum zu nennen noch was außerhalb unserer unmittelbaren Umgebung vorging. Das Radio einzuschalten war ebenso

---

* Chassene = jiddisch für Hochzeit.

sinnlos geworden wie der Versuch, Wasser aus dem Wasserhahn zu erhalten.

Und dann war auf einmal alles still, unheimlich still, unerklärlich still. Es war, als ob sich nichts mehr bewegte, als ob sich die Tiere nicht zu mucken wagten, als ob es kein menschliches Wesen mehr auf dieser Erde gäbe, als ob die Erde nicht mehr so war, wie wir sie aus den letzten Wochen kannten. Ich lag auf meiner harten mit Stroh gefüllten Unterlage auf dem Dachboden und horchte der Stille nach. Durch die Dachluke sah ich, daß es Tag wurde. In der Ferne, dort wo Berlin lag, war der Himmel rot gefärbt. Ich konnte nicht unterscheiden, ob es Feuerschein oder Morgenrot war. Wichtiger aber war, zu wissen, was es mit dieser Stille auf sich hatte. Auch meine Bettnachbarin war aufgewacht. Wir flüsterten miteinander, als fürchteten wir, die Stille zu stören. Bis vor kurzem hatte noch die »Stalinorgel« unseren Tagesablauf beherrscht – ihr schreckliches Aufheulen, das in regelmäßigen Abständen erfolgte. Nun schwieg sie. Es war Wirklichkeit, worauf wir so lange und sehnsüchtig gewartet hatten: der Krieg war zu Ende. Freuen konnte ich mich nicht mehr.

UWE JOHNSON

Das dritte Buch über Achim

Die Amerikaner blieben nur kurze Zeit und hielten sich abseits; nur zu Kindern waren sie freundlich. Beachtlich waren die Lockerheit des militärischen Grußes und die andere Form der Fahrzeuge und alles, was ihren Sieg erklären konnte. Sie hockten auf ihren Helmen vor der Grundschule in der Helligkeit des Vorsommers und freundlich wie die,

sie lachten über die vorbeikommenden Deutschen; ich kann
nicht mehr sagen als Achim erzählt hat. Sie blieben nicht so
lange, daß er die Rangabzeichen unterscheiden lernte; die
Jungen halfen sich mit der Anzahl der Armbanduhren, die
einer bis zum Ellenbogen am ganzen Arm entlang trug. Was
immer sie vor Zuschauern taten erklärten sie ihnen. How
many jews did you kill? Gebärde. Jeep: rundendes Finger-
zeigen, schnell aneinander bewegte Fäuste. Sie gaben nicht
immer etwas her für Parteiabzeichen oder Alkohol; einer
riß Achim die Flasche aus der Hand, setzte sie an den
Mund, unterbrach sich und sagte auffordernd: Wine.

– Wine: sagte Achim. Jeep. Nazis. You dirty little brat.

Dann unter der sowjetischen Besatzung waren Kindesab-
treibungen nur erlaubt, wenn die Schwangere das Alter des
Keims in die amerikanische Zeit zurückschob.

Die Rote Armee kam in die Dörfer auf Pferdewagen. Die
Soldaten lagen zu zehn oder fünfzehn auf ihrem klumpigen
Gepäck, ihre Uniformen waren schmutzig und durchge-
schwitzt. Die sollen ja sogar eine andere Schrift haben. Vor
und hinter der Kolonne ritten die Offiziere in glatten Jak-
ken, weißer Kragen hielt ihnen den Nacken aufrecht, sie
blickten geradeaus unter ihren strammen Mützen. Die tief-
grünen Satteldecken trugen golden eingewirkt den Stern der
neuen Macht. Auf der Landstraße fuhren manche Soldaten
mit Rädern neben den müden Pferden her, sie umrundeten
auch einzelne Fuhrwerke oder den ganzen Zug und waren
sehr vergnügt über die Lenkbarkeit des Fahrzeugs und die
schwankenden Bewegungen, zu denen es den Ungeübten
veranlaßt. Vor dem Einmarsch in den Flecken kletterten sie
auf die Wagen; singend und neugierig und zutraulich zogen
sie ein. Einer hatte wohl eine Ziehharmonika. Als die ersten
schon auf dem Marktplatz hielten und hinuntersprangen,
kam an den sauberen Offizieren und am Spalier der Deutschen vorbei ein Nachzügler auf dem Rad gefahren, sehr
lustig fuhr er kleine Kurven über die Kopfsteine, riß eine
Hand hoch bisweilen und schrie was klang wie Begrüßun-

gen für diesen freundlichen kleinen Ort und seine Einwoh-
ner, lachte unmäßig über das eigenwillige Kippen, das am
Vorderrad anfing. Vielleicht hat ihn einer angestoßen. Als
Achim angelaufen kam zu den anderen, die das gestürzte
Rad umstanden, lag der immer noch auf dem Rücken ausge-
streckt und hielt sehr vorsichtig tastend seinen Ellenbogen
über sich. Er lächelte, als der magere Junge mit dem scheuen
erschrockenen Gesicht von der Gewalt seines Laufens in die
Gruppe hineingestoßen wurde und gerade vor ihm anhielt.
– Bolit: sagte er leise und lächelnd. Er lag sehr hilflos.

– Bolit? sagte Achim. Er faßte an seinen eigenen Ellenbogen und zog ein schmerzliches Gesicht. Der Soldat nickte
still.

– Bolit: bestätigte er. Es tat ihm weh. Bolniza heißt Krankenhaus, dai mne heißt gib mir deine Hand. Aufgestanden
legte er den Arm um Achims Schulter und tat einen lahmen
Schritt, dann blieb er wieder stehen. Er wies blickweise auf
das überquer verdrehte Fahrrad am Boden und schwenkte
den Kopf wieder zu Achim. Die Umstehenden griffen fast
gleichzeitig zu. Sie richteten das Rad auf und kippten Achim
den Lenker in die freie Hand. Einige gingen mit bis zu einem
haltenden Wagen und redeten besorgt über das tiefatmende
Stöhnen, das der fremde Soldat durch die Zähne ließ. Er
lehnte sich an das Rückbrett des Fuhrwerks und umfaßte
Achim mit einem zärtlichen erheiterten Blick.

– Kapuut? fragte er dann.

Achim faßte das Rad an Lenker und Sattel und blickte
daran herunter. Er ließ es auf beiden Reifen prallen, blickte
wieder auf. – Nein: sagte er. Er lachte, weil er deutsch gesprochen hatte. Er schüttelte den Kopf.

Die Augen des Soldaten winkten ihn dichter heran.
Achim blickte um sich auf die umstehenden Deutschen und
die Russen auf dem Wagen. Die auf dem Wagen nickten
ihm ermunternd zu. Er trat einen Schritt vor.

Der Soldat tastete nach dem Sattel. Achim nahm seine
Hand weg und hielt nur noch den Lenker. Sie blickten sich

an. Achim war sehr verlegen. Er versuchte den Blick hoch-
zuhalten. Die Hand auf dem Sattel schob ihm das Fahrrad
zu.

– Dlja tebja: sagte der Russe.

Achim schämte sich. Er trug damals die Haare lang und
gescheitelt, er strich sich die verrutschte Strähne aus der
Stirn. Alle redeten ihm zu auf deutsch und russisch. Achim
nickte.

– Danke: sagte er. Er war aufgeregt gewesen, aber nun
wurde ihm der Kopf heiß. Der Soldat wandte sich einverstanden ab, aber die auf dem Wagen riefen ihm zu wie er es
auf russisch sagen konnte.

– Spassiwo: sagte Achim.

Sein Freund schüttelte den Kopf. Er war gar nicht viel
älter als Achim. Er sah wieder vergnügt aus.

– Njet: sagte er kopfschüttelnd. Denn er wollte ja auf diesem Ding nicht mehr fahren, nachdem es ihn hingeschmis-
sen hatte, das tückische. Er wiederholte und sagte: Spassibo.
Nu?

Achim stand mit dem Rad allein auf der Straße und sah
dem Wagen hinterher. Sie winkten alle. Er hatte Lust zu
johlen und zu lachen, aber er war traurig. Er hatte vorher
nicht gewußt wie allein er war.

Vielleicht wäre die Geschichte auch gar nicht vorgekom-
men, wenn sie nicht paßte zu seiner späteren Laufbahn?

*Will der Verfasser damit die Übergriffe der Besatzungs-
mächte vergessen machen?*

Nein. Diesen Lustigen mit den blanken Augen in der gelben Haut auch nicht.

HEINRICH BÖLL

Billard um halbzehn

»Wir müssen jetzt gehen«, sagte Marianne, »wir wollen sie
doch nicht so lange warten lassen.«

»Laß sie ruhig warten«, sagte er. »Ich muß noch wissen,
was sie mit dir alles gemacht haben, Lämmchen. Ich weiß ja
kaum etwas von dir.«

»Lämmchen«, sagte sie, »wie kommst du darauf?«

»Es fiel mir gerade ein«, sagte er, »sag mir doch, was haben sie mit dir alles gemacht; ich muß immer lachen, wenn
ich den Dodringer Akzent in deiner Stimme erkenne: er
paßt nicht zu dir, und ich weiß nur, daß du da zur Schule gegangen, aber nicht da geboren bist, und daß du Frau
Kloschgrabe beim Backen, beim Kochen und beim Bügeln
hilfst.«

Sie zog seinen Kopf in ihren Schoß herunter, hielt ihm
die Augen zu und sagte »Mit mir? Was sie mit mir gemacht
haben, willst du es wirklich wissen? Sie haben Bomben auf
mich geworfen und mich nicht getroffen, obwohl die Bomben so groß waren und ich so klein; die Leute im Luftschutzkeller steckten mir Leckerbissen in den Mund; und
die Bomben fielen und trafen mich nicht, ich hörte nur, wie
sie explodierten und die Splitter durch die Nacht rauschten
wie flatternde Vögel, und jemand sang im Luftschutzkeller
Wildgänse rauschen durch die Nacht. Mein Vater war groß,
sehr dunkel und schön, er trug eine braune Uniform mit
viel Gold daran, eine Art Schwert am Gürtel, das silbern
glänzte; er schoß sich eine Kugel in den Mund, und ich
weiß nicht, ob du schon mal einen gesehen hast, der sich
eine Kugel in den Mund geschossen hat? Nein, nicht wahr;
dann danke Gott, daß dir der Anblick erspart geblieben ist.
Er lag da auf dem Teppich, Blut floß über die türkischen
Farben, übers Smyrnamuster – echt Smyrna, mein Lieber;

meine Mutter aber war blond und groß und trug eine blaue
Uniform, und einen hübschen, schnittigen Hut trug sie, kein
Schwert an der Hüfte; und ich hatte einen kleinen Bruder, er
war viel kleiner als ich und blond, und der kleine Bruder
hing über der Tür mit einer Hanfschlinge um den Hals, bau-
melte, und ich lachte, lachte noch, als meine Mutter auch mir
eine Hanfschlinge um den Hals legte und vor sich hinmur-
melte: *Er hat es befohlen*, aber da kam ein Mann herein, ohne
Uniform, ohne Goldborte und ohne Schwert, er hatte nur
eine Pistole in der Hand, die richtete er auf meine Mutter, riß
mich aus ihrer Hand, und ich weinte, weil ich doch die Hanfschlinge schon um den Hals hatte und das Spiel spielen
wollte, das mein kleiner Bruder da oben spielen durfte, das
Spiel: *Er hat es befohlen*, doch der Mann hielt mir den Mund
zu, trug mich die Treppe hinunter, nahm mir die Schlinge
vom Hals, hob mich auf einen Lastwagen . . .«

Joseph versuchte, ihre Hände von seinen Augen zu nehmen, aber sie hielt sie fest und fragte: »Willst du nicht wei-
terhören?«

»Ja«, sagte er.

»Dann mußt du dir die Augen zuhalten lassen, und eine
Zigarette kannst du mir geben.«

»Hier im Wald?«

»Ja, hier im Wald.«

»Nimm sie aus meiner Hemdtasche.«

Er spürte, wie sie seine Hemdtasche aufknöpfte, Zigaretten und Streichhölzer herausnahm, während sie mit der
rechten Hand seine Augen fest zuhielt.

»Ich steck dir auch eine an«, sagte sie, »hier im Wald. –
Ich war um diese Zeit genau fünf Jahre alt und so süß, daß
sie mich sogar auf dem Lastwagen verwöhnten, sie steckten
mir Leckerbissen in den Mund, wuschen mich mit Seife,
wenn der Wagen hielt; und man schoß mit Kanonen auf uns
und mit Maschinengewehren und traf uns nicht; wir fuhren
lange, ich weiß nicht genau, wie lange, doch sicher zwei
Wochen, und wenn wir hielten, nahm der Mann, der das

Spiel *Er hat es befohlen* verhindert hatte, mich zu sich, hüllte mich in eine Decke, legte mich neben sich, ins Heu, ins Stroh, und manchmal ins Bett und sagte: ›Sag mal Vater zu mir‹, ich konnte nicht Vater sagen, hatte zu dem Mann in der schönen Uniform immer nur Pappi gesagt, aber ich lernte es sagen: ›Vater‹, ich sagte es dreizehn Jahre lang zu dem Mann, der das Spiel verhindert hatte; ich bekam ein Bett, eine Decke und eine Mutter, die war streng und liebte mich, und ich wohnte neun Jahre lang in seinem sauberen Haus; als ich in die Schule kam, da sagte der Pfarrer: ›Sieh mal einer an, was wir da haben, da haben wir ja ein ganz unverfälschtes, waschechtes Heidenkindchen‹, und die anderen Kinder, die alle keine Heidenkinder waren, lachten, und der Pfarrer sagte: ›Da wollen wir aber aus unserem Heidenkind mal rasch ein Christenkindchen machen, aus unserem braven Lämmchen‹; und sie machten aus mir ein Christenkindchen. Und das Lämmchen war brav und glücklich, spielte Ringelreihen und Hüpfen, dann spielte es Völkerball und Seilchenspringen und liebte seine Eltern sehr; und es kam der Tag, da wurden in der Schule ein paar Tränen geweint, ein paar Reden gehalten, wurde ein paarmal was von Lebensabschnitt gesagt, und Lämmchen kam in die Lehre zu einer Schneiderin, es lernte Nadel und Faden gut gebrauchen, lernte bei seiner Mutter putzen und backen und kochen, und alle Leute im Dorf sagten: ›Die wird noch einmal einen Prinzen heiraten, unter einem Prinzen tut die's nicht‹ – aber es kam eines Tages ein sehr großes, sehr schwarzes Auto ins Dorf gefahren und ein bärtiger Mann, der das Auto steuerte, hielt auf dem Dorfplatz und fragte aus dem Auto heraus die Leute: ›Bitte, können Sie mir sagen, wo hier die Schmitzens wohnen?‹, und die Leute sagten: ›Schmitzens gibt es hier eine ganze Menge, welche meinen Sie‹, und der Mann sagte: ›Die das angenommene Kind haben‹, und die Leute sagten: ›Ja, die, das sind die Eduard Schmitzens, die wohnen da hinten, sehen Sie da, gleich hinter der Schmiede, das Haus mit dem Buchsbaum davor.‹

Und der Mann sagte: ›Danke‹, das Auto fuhr weiter, aber
alle Leute folgten ihm, denn es war vom Dorfplatz bis zu
den Eduard Schmitzens höchstens fünfzig Schritte zu laufen; ich saß in der Küche und putzte Salat, das tat ich so
gern: die Blätter aufschneiden, das schlechte weg und das
gute ins Sieb werfen, wo es so grün und sauber lag, und
meine Mutter sagte gerade zu mir: ›Du mußt darüber nicht
traurig sein, Marianne, da können die Jungens nichts dafür;
wenn sie dreizehn, vierzehn werden – bei manchen fängt's
schon mit zwölf an –, da machen sie solche Sachen; es ist die
Natur, und es ist nicht leicht, mit der Natur fertig zu werden‹; und ich sagte: ›Darüber bin ich gar nicht traurig.‹
›Worüber denn?‹ fragte meine Mutter. Ich sagte: ›Ich denke
an meinen Bruder, wie er so da hing, und ich habe gelacht
und gar nicht gewußt, wie schrecklich es war – und er war
doch nicht getauft.‹ Und bevor meine Mutter mir etwas
antworten konnte, ging die Tür auf – wir hatten kein Klopfen gehört –, und ich erkannte sie sofort: Immer noch war
sie blond und groß und trug einen schnittigen Hut, nur die
blaue Uniform trug sie nicht mehr; sie kam sofort auf mich
zu, breitete ihre Arme aus und sagte: ›Du mußt meine Marianne sein – spricht die Stimme des Blutes nicht zu dir?‹ Ich
hielt das Messer einen Augenblick still, schnitt dann das
nächste Salatblatt sauber und sagte: ›Nein, die Stimme des
Blutes spricht nicht zu mir.‹ ›Ich bin deine Mutter‹, sagte
sie. ›Nein‹, sagte ich, ›die da ist meine Mutter. Ich heiße Marianne Schmitz‹, und ich schwieg einen Augenblick und
sagte: ›*Er hat es befohlen* – und Sie haben mir die Schlinge
um den Hals gelegt, gnädige Frau.‹ Das hatte ich bei der
Schneiderin gelernt, daß man zu solchen Frauen ›gnädige
Frau‹ sagen muß.

Sie schrie und weinte, und sie versuchte, mich zu um-
armen, aber ich hielt das Messer, mit der Spitze nach vorne,
vor meine Brust; sie sprach von Schulen und von Studieren,
schrie und weinte, aber ich lief zum Hintereingang hinaus,
in den Garten übers Feld zum Pfarrer und erzählte ihm

alles. Er sagte: ›Sie ist deine Mutter, Naturrecht ist Naturrecht, und bis du großjährig wirst, hat sie ein Recht auf dich; das ist eine schlimme Sache.‹ Und ich sagte: ›Hat sie nicht dieses Recht verwirkt, als sie das Spiel spielte: *Er hat es befohlen*?‹ und er sagte: ›Du bist aber ein schlaues Ding; merk dir das Argument gut.‹ Ich merkte es mir und brachte es immer wieder vor, wenn sie von der Stimme des Blutes sprachen, und ich sagte immer: ›Ich höre die Stimme des Blutes nicht, ich höre sie einfach nicht.‹ Sie sagten: ›Das gibt es doch gar nicht, ein solcher Zynismus ist wider die Natur‹; ›Ja‹, sagte ich: ›*Er hat es befohlen* – das war wider die Natur.‹ Sie sagten: ›Aber das ist doch mehr als zehn Jahre her, und sie bereut es‹; und ich sagte: ›Es gibt Dinge, die man nicht bereuen kann.‹ ›Willst du‹, fragte sie mich, ›härter sein als Gott in seinem Gericht?‹ ›Nein‹, sagte ich, ›ich bin nicht Gott, also kann ich nicht so milde sein wie er.‹ Ich blieb bei meinen Eltern. Aber eins konnte ich nicht verhindern: ich hieß nicht mehr Marianne Schmitz, sondern Marianne Droste, und ich kam mir vor wie jemand, dem sie was wegoperiert haben. – Immer noch«, sagte sie leise, »denke ich an meinen kleinen Bruder, der das Spiel *Er hat es befohlen* hat spielen müssen [...]«

GÜNTHER ANDERS

Zeitungsnachricht

›... einige Kinder aber schlugen um sich,
als man sie aus Buchenwald befreite.‹

Bin geborn in Buchenwald.
Glaub, ich bin fünf Jahre alt.
Bitte, laßt mich hier!
Hab mir immer vorgestellt,
wo wir sind, da ist die Welt,
und die Welt sind wir.

Wußte zwar so ungefähr,
's gibt noch was, da kommt man her,
doch die Welt sind wir.
Wo man haust, da hängt man halt,
selbst an Tränen und Gewalt,
laßt mich hier in Buchenwald,
bitte, laßt mich hier!

HELEN EPSTEIN

Die Kinder des Holocaust

Am Morgen des 15. April 1945 erwachte Franci Solar,
meine Mutter, im Konzentrationslager Bergen-Belsen unter
Tausenden von Menschen, die noch atmeten. Zwischen ihnen lagen 10 000 andere, die tot waren. Sie war damals fünfundzwanzig, ihre Kusine Kitty dreiundzwanzig Jahre alt.

Den beiden war es seit ihrem Abtransport aus Prag, 1942, gelungen, beisammen zu bleiben. Der erste Zug hatte sie ins Konzentrationslager Terezin (Theresienstadt) gebracht, weniger als eine Stunde Fahrt von der Stadt entfernt, in der sie aufgewachsen waren. Mit einem zweiten Zug waren sie nach Auschwitz, in Polen, geschafft worden, und ein dritter Zug hatte sie nach Norddeutschland transportiert, zu einer Fabrik in Hamburg. Drei Wochen vor dem 15. April 1945 waren sie, mit einem vierten Zug, nach Bergen-Belsen gekommen. In Bergen-Belsen starben Tausende von Männern und Frauen an Typhus dahin. Es gab nichts zu essen. Aus den paar gemeinschaftlichen Wasserzapfstellen tröpfelte es nur. Meine Mutter und ihre Kusine rochen den Gestank nicht mehr, spürten nichts mehr von der Kälte oder dem harten, nackten Fußboden oder von den Läusen, die sich darauf angesiedelt hatten. Sie dachten nur noch einen einzigen Gedanken: Was wird zuerst kommen – der Tod oder die britische Armee?

Kurz nach Tagesanbruch am 15. April sagte eine Frau, die nahe der Barackentür lag, sie sehe mehrere Panzer auf der Straße daherrollen.

Niemand glaubte ihr oder regte sich auch nur.

Doch dann bestätigte eine zweite und darauf eine dritte Stimme, daß sich ein Panzer mit einem weißen Stern auf dem Turm näherte. Niemand brach in Jubel aus. Niemand hatte die Kraft, sich zu freuen. Diejenigen, die sich noch aufraffen konnten, wankten ins Freie, um zu sehen, was da kam.

Die bunte englische Fahne, rot-weiß-blau, flatterte unter dem Himmel, während Panzer um Panzer auftauchte – eine Kolonne, so weit die beiden Kusinen sehen konnten. Auf den Panzern standen Männer in Khakiuniformen, die Arme über den Kopf gereckt, die Finger breit zu einem ›V‹ für ›victory‹ (Sieg) gespreizt. Als die ersten Panzer sich der Stacheldrahtumzäunung näherten, die das Lagergelände umgab, schwankten ein paar Frauen an Mutter und ihrer

Kusine vorbei und auf die Fahrzeuge zu. Einen langen
Augenblick schienen die vorüberfahrenden Männer und die
unsicher dastehenden Frauen einander mit den Blicken zu
fixieren. Der Gesichtsausdruck der Soldaten veränderte
sich, die Hände gruben sich in Hosentaschen, Tragbeutel
und Tornister. Plötzlich regnete es Schokoladetafeln, Zigaretten, Proviantdosen über den Stacheldraht. Die Frauen
jagten wie Hunde hinterher und balgten sich beißend und
kratzend um die eßbaren Dinge.

Die beiden Kusinen sahen zu, hielten einander mit der
Versicherung zurück, daß es schon bald viel, viel mehr zu
essen geben werde. Der Krieg hatte sie gleichgemacht. Vor
1942, in Prag, so sagte Mutter, sei Kitty die fügsame Kusine
gewesen, die sich nach ihr gerichtet habe, ein blondes, fröh-
liches Mädchen mit rosiger Haut, das zu flirten gelernt
hatte, noch ehe es gehen konnte. Mutter, zwei Jahre älter
und dunkelhaarig, war mehr praktisch eingestellt gewesen,
jungenhafter, entschlossener. Jetzt waren sie kaum mehr
voneinander zu unterscheiden. Die beiden jungen Frauen
waren matt bis zur Teilnahmslosigkeit, am ganzen Körper
mit einer grauen Schmutzkruste bedeckt. Ihr Haar, schmud-
delig-braun, verfilzt und brüchig geworden, hing bis zum
Kinn herab. Kittys Körper, zum Skelett abgemagert, war
mit Furunkeln und offenen Wunden bedeckt, der meiner
Mutter von Ödemen angeschwollen. Sie sah mehrere Kilo-
gramm schwerer aus, als sie war. Nur die Augen der beiden,
von einem auffallend tiefen Braun, wirkten lebendig.

Das Drama, das sich vor ihren Augen entrollte – und das
Mutter, wie sie sich noch erinnert, ohne Gemütsbewegung
beobachtete –, wiederholte sich im Frühjahr 1945 überall
in Europa in den Konzentrations-, Vernichtungs- und
Zwangsarbeitslagern der Nazis. Im Osten, wo mein Vater
inhaftiert war, brachte die Rote Armee die Befreiung. Die
Russen, berichtete er, waren auf Pferden durch das kleine
Lager Friedland gekommen. Sie hatten Wodka und Speck-
seiten dabeigehabt und sich Armbanduhren wie ägyptische

Armbänder über die Ärmel geschnallt. Sie waren durch Maidanek, Auschwitz, Chelmno, Belzec, Treblinka, Sobibor und kleinere, weniger bekannte Lager gekommen, hatten den Häftlingen ihre Befreiung verkündet und waren dann weitergezogen. Im Westen bemühten sich die Armeen der Vereinigten Staaten und Großbritanniens mit administrativen Maßnahmen, das Chaos zu lindern, das sie vorfanden. In Dachau und Bergen-Belsen verteilten die Befreier Nahrungsmittel, registrierten die Häftlinge und brachten, soweit dies möglich war, die Kranken in Hospitälern unter.

Sieben Tage, nachdem die ersten englischen Soldaten am Ende der Lagerstraße von Bergen-Belsen erschienen waren, wurden Mutter und Kitty in einem Jeep zur ehemaligen deutschen Garnisons-Kaserne in Celle gebracht, die in ein Verwaltungszentrum der britischen Militärregierung umgewandelt worden war. Beide Frauen sprachen fließend englisch und französisch wie auch tschechisch und deutsch. Sie hatten sich mit mehreren anderen ehemaligen Häftlingen als Dolmetscher zur Verfügung gestellt.

Sie fuhren in verblichenen, aber sauberen Mechanikeranzügen durch das Tor von Bergen-Belsen, ihr Haar war gewaschen, geschnitten und im Rahmen einer allgemeinen Entlausungsaktion mit DDT besprüht worden. Sie hatten regelmäßig Verpflegung erhalten, und Kittys Gesicht und Körper ließen bereits erste Anzeichen erkennen, daß ihre Wunden heilten. An Mutter hingegen war eine solche Veränderung nicht zu bemerken. Ihre Arme und Beine waren noch immer aufgedunsen, das Fleisch hing angeschwollen an den Knochen und schmerzte bei jeder Berührung. Der Geruch nach Essen erregte ihr Übelkeit. Ihr Körper lehnte sich gegen die Aufnahme von Nahrung auf: Sie konnte weder kauen noch schlucken. Sie spürte, daß sie Fieber hatte, als der Jeep zum Tor des Konzentrationslagers hinausfuhr. Um Bergen-Belsen schien sich eine Dunstwolke zu bilden, während es in die Landschaft zurückglitt. Ein- oder zwei-

mal, wenn der Jeep um eine Ecke bog, mußte der Leutnant
am Steuer sie an der Schulter festhalten, damit sie nicht aus
dem Fahrzeug stürzte, das keine Türen hatte.

Der Offizier fuhr vor einem großen Gebäude auf dem
Hauptplatz von Celle vor und stieg aus, um den beiden
Frauen hinauszuhelfen. Mutter blickte hinauf zu den Fenstern des Gebäudes der Militärregierung, dann hinab zu
dem Leutnant, der ihr die Hand bot. Es war ihr, als käme
ihr das Straßenpflaster entgegen.

»Die junge Frau ist sehr krank«, hörte sie jemanden
sagen.

Dann sank sie bewußtlos nach vorne.

»Wie heißen Sie? Sie müssen doch wissen, wie Sie heißen!«

Als Mutter nach ihrer Erinnerung das nächste Mal die
Augen aufschlug, sah sie eine winzige Frau in einem weißen
Kittel, die sich über das Bett beugte. Hinter ihr waren weiße
Wände, weiße Betten und weißgekleidete Gestalten.

»Ihr Name? Wissen Sie Ihren Namen nicht mehr?« wiederholte die Frau in Weiß. »Wo sind Sie geboren?«

Mutter schloß die Augen und versuchte sich zu erinnern.
Doch es kam nichts. Sie glitt wieder in den Schlaf. Auch sie
hatte sich Typhus zugezogen.

Die drei Wochen, in denen sie, nur halb bei Bewußtsein,
in dem Krankenhaus in Celle lag, hatte Mutter als einziges Identitätsmerkmal die in einen Unterarm eintätowierte
blaue Nummer, die mir einfach nicht einfallen will. In dem
Durcheinander, das nach ihrem Eintreffen in Celle entstanden war, hatte man sie in einem von Ungarinnen belegten
Saal untergebracht, die, von den übrigen Lagerinsassen ab-
gesondert, in Quarantäne lagen, und dabei war ihr Name
verlorengegangen.

Am 8. Mai 1945 setzte sie sich plötzlich im Bett auf, vom
Geräusch von Schüssen geweckt.

»Helft mir!« schrie sie in den Saal. »Jemand soll die Fenster aufmachen, bitte!«

Zwei Frauen in Weiß kamen an ihr Bett, verstanden aber die Sprache nicht, in der sie sprach.

»Da schießen nicht die Deutschen«, erklärte ihr die eine Frau langsam auf deutsch. »Heute ist Waffenstillstandstag. Sie schießen, um ihn zu feiern. Die Engländer sind es, die da schießen.«

Mutter starrte die beiden skeptisch an. Dann lauschte sie dem Donner der Geschütze, die anscheinend – so kam es ihr vor – dicht unter dem Fenster feuerten.

»Waffenstillstandstag«, wiederholte sie. »Waffenstillstandstag.«

HEINER MÜLLER

Das Laken oder
Die unbefleckte Empfängnis

Berlin 1945. Ein Keller. Zwei Frauen auf Koffern.

EIN MANN *kommt:*

Da steht der Russe. Hier steht die SS.
Am Eck die Fleischerei ist ausgebrannt.
Die guten Schinken.
Schlachtlärm.

EIN SOLDAT *stürzt herein, reißt sich die Uniform vom Leib:*
                        Habt ihr was gesehn?

Schweigen.

DER MANN. Das schmeckt nach Hochverrat.

DER SOLDAT.   Ich brauch Zivil.

DER MANN *zu der jungen Frau:*

Geh nachsehn, ob der Russe vorgeht.

*Die Frau kriecht aus dem Keller. Schweigen. Die Frau
kommt zurück.*

JUNGE FRAU.   Ja.

Der Mann wirft dem Soldaten eine Jacke zu.

DER MANN. Ein Laken.

ALTE FRAU.   Nicht von meinen.

JUNGE FRAU.   Hab ich mehr?

DER SOLDAT *zur alten Frau:*
Dein Laken wärmt dich nicht, Frau, wenn du kalt bist.

ALTE FRAU. Und die SS, wenn die das hängen sehn
Hängt uns.

DER MANN.   Das ist auch wahr. Da helf sich einer.
Schlachtlärm.

DER SOLDAT. Was da herankommt, ist nicht die SS.

DER MANN. Kamerad, du hast die Tapferkeit gelernt
Zeig, daß du was gelernt hast. Frau, das Laken.
*Die Frauen geben Laken heraus. Der Mann gibt eines an
den Soldaten weiter.*

DER SOLDAT. Ich mach, was ihr gewollt habt.

DER MANN.   Ja. Machs schnell.
*Der Soldat geht mit dem Laken hinaus und kommt
zurück mit leeren Händen. Zwei SS-Männer treten in
den Keller, das zerrissene Laken am Boden nachschlei-
fend.*

1. SS-MANN. Was siehst du, Kamerad?

2. SS-MANN.   Zwei Hochverräter.

1. SS-MANN *richtet die Maschinenpistole auf den Kameraden:*
Zwei?

2. SS-MANN. Vier.

1. SS-MANN.   Was steht auf Hochverrat?

2. SS-MANN *grinst und zieht einen Strick aus der Tasche:*
Der Strick.

DER MANN. Ihr Herren, uns laßt aus. Der ists gewesen.
Er zeigt auf den Soldaten.

DER SOLDAT *zeigt auf den Mann:*
  Ich hab gemacht, was der gewollt hat.
DER MANN.   Ich
  Habs nicht gewollt.
ALTE FRAU.   Wir haben nichts gewollt.
  Schlachtlärm. Die SS-Männer stürzen sich auf den Solda-
  ten und schleifen ihn hinaus. Der Soldat schreit.
JUNGE FRAU. Hört wie er schreit.
ALTE FRAU.   Nicht mehr.
DER MANN.   Ich hol die Jacke.
  Der Mann kriecht aus dem Keller und kommt schnell
  zurück, ohne die Jacke.
DER MANN. Der Russe kommt. Was läuft, ist die SS.
  Die Jacke haben sie ihm ausgezogen.
  Zwei Soldaten und ein Kommandeur der Roten Armee
  treten in den Keller, die Soldaten mit dem Leichnam des
  Deserteurs, den sie auf das Laken legen.
KOMMANDEUR. HitlerkaputtjetztFrieden. Sohn?
MANN.   Sohn.
  Die alte Frau nickt heftig.
KOMMANDEUR. Chleb.
  Einer der Soldaten wirft ihr ein Brot zu, der andere bricht
  sein Brot übers Knie und teilt mit dem ersten. Der Kom-
  mandeur und die Soldaten salutieren und verlassen den
  Keller. Über dem Toten beginnt der Kampf der Über-
  lebenden um das Brot.

CHRISTA WOLF

Blickwechsel

2

Über *Befreiung* soll berichtet werden, die Stunde der Befreiung, und ich habe gedacht: Nichts leichter als das. Seit all den Jahren steht diese Stunde scharf gestochen vor meinen Augen, fix und fertig liegt sie in meinem Gedächtnis, und falls es Gründe gegeben hat, bis heute nicht daran zu rühren, dann sollten fünfundzwanzig Jahre auch diese Gründe getilgt haben oder wenigstens abgeschwächt. Ich brauchte bloß das Kommando zu geben, schon würde der Apparat arbeiten, und wie von selbst würde alles auf dem Papier erscheinen, eine Folge genauer, gut sichtbarer Bilder. Wider Erwarten hakte ich mich an der Frage fest, was meine Großmutter unterwegs für Kleider trug, und von da geriet ich an den Fremdling, der mich eines Tages in sich verwandelt hatte und nun schon wieder ein anderer ist und andere Urteile spricht, und schließlich muß ich mich damit abfinden, daß aus der Bilderkette nichts wird; die Erinnerung ist kein Leporelloalbum, und es hängt nicht allein von einem Datum und zufälligen Bewegungen der alliierten Truppen ab, wann einer befreit wird, sondern doch auch von gewissen schwierigen und lang andauernden Bewegungen in ihm selbst. Und die Zeit, wenn sie Gründe tilgt, bringt doch auch unaufhörlich neue hervor und macht die Benennung einer bestimmten Stunde eher schwieriger; wovon man befreit wird, will man deutlich sagen, und wenn man gewissenhaft ist, vielleicht auch, wozu. Da fällt einem das Ende einer Kinderangst ein, Kaufmann Rambow, der sicherlich ein braver Mann war, und nun sucht man einen neuen Ansatz, der wieder nichts anderes bringt als Annäherung, und dabei bleibt es dann. Das Ende meiner Angst vor den Tieffliegern. Wie man sich bettet, so liegt man, würde Kalle sagen, wenn er noch am Leben wäre, aber ich nehme an, er ist tot, wie viele der handelnden Personen (der Tod tilgt Gründe, ja).

Tot wie der Vorarbeiter Wilhelm Grund, nachdem die Tiefflieger ihm in den Bauch geschossen hatten. So sah ich mit sechzehn meinen ersten Toten, und ich muß sagen: reichlich spät für jene Jahre. (Den Säugling, den ich in einem steifen Bündel aus einem Lastwagen heraus einer Flüchtlingsfrau reichte, kann ich nicht rechnen, ich sah ihn nicht, ich hörte nur, wie seine Mutter schrie, und lief davon.) Der Zufall hatte ergeben, daß Wilhelm Grund an meiner Stelle dalag, denn nichts als der nackte Zufall hatte meinen Onkel an jenem Morgen bei einem kranken Pferd in der Scheune festgehalten, anstatt daß wir mit Grunds Ochsenwagen gemeinsam wie sonst vor den anderen auf die Landstraße gingen. Hier, mußte ich mir sagen, hätten auch wir sein sollen, und nicht dort, wo man sicher war, obwohl man die Schüsse hörte und die fünfzehn Pferde wild wurden. Seitdem fürchte ich Pferde. Mehr noch aber fürchte ich seit jenem Augenblick die Gesichter von Leuten, die sehen mußten, was kein Mensch sehen sollte. Ein solches Gesicht hatte der Landarbeiterjunge Gerhard Grund, als er das Scheunentor aufstieß, ein paar Schritte noch schaffte und dann zusammensackte: Herr Volk, was haben sie mit meinem Vater gemacht!

Er war so alt wie ich. Sein Vater lag am Rande der Straße im Staub neben seinen Ochsen und blickte starr nach oben, wer darauf bestehen wollte, mochte sich sagen: in den Himmel. Ich sah, daß diesen Blick nichts mehr zurückholte, nicht das Geheul seiner Frau, nicht das Gewimmer der drei Kinder. Diesmal vergaß man, uns zu sagen, das sei kein Anblick für uns. Schnell, sagte Herr Volk, hier müssen wir weg. So wie sie diesen Toten an Schultern und Beinen packten, hätten sie auch mich gepackt und zum Waldrand geschleift. Jedem von uns, auch mir, wäre wie ihm die Zelt-

plane vom gutsherrlichen Futterboden zum Sarg geworden.
Ohne Gebet und ohne Gesang wie der Landarbeiter Wilhelm Grund wäre auch ich in die Grube gefahren. Geheul
hätten sie auch mir nachgeschickt, und dann wären sie weitergezogen, wie wir, weil wir nicht bleiben konnten. Lange
Zeit hätten sie keine Lust zum Reden gehabt, wie auch wir
schwiegen, und dann hätten sie sich fragen müssen, was sie
tun könnten, um selbst am Leben zu bleiben, und, genau
wie wir jetzt, hätten sie große Birkenzweige abgerissen und
unsere Wagen damit besteckt, als würden die fremden Piloten sich durch das wandelnde Birkenwäldchen täuschen lassen. Alles, alles wäre wie jetzt, nur ich wäre nicht mehr dabei. Und der Unterschied, der mir alles war, bedeutete den
meisten anderen hier so gut wie nichts. Schon saß Gerhard
Grund auf dem Platz seines Vaters und trieb mit dessen
Peitsche die Ochsen an, und Herr Volk nickte ihm zu: Braver Junge. Dein Vater ist wie ein Soldat gefallen.

Dies glaubte ich eigentlich nicht. So war der Soldatentod
in den Lesebüchern und Zeitungen nicht beschrieben, und
der Instanz, mit der ich ständigen Kontakt hielt und die ich
– wenn auch unter Skrupeln und Vorbehalten – mit dem
Namen Gottes belegte, teilte ich mit, daß ein Mann und Vater von vier Kindern nach meiner Überzeugung nicht auf
diese Weise zu verenden habe. Es ist eben Krieg, sagte Herr
Volk, und gewiß, das war es und mußte es sein, aber ich
konnte mich darauf berufen, daß hier eine Abweichung
vom Ideal des Todes für Führer und Reich vorlag, und ich
fragte nicht, wen meine Mutter meinte, als sie Frau Grund
umarmte und laut sagte: Die Verfluchten. Diese verfluchten
Verbrecher.

Mir fiel es zu, weil ich gerade Wache hatte, die nächste
Angriffswelle, zwei amerikanische Jäger, durch Trillersignal
zu melden. Wie ich es mir gedacht hatte, blieb der Bir-
kenwald weithin sichtbar als leichte Beute auf der kahlen
Chaussee stehen. Was laufen konnte, sprang von den Wagen
und warf sich in den Straßengraben. Auch ich. Nur daß ich

diesmal nicht das Gesicht im Sand vergrub, sondern mich auf den Rücken legte und weiter mein Butterbrot aß. Ich wollte nicht sterben, und todesmutig war ich gewiß nicht, und was Angst ist, wußte ich besser, als mir lieb war.

Aber man stirbt nicht zweimal an einem Tag. Ich wollte den sehen, der auf mich schoß, denn mir war der überraschende Gedanke gekommen, daß in jedem Flugzeug ein paar einzelne Leute saßen. Erst sah ich die weißen Sterne unter den Tragflächen, dann aber, als sie zu neuem Anflug abdrehten, sehr nahe die Köpfe der Piloten in den Fliegerhauben, endlich sogar die nackten weißen Flecken ihrer Gesichter. Gefangene kannte ich, aber dies war der angreifende Feind von Angesicht zu Angesicht, ich wußte, daß ich ihn hassen sollte, und es kam mir unnatürlich vor, daß ich mich für eine Sekunde fragte, ob ihnen das Spaß machte, was sie taten. Übrigens ließen sie bald davon ab.

Als wir zu den Fuhrwerken zurückkamen, brach einer unserer Ochsen, der, den sie Heinrich nannten, vor uns in die Knie. Das Blut schoß ihm aus dem Hals. Mein Onkel und mein Großvater schirrten ihn ab. Mein Großvater, der neben dem toten Wilhelm Grund ohne ein Wort gestanden hatte, stieß jetzt Verwünschungen aus seinem zahnlosen Mund. Die unschuldige Kreatur, sagte er heiser, diese Äster, verdammten, vermaledeite Hunde alle, einer wie der andere. Ich fürchtete, er könnte zu weinen anfangen, und wünschte, er möge sich alles von der Seele fluchen. Ich zwang mich, das Tier eine Minute lang anzusehen. Vorwurf konnte das in seinem Blick nicht sein, aber warum fühlte ich mich schuldig? Herr Volk gab meinem Onkel sein Jagdgewehr und zeigte auf eine Stelle hinter dem Ohr des Ochsen. Wir wurden weggeschickt. Als der Schuß krachte, fuhr ich herum. Der Ochse fiel schwer auf die Seite. Die Frauen hatten den ganzen Abend zu tun, das Fleisch zu verarbeiten. Als wir im Stroh die Brühe aßen, war es schon dunkel. Kalle, der sich bitter beklagt hatte, daß er hungrig sei, schlürfte gierig seine Schüssel aus, wischte sich mit dem Är-

mel den Mund und begann vor Behagen krächzend zu singen: Alle Möpse bellen, alle Möpse bellen, bloß der kleine
Rollmops nicht ... Daß dich der Deikert, du meschuggich-
ter Kerl! fuhr mein Großvater auf ihn los. Kalle ließ sich ins
Stroh fallen und steckte den Kopf unter die Jacke.

3

Man muß nicht Angst haben, wenn alle Angst haben. Dies
zu wissen ist sicherlich befreiend, aber die Befreiung kam
erst noch, und ich will aufzeichnen, was mein Gedächtnis
heute davon hergeben will. Es war der Morgen des 5. Mai,
ein schöner Tag, noch einmal brach eine Panik aus, als es
hieß, sowjetische Panzerspitzen hätten uns umzingelt, dann
kam die Parole: im Eilmarsch nach Schwerin, da sind die
Amerikaner, und wer noch fähig war, sich Fragen zu stellen,
der hätte es eigentlich merkwürdig finden müssen, wie alles
jenem Feind entgegendrängte, der uns seit Tagen nach dem
Leben trachtete. Von allem, was nun noch möglich war,
schien mir nichts wünschbar oder auch nur erträglich, aber
die Welt weigerte sich hartnäckig, unterzugehen, und wir
waren nicht darauf vorbereitet, uns nach einem verpatzten
Weltuntergang zurechtzufinden. Daher verstand ich den
schauerlichen Satz, den eine Frau ausstieß, als man ihr vorhielt, des Führers lang ersehnte Wunderwaffe könne jetzt
nur noch alle gemeinsam vernichten, Feinde und Deutsche.
Soll sie doch, sagte das Weib.
    An den letzten Häusern des Dorfes vorbei ging es einen
Sandweg hinauf. Neben einem roten mecklenburgischen
Bauernhaus wusch sich an der Pumpe ein Soldat. Er hatte
die Ärmel seines weißen Unterhemds hochgekrempelt,
stand spreizbeinig da und rief uns zu: Der Führer ist tot, so
wie man ruft: Schönes Wetter heute. Mehr noch als die Erkenntnis, daß der Mann die Wahrheit sagte, bestürzte mich
sein Ton.

Ich trottete neben unserem Wagen weiter, hörte die heiseren Anfeuerungsrufe der Kutscher, das Ächzen der erschöpften Pferde, sah die kleinen Feuer am Straßenrand, in denen die Papiere der Wehrmachtsoffiziere schwelten, sah Haufen von Gewehren und Panzerfäusten gespensterhaft in den Straßengräben anwachsen, sah Schreibmaschinen, Koffer, Radios und allerlei kostbares technisches Kriegsgerät sinnlos unseren Weg säumen und konnte nicht aufhören, mir wieder und wieder in meinem Inneren den Ton dieses Satzes heraufzurufen, der, anstatt ein Alltagssatz unter anderen zu sein, meinem Gefühl nach fürchterlich zwischen Himmel und Erde hätte widerhallen sollen.

Dann kam das Papier. Die Straße war plötzlich von Papier überschwemmt, immer noch warfen sie es in einer wilden Wut aus den Wehrmachtswagen heraus, Formulare, Gestellungsbefehle, Akten, Verfahren, Schriftsätze eines Wehrbezirkskommandos, banale Routineschreiben ebenso wie geheime Kommandosachen und die Statistiken von Gefallenen aus doppelt versicherten Panzerschränken, auf deren Inhalt nun, da man ihn uns vor die Füße warf, niemand mehr neugierig war. Als sei etwas Widerwärtiges an dem Papierwust, bückte auch ich mich nach keinem Blatt, was mir später leid tat, aber die Konservenbüchse fing ich auf, die mir ein LKW-Fahrer zuwarf. Der Schwung seines Armes erinnerte mich an den oft wiederholten Schwung, mit dem ich im Sommer neununddreißig Zigarettenpäckchen auf die staubigen Fahrzeugkolonnen geworfen hatte, die an unserem Haus vorbei Tag und Nacht in Richtung Osten rollten. In den sechs Jahren dazwischen hatte ich aufgehört, ein Kind zu sein, nun kam wieder ein Sommer, aber ich hatte keine Ahnung, was ich mit ihm anfangen sollte.

Die Versorgungskolonne einer Wehrmachtseinheit war auf einem Seitenweg von ihrer Begleitmannschaft verlassen worden. Wer vorbeikam, nahm sich, was er tragen konnte. Die Ordnung des Zuges löste sich auf, viele gerieten, wie vorher vor Angst, nun vor Gier außer sich. Nur Kalle

lachte, er schleppte einen großen Butterblock zu unserem
Wagen, klatschte in die Hände und schrie glücklich: Ach du
dicker Tiffel! Da kann man sich doch glatt vor Wut die
Röcke hochheben!

Dann sahen wir die KZler. Wie ein Gespenst hatte uns
das Gerücht, daß sie hinter uns hergetrieben würden, die
Oranienburger, im Nacken gesessen. Der Verdacht, daß wir
auch vor ihnen flüchteten, ist mir damals nicht gekommen.
Sie standen am Waldrand und witterten zu uns herüber. Wir
hätten ihnen ein Zeichen geben können, daß die Luft rein
war, doch das tat keiner. Vorsichtig näherten sie sich der
Straße. Sie sahen anders aus als alle Menschen, die ich bisher
gesehen hatte, und daß wir unwillkürlich vor ihnen zurück-
wichen, verwunderte mich nicht. Aber es verriet uns doch
auch, dieses Zurückweichen, es zeigte an, trotz allem, was
wir einander und was wir uns selber beteuerten: Wir wußten Bescheid. Wir alle, wir Unglücklichen, die man von ihrem Hab und Gut vertrieben hatte, von Bauernhöfen
und aus ihren Gutshäusern, aus ihren Kaufmannsläden und
muffigen Schlafzimmern und aufpolierten Wohnstuben mit
dem Führerbild an der Wand – wir wußten: Diese da, die
man zu Tieren erklärt hatte und die jetzt langsam auf uns
zukamen, um sich zu rächen – wir hatten sie fallenlassen.
Jetzt würden die Zerlumpten sich unsere Kleider anziehen,
ihre blutigen Füße in unsere Schuhe stecken, jetzt würden
die Verhungerten die Butter und das Mehl und die Wurst an
sich reißen, die wir gerade erbeutet hatten. Und mit Entsetzen fühlte ich: Das ist gerecht, und wußte für den Bruch-
teil einer Sekunde, daß wir schuldig waren. Ich vergaß es
wieder.

Die KZler stürzten sich nicht auf das Brot, sondern auf
die Gewehre im Straßengraben. Sie beluden sich damit, sie
überquerten, ohne uns zu beachten, die Straße, erklommen
mühsam die jenseitige Böschung und faßten oben Posten,
das Gewehr im Anschlag. Schweigend blickten sie auf uns
herunter. Ich hielt es nicht aus, sie anzusehen. Sollen sie

doch schreien, dachte ich, oder in die Luft knallen, oder in uns reinknallen, Herrgottnochmal! Aber sie standen ruhig da, ich sah, daß manche schwankten und daß sie sich gerade noch zwingen konnten, das Gewehr zu halten und dazustehen. Vielleicht hatten sie sich das Tag und Nacht gewünscht. Ich konnte ihnen nicht helfen, und sie mir auch nicht, ich verstand sie nicht, und ich brauchte sie nicht, und alles an ihnen war mir von Grund auf fremd.

Von vorne kam der Ruf, jedermann außer den Fuhrleuten sollte absitzen. Dies war ein Befehl. Ein tiefer Atemzug ging durch den Treck, denn das konnte nur eines bedeuten: Die letzten Schritte in die Freiheit standen uns bevor. Ehe wir in Gang kommen konnten, sprangen die polnischen Kutscher ab, schlangen ihre Leine um die Wagenrunge, legten die Peitsche auf den Sitz, sammelten sich zu einem kleinen Trupp und schickten sich an, zurück, gen Osten, auf und davon zu gehen. Herr Volk, der sofort blaurot anlief, vertrat ihnen den Weg. Zuerst sprach er leise mit ihnen, kam aber schnell ins Schreien, Verschwörung und abgekartetes Spiel und Arbeitsverweigerung schrie er. Da sah ich polnische Fremdarbeiter einen deutschen Gutsbesitzer beiseite schieben. Nun hatte wahrhaftig die untere Seite der Welt sich nach oben gekehrt, nur Herr Volk wußte noch nichts davon, wie gewohnt griff er nach der Peitsche, aber sein Hieb blieb stecken, jemand hielt seinen Arm fest, die Peitsche fiel zu Boden, und die Polen gingen weiter. Herr Volk preßte die Hand gegen das Herz, lehnte sich schwer an einen Wagen und ließ sich von seiner spitzmündigen Frau und der dummen Dackelhündin Bienchen trösten, während Kalle von oben Miststück, Miststück auf ihn herunterschimpfte. Die Franzosen, die bei uns blieben, riefen den abziehenden Polen Grüße nach, die sie sowenig verstanden wie ich, aber ihren Klang verstanden sie, und ich auch, und es tat mir weh, daß ich von ihrem Rufen und Winken und Mützehochreißen, von ihrer Freude und von ihrer Sprache ausgeschlossen war. Aber es mußte so sein. Die Welt be-

stand aus Siegern und Besiegten. Die einen mochten ihren
Gefühlen freien Lauf lassen. Die anderen – wir – hatten sie
künftig in uns zu verschließen. Der Feind sollte uns nicht
schwach sehen.

Da kam er übrigens. Ein feuerspeiender Drache wäre mir
lieber gewesen als dieser leichte Jeep mit dem kaugummi-
malmenden Fahrer und den drei lässigen Offizieren, die in
ihrer bodenlosen Geringschätzung nicht einmal ihre Pisto-
lentaschen aufgeknöpft hatten. Ich bemühte mich, mit aus-
druckslosem Gesicht durch sie hindurchzusehen, und sagte
mir, daß ihr zwangloses Lachen, ihre sauberen Uniformen,
ihre gleichgültigen Blicke, dieses ganze verdammte Sieger-
gehabe ihnen sicher zu unserer besonderen Demütigung befohlen war.

Die Leute um mich herum begannen Uhren und Ringe
zu verstecken, auch ich nahm die Uhr vom Handgelenk und
steckte sie nachlässig in die Manteltasche. Der Posten am
Ende des Hohlwegs, ein baumlanger, schlaksiger Mensch
unter diesem unmöglichen Stahlhelm, über den wir in der
Wochenschau immer laut herausgelacht hatten – der Posten
zeigte mit der einen Hand den wenigen Bewaffneten, wohin sie ihre Waffen zu werfen hatten, und die andere tastete
uns Zivilpersonen mit einigen festen, geübten Polizeigriffen
ab. Versteinert vor Empörung ließ ich mich abtasten, insge-
heim stolz, daß man auch mir eine Waffe zutraute. Da fragte
mein überarbeiteter Posten geschäftsmäßig: Your watch?
Meine Uhr wollte er haben, der Sieger, aber er bekam sie
nicht, denn es gelang mir, ihn mit der Behauptung anzufüh-
ren, der andere da, your comrade, sein Kamerad, habe sie
schon kassiert. Ich kam ungeschoren davon, was die Uhr
betraf, da signalisierte mein geschärftes Gehör noch einmal
das anschwellende Motorengeräusch eines Flugzeugs. Zwar
ging es mich nichts mehr an, aber gewohnheitsmäßig behielt
ich die Anflugrichtung im Auge, unter dem Zwang eines
Reflexes warf ich mich hin, als es herunterstieß; noch einmal
der ekelhafte dunkle Schatten, der schnell über Gras und

Bäume huscht, noch einmal das widerliche Einschlagge-
räusch von Kugeln in Erde. Jetzt noch? dachte ich erstaunt
und merkte, daß man sich von einer Sekunde zur anderen
daran gewöhnen kann, außer Gefahr zu sein. Mit böser
Schadenfreude sah ich amerikanische Artilleristen ein ame-
rikanisches Geschütz in Stellung bringen und auf die amerikanische Maschine feuern, die eilig hochgerissen wurde und
hinter dem Wald verschwand.

Nun sollte man sagen können, wie es war, als es still
wurde. Ich blieb eine Weile hinter dem Baum liegen. Ich
glaube, es war mir egal, daß von dieser Minute an vielleicht
niemals mehr eine Bombe oder eine MG-Garbe auf mich
heruntergehen würde. Ich war nicht neugierig auf das, was
jetzt kommen würde. Ich wußte nicht, wozu ein Drache gut
sein soll, wenn er aufhört, Feuer zu speien. Ich hatte keine
Ahnung, wie der hürnene Siegfried sich zu benehmen hat,
wenn der Drache ihn nach seiner Armbanduhr fragt, anstatt
ihn mit Haut und Haar aufzuessen. Ich hatte gar keine
Lust, mit anzusehen, wie der Herr Drache und der Herr
Siegfried als Privatpersonen miteinander auskommen würden. Nicht die geringste Lust hatte ich darauf, um jeden
Eimer Wasser zu den Amerikanern in die besetzten Villen
zu gehen, erst recht nicht, mich auf einen Streit mit dem
schwarzhaarigen Leutnant Davidson aus Ohio einzulassen,
an dessen Ende ich mich gezwungen sah, ihm zu erklären,
daß mein Stolz mir nun gerade gebiete, ihn zu hassen.

Und schon überhaupt keine Lust hatte ich auf das Gespräch mit dem KZler, der abends bei uns am Feuer saß, der
eine verbogene Drahtbrille aufhatte und das unerhörte
Wort Kommunist so dahinsagte, als sei es ein erlaubtes All-
tagswort wie Haß und Krieg und Vernichtung. Nein. Am
allerwenigsten wollte ich von der Trauer und Bestürzung
wissen, mit der er uns fragte: Wo habt ihr bloß all die Jahre
gelebt?

Ich hatte keine Lust auf Befreiung. Ich lag unter meinem
Baum, und es war still. Ich war verloren, und ich dachte,

daß ich mir das Geäst des Baumes vor dem sehr schönen Maihimmel merken wollte. Dann kam mein baumlanger Sergeant nach getanem Dienst den Abhang hoch, und in jedem Arm hatte sich ihm ein quietschendes deutsches Mädchen eingehängt. Alle drei zogen in Richtung der Villen ab, und ich hatte endlich Grund, mich ein bißchen umzudrehen und zu heulen.

ALFRED ANDERSCH

Der Seesack

Das Lager, in dem ich aus der Kriegsgefangenschaft entlassen wurde, befand sich ein paar Kilometer außerhalb von Darmstadt, in einem Kiefernwald. Aus diesem Lager habe ich nur noch die bleichen Gesichter von Kindern in Uniformen in Erinnerung. Ich ging die Chaussee nach Darmstadt entlang, wechselte von Zeit zu Zeit den schweren Seesack, den ich aus Amerika mitgebracht hatte, von einer Schulter auf die andere. Ich muß mir von dem Deutschland, in das ich kam, keine Vorstellung gemacht haben, sonst hätte ich den Sack mit Nahrungsmitteln vollgestopft, anstatt mit Büchern. Ich habe zweimal in meinem Leben meine Bücher verloren: das erstemal wurden sie 1933 von der Gestapo beschlagnahmt, das zweitemal 1943 von Bomben zerstört. In den amerikanischen Lagern konnte man Bücher kaufen; ich kaufte mir Jeffersons *Life and Selected Writings*, die *Essays* von Emerson, Henry Adams' *Democracy* und die *Education*, Thoreaus *Walden* und die *Varieties of Religious Experience* von William James (die ich aber nie gelesen habe), ein Werk über moderne amerikanische Malerei sowie Romane und Erzählungen von Cabell, O. Henry, Henry James,

Sherwood Anderson, Hemingway, Scott Fitzgerald, Faulkner, Wilder, Steinbeck, Erskine Caldwell. Unter all diesen amerikanischen Büchern befand sich nur ein einziges deutsches: Ernst Jüngers *Auf den Marmorklippen*; ich habe es zwischen zwei Kontinenten hin und her geschleppt. Der Sack und sein Inhalt waren übrigens im September 1945 das Einzige, was ich besaß. Ich war 31 Jahre alt. Jetzt, dreißig Jahre später, besitze ich eine Bibliothek. Eine Bibliothek, zweihundert Schallplatten, ein Stereogerät, ein Auto, einen Garten, ein Haus. So sind wir. Von Zeit zu Zeit nimmt man uns unsere Bücher und Wohnungen weg, aber emsig beginnen wir, immer wieder von Neuem, uns Bücher und Wohnungen anzuschaffen.

[...]

Man wird auf die Schilderung eines Gefühls von Befreiung warten, welches mich von Rechts wegen hätte überkommen müssen, auf jener Chaussee nach Darmstadt. Ich kann damit nicht dienen; anstatt mich über meine Freiheit zu freuen, empfand ich deutlich, wie sie hinter mir zurückblieb: in den amerikanischen Lagern. Befreit habe ich mich gefühlt, als es mir – am 6. Juni 1944 – gelungen war, aus der Hitler-Armee in die amerikanische Kriegsgefangenschaft zu entkommen. Die Amerikaner haben die deutschen Kriegsgefangenen strikt nach den Regeln der Genfer Konvention behandelt, und außerdem mit Freundlichkeit. Ich habe in den amerikanischen Lagern lesen, schreiben, sprechen und nachdenken können. Das ist es, was ich unter Freiheit verstehe, wenn ich von jenen Augenblickszuständen absehe, die ich in den *Kirschen der Freiheit* beschrieben habe. Natürlich gebe ich zu, daß es sich um eine Freiheit unter Ausschluß der Öffentlichkeit handelte. Hinter den Stacheldrähten waren Zeit und Raum aufgehoben. Jetzt trat ich wieder in Raum und Zeit ein, unter Kiefernschatten, in einem Nachmittagslicht bei Darmstadt. Ich fühlte Furcht. Ich fürchtete mich vor Deutschland. Die Zeit Deutschland, der Raum Deutschland kamen als Dunkelheit auf mich zu,

als Katastrophe, als Chaos. Die Freiheit des Kriegsgefange-
nenlagers war das Gegenteil von Chaos gewesen: eine Ordnung. Das Chaos Deutschland war eine Drohung. Es würde
mich in ein dunkles, unübersichtliches Geflecht aus Wir-
beln einsaugen. Es war real. Es würde mich zwingen, zu
handeln.

Korrektur. Was heißt denn *handeln*? Ist es nur die Ak-
tion, die mich in eine Beziehung zu Anderen setzt? Heißt
lesen nicht auch handeln? Oder Nachdenken? Wo beginnt
der Prozeß, der zu einem Verhalten führt? Und habe ich
mich nicht auch im Lager, gerade im Lager, fortwährend in
Beziehungen zu den Anderen setzen müssen, die übrigens
nicht die Hölle waren, sondern meine Mitgefangenen?

Dennoch halte ich an dem Gedanken fest, daß das Lager
irreal war. Heute, wenn ich an das Camp Ruston, Louisiana,
zurückdenke, nimmt es immer paradiesischere Züge an. Wir
hielten uns große Landschildkröten, pflückten Baumwolle,
schlugen Zuckerrohr und betrachteten das Brackwasser der
toten Mississippi-Arme mit den Augen der Pelikane, die in
ihm weideten.

»Pause im Geschichtsunterricht«
Im Niemandsland der Zeit

»Die kurze Pause im Geschichtsunterricht macht sie nervös. Die Lücke zwischen dem Nichtmehr und dem Nochnicht irritiert sie«, notiert Erich Kästner am 7. Mai 1945 über die Deutschen in sein Tagebuch. Die »Stunde Null«, das war auch eine Zeit der Verwirrung und Orientierungslosigkeit. »Wir gehen da und wissen nicht, ob jetzt schon hinterher ist oder noch vorher und schon gar nicht, ob es nun das ist, was später der Umbruch genannt werden wird«, so beschreibt Eva Zeller ihre Erfahrung der »Stunde Null«, in der alles zu Ende und gleichzeitig alles offen war. Man war unterwegs. »Ein ganzes Volk geht auf die Wanderschaft und sucht einander«, bemerkt der Journalist Wolf Strache auf seiner Reise durch die zerbombten Städte am Ende des Krieges. Die Menschen – Heimkehrer, Ausgebombte, Flüchtlinge, auf der Suche nach Angehörigen, nach einer neuen Heimat – irrten umher im »Niemandsland«.

Es war die »ungewohnte Stille«, die plötzlich befremdlich und irritierend wirkte. »Etwas: er hörte und er vernahm und er erkannte, was es sei: die Stille: Kein verzweifelter, vereinzelter Schuß. Nicht schwermütiges Artilleriegedröhn. Nicht das Wolfsgeheul der Katjuschas. Keine Schallwelle brandete an den Hörselberg, sondern Stille, Stille, Stille«, heißt es in Günter Kunerts Roman *Im Namen der Hüte*. Noch lag die Welt im Schatten des Krieges, noch war der Tod gegenwärtiger als das Leben. In diesen »Tagen des Zwielichts«, in denen alles »Überschneidung und Überschattung« war, kündigte sich jedoch schon die Auseinandersetzung mit Schuld und Trauer an. Und so beschwört Marie Luise Kaschnitz noch einmal eben jenen »Augenblick der Stille«, ein kurzes Innehalten und Atemholen vor der großen und schrecklichen Katharsis. Auch die Chance zur Besinnung barg diese kurze Atempause, die Elias Canetti zum Anlaß für seine ungewöhnlichen, die etablierten Denkmuster sprengenden Reflexionen nahm.

Man lebte »zwischen den Zeiten«, »unsicher, schwebend zwischen den Wirklichkeiten« (Luise Rinser). Jahreszahlen, Daten wurden bedeutungslos, wenn alle von einem Tag auf den anderen zu überleben versuchten. Chaos und Trümmer wurden zum Alltag, in dem Erfindungsgeist und Improvisation das Überleben sicherten. Man dachte in Kalorien, kochte Sirup aus Rüben, preßte Öl aus Raps oder Mohn, die Kartoffel wurde zum Überlebenssymbol. Schwarzmarkt, Zigarettenwährung, Hamsterfahrten – ein Ausnahmezustand, den die Menschen bald als ein Stück Normalität betrachteten.

Neben den Motiven der »Stille« und »Zeitlosigkeit« ist somit ein weiterer wesentlicher Aspekt der »Stunde Null« ihr Charakter als Ausnahmesituation. In Uwe Timms Novelle *Die Entdeckung der Currywurst* wird diese Ausnahmesituation auf komische und groteske Weise beschrieben. Was sonst »normal« ist, wird plötzlich ad absurdum geführt und das Absurde wird zur Norm, die den Alltag bestimmt: »Keine Briefmarken, keine Post. Fremde, freundliche Leute klingelten, hatten's eilig, wollten nur auf der Durchfahrt (Holzkocherautos) einen Brief abgeben, aus München, aus Hamburg, monopolfrei befördert. In Darmstadt: verkohlte Straßen, zerplatzte Häuser; an einer rußschwarzen, einsamen Brandmauer hing im vierten Stock eine Klosettschüssel; eine halbe Badewanne; aus dem Schutt unten ragten Torpfosten, Stücke von Parterrefronten.« Kurios, fast schon irreal wirken Ernst Kreuders Nachkriegseindrücke. Eine Verzerrung ins Unwirkliche ist auch kennzeichnend für Ernst Jüngers Schilderung der Ereignisse bei Kriegsende. Der Einmarsch der feindlichen Truppen wird wie ein Marionettenschauspiel inszeniert – »als rollte eine Puppenparade vorbei, ein Zug von gefährlichen Spielzeugen«.

Ein zentrales und immer wieder auftauchendes Motiv für das Kriegsende ist die »weiße Fahne«, meistens weiße Laken oder Tischtücher, die beim Einmarsch der Alliierten ganze Straßenzüge säumten. Das Bild von der siegreichen Armee, die durch weißbeflaggte Straßen zieht, ist ein Symbol der »Stunde Null« – man könnte sie auch »Stunde der weißen Laken« nennen.

Die weiße Fahne, einerseits Signal für die Kapitulation, andererseits das Zeichen für Hochverrat, worauf die Todesstrafe stand, verdeutlicht die Absurdität des Kriegsendes. Hißte man die weiße Flagge nicht im »richtigen« Moment, bedeutete dies oftmals den sicheren Tod, sei es durch die Alliierten oder als »Vaterlandsverräter« durch die »eigenen Leute«. In vielen Texten, z. B. Hanns-Josef Ortheils *Hecke*, Heinrich Bölls *Wo warst du, Adam?* oder Heiner Müllers *Das Laken oder Die unbefleckte Empfängnis*, wird diese Grenzsituation thematisiert.

Immer wieder steht die weiße Fahne auch für den Opportunismus, für die Mitläufer, Mitmacher und »Unschuldigen«, die später von nichts gewußt haben wollten. Die Perspektive des Kindes eignet sich dabei besonders, um das oftmals widersinnige und widersprüchliche Verhalten der Erwachsenen zu kommentieren. Der Vater vergräbt seine Nazi-Vergangenheit im Wald, »Mutter wusch täglich das Laken weiß«, heißt es in Rolf Haufs Gedicht *Mein zehntes Jahr*. Irritiert registriert das Kind, daß plötzlich alles anders ist als vorher. Was gestern noch gut und richtig war, ist heute falsch und lebensgefährlich: »Alle Soldaten mußte ich hergeben und als / Vater den Fahnenträger im Kopfkissen fand brüllte er / Ich brächte sie alle an den Galgen.«

Die Kinderperspektive zeigt eine neue Dimension der »Stunde Null« auf. Gerade für Kinder bedeutete das Ende des Krieges und das damit verbundene Chaos in allen Lebensbereichen – neben Leid und Verstörung – oftmals eine besondere Freiheit und spannende Abwechslung. Meistens sich selbst überlassen, konnten sie stundenlang zwi-

schen den Trümmern herumstreunen, Eßbares »organisieren« oder mit zerstörten Panzern und sonstigem liegen-
gebliebenen Kriegsgerät spielen. Das Leben wurde zum
Abenteuerspielplatz. In der allgemeinen Auflösungsstim-
mung schienen alle Gesetze, alle bisher geltenden Regeln
aufgehoben. So interessieren sich z. B. in Siegfried Lenz'
Roman *Deutschstunde* die Jungen im Klassenzimmer we-
sentlich mehr für die englischen Soldaten auf dem Schulhof
als für Lehrer Prugels Lebenskundeunterricht. Interessiert
und fasziniert beobachtet auch in Peter Härtlings Roman
Zwettl das Kind die Soldaten, die in einer Mischung aus un-
geduldiger Aufbruchstimmung, stiller Verschworenheit und
sentimentaler Wirtsstubenbehaglichkeit – hier wird jene für
die »Stunde Null« ebenfalls charakteristische »Inselatmo-
sphäre« spürbar – auf ihre gefälschten Entlassungspapiere
warten.

Das Ende des Zweiten Weltkrieges, die »Stunde Null«,
war kein plötzlicher, einheitlich festgelegter Zeitpunkt. Es
handelte sich vielmehr um eine Übergangsphase, die in ihrer
Bedeutung und Ausprägung auf unterschiedlichste Weise
erfahren wurde. Man wußte nicht, wo war noch Krieg, wo
war schon Frieden. Man war »davongekommen«, hatte immerhin »den Kopf noch fest auf dem Hals« (Erich Kästner).
Eine Neuorientierung lag jedoch in weiter Ferne. In diesem
Sinne erscheint die »Stunde Null« tatsächlich als »Pausen-
zeichen in der Geschichte«. Man lebte im »Niemandsland«,
in der »Niemandszeit«, und kurzfristig etablierte sich eine
neue, ganz eigene Ordnung.

Doch die Menschen gewöhnen sich schnell, der Ausnahmezustand wurde bald zum Nachkriegsalltag: die ersten
Zugfahrpläne, die ersten Zeitungen, »Fidelio im Opern-
haus«. Aus den Trümmern wurde »Neues« wiederaufge-
baut, und wieder brach eine »neue Zeit« an.

ERICH KÄSTNER

Notabene 1945

Mayrhofen, 7. Mai 1945

Noch immer kommen Soldaten in Rudeln, in Trupps und paarweise von den Pässen herunter. Als wir den Zillergrund hinaufstiegen, sahen wir im Schnee, links und rechts vom Weg, sonderbare Gebirgsblumen leuchten, in Bunt und Gold und Silber: Epauletten, Kokarden, Tressen und Ordensspangen, Alpenflora 1945. Und an einer Felsnase klebte ein Schild mit der Aufschrift: ›Karl Funke, melden in Mayrhofen Haus 129, Hilde.‹

Die Trollblumen, der Hahnenfuß und der Enzian auf den Wiesen haben den Dreitageschnee überdauert. Sie richten sich wieder auf. Weder der angekündigte Ortskommandant noch andere Amerikaner haben sich blicken lassen. Die Leute laufen betreten durch die Straßen. Die kurze Pause im Geschichtsunterricht macht sie nervös. Die Lücke zwischen dem Nichtmehr und dem Nochnicht irritiert sie. Die Bühne ist hell, aber leer. Wo bleiben die Schauspieler? Geht denn das Stück nicht weiter? Die Geschäfte haben geschlossen. In den Schaufenstern und an den Türen liegen und hängen Schilder und Zettel: ›Ausverkauft!‹

Heute früh sechs Uhr hat man die Direktorin, das Kind und die drei anderen Toten begraben, und zwar zwei der fünf außerhalb des Friedhofs, nicht weit vom Gittertor, da sie, nach den Angaben des nur verwundeten Lehrers, die Schüsse abgefeuert hätten. Nun, tot ist tot, und die Erde, ob vorm oder hinterm Tor, ist die gleiche.

Der Sender Flensburg gab bekannt, Jodl habe die Kapitulationsurkunde unterzeichnet, und morgen träte sie in Kraft. Der Sender Böhmen nannte, in Schörners Auftrag, diese Meldung eine Feindlüge. Und die Russen ließen mitteilen, man habe in Berlin die Leichen von Goebbels, seiner Frau und den Kindern gefunden und identifiziert.

Jetzt schweigen die Sender. Es ist still im Haus. Nur die Maikäfer, die kleinen gepanzerten Flieger, stoßen mit den Köpfen gegen das erleuchtete Fenster.

Mayrhofen, 8. Mai 1945

Jodl hat die bedingungslose Kapitulation unterzeichnet. In Reims. Der Rundfunk überträgt die Siegesfeiern und den Jubel, der draußen herrscht. Alle miteinander sind stolz darauf, was sie in fünf Kriegsjahren geleistet haben. Und sie haben Grund, sich zu rühmen. Aber sie werfen uns vor, daß es ihrer Anstrengungen bedurfte. Was sie getan hätten, sei unsere Aufgabe gewesen. Wir, die deutsche Minorität, hätten versagt. Das ist ein zweideutiger Vorwurf. Er enthält nur die halbe Wahrheit. Sie verschweigen die andere Hälfte. Sie ignorieren ihre Mitschuld. Was sie verschweigen, macht das, was sie aussprechen, zur Phrase, und wir sind im Laufe der Zeit gegen Phrasen sehr empfindlich geworden. Auch gegen liberale Phrasen. Auch gegen Phrasen aus Übersee. Die Sieger, die uns auf die Anklagebank verweisen, müssen sich neben uns setzen. Es ist noch Platz.

Wer hat denn, als längst der Henker bei uns öffentlich umging, mit Hitler paktiert? Das waren nicht wir. Wer hat denn Konkordate abgeschlossen? Handelsverträge unterzeichnet? Diplomaten zur Gratulationscour und Athleten zur Olympiade nach Berlin geschickt? Wer hat denn den Verbrechern die Hand gedrückt statt den Opfern? Wir nicht, meine Herren Pharisäer!

Sie nennen uns das ›andere‹ Deutschland. Es soll ein Lob sein. Doch Sie loben uns nur, damit Sie uns desto besser tadeln können. Beliebt es Ihnen, vergessen zu haben, daß dieses andere Deutschland das von Hitler zuerst und am längsten besetzte und gequälte Land gewesen ist? Wissen Sie nicht, wie Macht und Ohnmacht im totalen Staat verteilt sind? Sie werfen uns vor, daß wir nicht zu Attentaten taugen? Daß noch die Trefflichsten unter uns dilettantische Einzelmörder unübertrefflicher Massenmörder waren? Sie haben recht. Doch das Recht, den ersten Stein gegen uns aufzuheben, das haben Sie nicht! Er gehört nicht in Ihre Hand. Sie wissen nicht, wohin damit? Er gehört, hinter Glas und katalogisiert, ins Historische Museum. Neben die fein säuberlich gemalte Zahl der Deutschen, die von Deutschen umgebracht worden sind.

Der Äther ist geduldig. Stalin hat erklärt, Deutschland solle nicht zerstückelt werden. Doch es müsse sich selbst ernähren, haben englische Minister geäußert. Man werde nur eingreifen, falls Hungerepidemien aufträten. Hauptmann Gerngroß hat mitgeteilt, daß die unverbesserlichen Anhänger Hitlers nur nördlich des Mains lebten. Und der Sender Vorarlberg pries die engelhafte politische Unschuld der Österreicher. Das künftige Schicksal des Altreichs gehe sie nichts an. Es interessiere sie nicht. Ihre Freunde wohnten hinter anderen Grenzen. Die Unschuld grassiert wie die Pest. Sogar Hermann Göring hat sich angesteckt. Er sei von Hitler zum Tode verurteilt und von der SS inhaftiert worden. Erst Angehörige der Luftwaffe hätten ihm das Leben gerettet. Man sieht, der Engel der Unschuld hat sich mit fast jedem eingelassen, und nun wollen sie alle ins Krankenhaus.

Prag und Dresden sind eingenommen worden. Mayrhofen verwaltet sich selber. Nach 21 Uhr darf niemand mehr auf der Straße sein. Und ein Anschlag besagt, daß wir, die Flüchtlinge, wegen der angespannten Ernährungslage, ausgewiesen werden sollen.

UWE TIMM

Die Entdeckung der Currywurst

Am 1. Mai meldete der Reichssender Hamburg: Der Führer
Adolf Hitler ist heute nachmittag auf seinem Befehlsstand
in der Reichskanzlei, bis zum letzten Atemzug gegen den
Bolschewismus kämpfend, für Deutschland gefallen.
[...]
Der Sprecher liest eine Erklärung vor: Alle lebenswichti-
gen Verkehrseinrichtungen werden gesichert. Hamburger,
zeigt Euch als würdige Deutsche. Keine weißen Fahnen
hissen. Die Sicherheitsorgane Hamburgs werden ihre Tätigkeit weiter ausüben. Erscheinungen des Schwarzen Mark-
tes werden ohne Nachsicht verfolgt. Hamburger, bleibt zu
Hause. Sperrstunden einhalten. Lena Brücker nimmt ihre
Tasche, darin ein Henkelmann mit Erbsensuppe, und sagt:
Dann mal tschüs. So geht für sie das Tausendjährige Reich
zu Ende.
Sie eilt nach Hause. Menschen, denen sie begegnet, ruft
sie zu: Der Krieg ist aus. Hamburg wird kampflos übergeben. Niemand, dem sie begegnete, kannte den Aufruf. Die
fürchteten noch, daß es zu Straßenkämpfen kommt, wie
in Berlin, Breslau und Königsberg. Häuser, die von Mör-
sern plattgelegt werden, zähe Brände, Bajonettkämpfe in
der Kanalisation.
Aber dann, am Karl-Muck-Platz, dachte sie daran, daß sie
das ja auch Bremer sagen mußte: Der Krieg ist aus! Hamburg hat kapituliert. Er wird, stellte sie sich vor, wenn ich es
sage, erst stutzen, er wird dann, wenn er sitzt, aufstehen,
wenn er steht, wird er die Hände heben, sein Gesicht wird
sich verändern, die Augen, diese hellgrauen Augen, werden
dunkler werden, er wird, dachte sie, strahlen, ja strahlen,
kleine Falten werden sich um die Augen bilden, Falten, die
man sonst nicht sehen kann, eben nur, wenn er lacht. Er

wird mich womöglich packen und durch das Zimmer wir-
beln, er wird rufen: Wunderbar, oder, das ist wahrscheinli-
cher: tosca. Etwas Kindliches ist, wenn er sich freut, an ihm.
Und kindlich ist auch sein Zuhören, dieses staunende Ach
was, das er hervorstößt, wenn ich ihm etwas erzähle. Er
wird noch dableiben, voller Ungeduld, denn noch konnte
man ja nicht auf die Straßen. Es gab Sperrstunden. Die Züge
würden noch nicht fahren. Die Engländer würden die Straßen kontrollieren. Er wäre hier, aber schon nicht mehr hier,
in allem, was er macht, wäre er immer schon auf dem
Sprung, weg, nach Braunschweig. Das ist, wie es ist, dachte
sie, daran war nichts zu ändern, das war, wenn sie daran
dachte, wie ein Schatten, der sie ihr weiteres Leben ohne
Blendung sehen ließ. Es war ein Abschnitt ihres Lebens, aus
dem sie normalerweise kaum merklich herausgeglitten
wäre. Es war eine kurze Zeitspanne gewesen, ein paar Tage
nur, aber damit ging in ihrem Leben etwas endgültig zu
Ende. Jugend konnte sie nicht sagen, denn jung war sie ja
nicht mehr, nein, sie würde danach alt sein. Und vielleicht
war es eben diese ruhige Gewißheit, die bei ihr eine Unruhe, ja, eine Wut auslöste, die Vorstellung, daß er sich den
Anzug ihres Mannes ausborgen würde. Ein ganz nahelie-
gender und verständlicher Wunsch, der sie aber dennoch
empörte.
   Er würde sagen: Ich schicke ihn zurück, sobald ich kann.
Ich werde ein Paket schicken, würde er sagen, sobald man
wieder Pakete schicken kann. Er würde an sie denken, dann
aber immer in Verbindung mit einem lästigen Paket, das zur
Post getragen werden mußte. Ein Anzug, der darauf wartete, zusammengelegt zu werden, was wahrscheinlich seine
Frau tun würde, sorgfältig und, wenn vorhanden, mit etwas
Seidenpapier ausgepolstert. Er würde das Paket zur Post
tragen. Er würde seiner Frau eine Geschichte erzählen. Er
würde sagen, nach der Kapitulation habe er sich diesen Anzug von einem Kameraden ausgeliehen. Er kann nicht gut
lügen, weil er nicht gut erzählen kann. Er kann nur gut ver-

schweigen. Das kann er. Ihr Mann konnte lügen, weil er
wunderbar erzählen konnte. Bremer würde also eine spar-
same Geschichte erzählen, vielleicht so, er habe sich im letzten Moment von der Truppe absetzen können, zusammen
mit einem Kameraden. Er wird ihm einen Namen geben,
Detlefsen, aus Hamburg, eine Wohnung in Hamburg in der
Nähe des Hafens, Marinetaucher. Bei dem waren sie unter-
geschlüpft. Eine Frau, die eine wunderbare falsche Krebs-
suppe kochen konnte. Nein, dachte sie, er wird mich nicht
erwähnen, oder vielleicht – aber diesen Gedanken schob sie
schnell beiseite – sagen, der Kamerad hatte eine Mutter, die
gut kochen konnte. Nein, dachte sie, sie haßte den Gedanken an dieses Paket, sie dachte, er hat mich nicht direkt belogen, er hat mir nur nicht gesagt, daß er verheiratet ist,
aber sie haßte dieses Paket und den Gedanken, daß er sie,
wenn er in Zukunft an sie denken würde, mit diesem Paket
verbinden würde. Sie schloß die Tür auf, rief nicht: In
Hamburg ist der Krieg aus. Schluß. Aus und vorbei. Sagte
nur: Hitler ist tot. Einen winzigen Augenblick, sagte sie zu
mir, habe sie gezögert, wollte sagen, der Krieg ist aus, hier,
in Hamburg, aber da hatte er sie schon in die Arme genommen, geküßt, hatte sie auf das Sofa gedrückt, dieses durch-
gesessene Sofa. Vielleicht hätte ich es ihm danach gesagt. Es
wäre einfach gewesen, aber dann sagte er: Jetzt gehts gegen
die Russen, zusammen mit den Amis und den Tommys.
Und er sagte: Ich hab einen Bärenhunger.
    Sie stellte den Topf mit der Erbsensuppe zum Aufwär-
men auf den Kanonenofen.
    Irgendwie hatte er neugierige Hände, sagte sie, nein,
nicht unangenehm, im Gegenteil. Er war wirklich ein guter
Liebhaber. Einen Moment habe ich gezögert, überlegte,
kann man diese Frau, die fast siebenundachtzig ist, fragen,
was sie damit meine, ein guter Liebhaber.
    Ob ich sie etwas Persönliches fragen dürfe? Immerzu.
Was meinen Sie mit: guter Liebhaber? Sie hörte einen Moment auf zu stricken. Er ließ sich Zeit. Ließen uns lange

treiben. Und er konnte es oft. Na ja, und dann zögerte sie
doch etwas, eben auch unterschiedlich. Ich nickte mit dem
Kopf, obwohl sie das nicht sehen konnte – und obwohl
mich, das will ich gern gestehen, dieses unterschiedlich interessierte, auch, ich würde sonst lügen, das wie oft. Ich
habe nicht nachgefragt. Wonach ich sie aber gefragt habe,
war, ob sie ein schlechtes Gewissen gehabt habe, Bremer
nichts von der Kapitulation zu sagen.

Ja doch, sagte sie, doch, am Anfang, die ersten Tage, da
hat sie immer wieder mit sich ringen müssen, nicht einfach
mit der Wahrheit herauszuplatzen. Und natürlich später,
aber das war dann eine andere Geschichte. Aber so inner
Mitte, eigentlich nicht. Nee, da hats mir, ja, hats mir Spaß
gemacht, wenn ich mal ganz ehrlich bin. Dabei hab ich nie
gern gelogen. Tatsache. Schwindeln, klar, hin und wieder.
Aber Lügen, hat meine Mutter immer gesagt, Lügen machten die Seele krank. Aber manchmal macht das Lügen auch
gesund. Ich denk, ich hab was verschwiegen, und er hat was
verschwiegen: seine Frau und sein Kind.

Ja, sagte sie. Er ging auf Socken. Der Krieg in Hamburg
war aus und vorbei. Aber er geht weiterhin leise auf Socken
herum. Es wurde nicht mehr gekämpft, und ich hatte einen
in der Wohnung, der auf Strumpfsocken herumschlich.
Nicht, daß ich mich über ihn lustig gemacht hab, aber ich
fand ihn komisch. Sie lachte. Wenn man jemanden komisch
findet, muß man nicht aufhören, ihn gernzuhaben, aber
man nimmt ihn nicht mehr so furchtbar ernst.

Am nächsten Morgen, sie ging die Treppe hinunter, unten
stand Blockwart Lammers, ganz erstarrter Ernst: Adolf
Hitler ist tot. Er sagte nicht, der Führer ist tot. Er sagte,
Adolf Hitler ist tot. So als könne der Führer gar nicht sterben, eben nur Adolf Hitler. Haben Sie es nicht gehört? Es
kam über Rundfunk. Dönitz ist sein Nachfolger, der Großadmiral Dönitz, verbesserte er sich. Sie können nicht raus,
heute nicht, die Engländer haben ein Ausgehverbot erlas-

sen. Die Engländer sind schon im Rathaus, der Stadtkom-
mandant General Wolz hat die Stadt kampflos übergeben.
Kampflos, also ehrlos, sagte er und starrte sie aus seinen
blauen hervorquellenden Augen an. Sie können ja weiter-
kämpfen, Herr Lammers, als Werwolf, sagte Lena Brücker.
So, und jetzt geben Sie mal den Wohnungsschlüssel her.
Einen Luftschutzwart brauchen wir ja nun nicht mehr.
Da zuckte es um den Mund von Lammers, und es kam ein
Stöhnen aus diesem katasteramtlichen Mund, ein Ächzen,
ein Greinen. Er pulte den Schlüssel aus dem Bund. Sie ging
die Treppe hinauf, hörte hinter sich: Ideale, Verrat, Verdun,
Vaterland, Speckritter, und dann, kaum noch verständlich,
Immerintreuejawoll.

Oben schloß sie die Tür auf. Bremer kam aus der Kammer, bleich und im Gesicht den Schreck, ich dachte, da
kommt jemand, der Blockwart. Nee, sagte sie, der steht
unten, hat für die im Kampf Gefallenen Trauer geflaggt.

Verlieren wir den Krieg, verlieren wir unsere Ehre, sagte
Bremer. Unsinn, auf die Ehre pfeif ich, sagte Lena Brücker.
Der Krieg ist bald aus. Dönitz ist der Nachfolger von Hit-
ler.

Der Großadmiral, sagte Bremer, jetzt wieder Bootsmann
mit Narvikschild und EK II. Das ist gut. Hat Dönitz mit
den Amerikanern verhandelt? Mit den Engländern? Geht es
endlich gegen Rußland?

Er legte ihr die Antwort regelrecht in den Mund. Ja, ich
glaube, ja, sagte Lena Brücker und war so weit nicht von
der Wirklichkeit entfernt, denn Himmler ließ über einen
schwedischen Mittelsmann den Alliierten ein Angebot machen: ein Separatfrieden mit England und den USA, um sodann gemeinsam gegen Rußland zu marschieren. Wir brauchen eben das: Jeeps, Corned beef und Camels.

Klar, sagte Bremer, Dönitz macht das. Ja, sagte sie, obwohl der zu dem Zeitpunkt noch nicht verhandelte, sondern Durchhaltebefehle in alle Welt funken und Fahnen-
flüchtige erschießen ließ. Bremer starrte auf das Kreuzwort-

rätsel. Pferd mit Flügeln: sieben Buchstaben. Sonnenklar.
Er blickte hoch, endlich, sagte er, endlich ist Churchill aufgewacht. Jetzt, sagte er und stand auf, gehts gegen die Russen. Ein Verhandlungsfriede mit dem Westen, sonnenklar,
sagte er schon wieder. Sie verstand nicht. Er war aufgestanden, er hatte gesagt, hier, und legte den Schulatlas auf den
Tisch. Erst in diesem Augenblick bemerkte sie, daß er den
Atlas aus dem Schrank genommen hatte. Er mußte also ge-
sucht haben, Kammer, Schränke, Truhe und Nachttische
durchsucht, denn dieser Atlas lag in der Schrankschublade,
ganz unten, und auf ihm die Briefe, ein paar von ihrem
Sohn und, säuberlich gebündelt, vor allem die von ihm,
Klaus, dem Vertreter für Knöpfe. Wer ist das, fragte ich.
Das is, sagte Frau Brücker, ne andere Geschichte. Hat nix
mit der Currywurst zu tun. Er wird die Briefe gelesen haben, dachte sie, er hat gekramt und alles gelesen. Und ich
kann ihn nicht mal fragen, so eine Frage ist ja ganz albern,
und er würde einfach nein sagen, so wie er sie belogen hatte,
als sie ihn gefragt hatte, ob er verheiratet sei. Die Brieftasche
mit dem Foto hatte einfach dagelegen; er aber mußte in
ihrer Abwesenheit ihre Sachen durchsucht haben, was doch
wohl einen Unterschied macht. Und er versuchte nicht einmal, eine Erklärung dafür zu geben, daß er den Atlas in der
Hand hielt, er stand da, und sie dachte, er steht da wie so
viele Männer in Uniform, von denen in den letzten Jahren
Fotos und Bilder gezeigt wurden, der Führer, die Oberbe-
fehlshaber der Wehrmacht, der Kriegsmarine gebeugt über
Karten, auf Kartentischen unter Leselampen ausgebreitete,
zusammengefaltete, auf die ein behandschuhter Finger tuff-
te, in Kübelwagen, kleine zerknitterte in Schützengräben,
im Dreck liegend, da werden die ansetzen, sagte er. Die
Engländer, sagte er, betonte immer der kommandierende
Admiral, verlieren diesen Krieg auch dann, wenn sie ihn gewinnen würden. Danach ist es vorbei mit dem Weltreich,
danach steht der Russe an der Nordsee. Hier werden sie ansetzen, Berlin zurückerobern, dann Breslau, dann Königs-

berg, eine Zangenbewegung von oben, riesig, Kurlandkessel wird verstärkt, unsere Einheiten laufen aus, endlich unter dem Schutz von Jägern, viele Schiffe sind ja noch intakt. Sie hatte ihn zum erstenmal so erregt, so fremd und so begeistert erlebt, aber dann, plötzlich, ließ er sich ins Sofa fallen, und, es war nicht anders zu sagen, sein Gesicht verdüsterte sich, da zog eine Wolke, eine rabenschwarze Wolke herauf, er denkt jetzt, dachte sie, daß er hier sitzen wird, daß er gar nicht raus kann, nicht am Vormarsch teilnehmen kann. Nicht daß er ein Held gewesen wäre, so hatte er sich selbst nie gesehen, aber es war doch ein Unterschied, ob man kämpfte, wenn sich alles nach vorn bewegte, Siege gefeiert wurden, Sondermeldungen: Dadada, U-Boote im Atlantik, Kapitänleutnant Kretschmer hat 100 000 BRT feindlicher Einheiten versenkt. Eichenlaub mit Schwertern. Les Préludes, oder aber, ob man auf dem Rückzug war, da hieß es doch, irgendwie und möglichst heil die Knochen nach Hause zu bringen.

Ach so, sagte er, grübelnd, in sich versunken in dem durchgesessenen Sofa, deshalb hört man kein Schießen mehr.

Sie konnte sich denken, was er dachte, aber nicht aussprach, daß er ja desertiert war, daß er in dieser Wohnung auch weiterhin sitzen mußte, daß er womöglich Monate, vielleicht Jahre hierbleiben mußte, daß es nicht undenkbar war, daß der Krieg gewonnen werden konnte, daß er also gar nicht mehr herauskam. Der aufgeschlagene Atlas lag plötzlich unbeachtet da. Als sie ihn hochnahm, sah sie, daß er sorgfältig die Frontlinien von dem Tag eingetragen hatte, an dem er desertiert war. Im Norden war Bremen eingenommen, die Elbe bei Lauenburg von den Engländern überschritten, die Amerikaner hatten in Torgau den Russen die Hand gegeben. Es war nicht mehr viel übriggeblieben vom Deutschen Reich. Lammers von unten sagte: Der Führer hat einfach nicht auf die Sterne hören wollen. War doch klar, als Pluto und Mars sich kreuzten, da hätte man die

V2 auf London, auf die Downing Street schießen müssen.
Die Sterne lügen nicht, sagte Lammers. Roosevelt stirbt, ein
Deutschenhasser, natürlich Jude. Truman dagegen, der hatte
Durchblick. Churchill sowieso, trank zwar viel, hatte aber
wohl bemerkt, wo hinein die alle schlidderten. Kommunis-
mus, Bolschewismus. Feind der Menschheit. Alle redeten
von der Wende. Wende, das war auch son Wort der Nazis.
Die Wende kommt. Bremer, der Bootsmann, sagte: Bei der
Wende muß man den Kopf einziehen. Er saß da, ein ängstli-
cher Schatten lag auf seinem Gesicht, eine Falte quetschte
sich fragend auf die Stirn, etwas schief, eine Falte, die sich
hochschob, etwas krumm, noch unkonturiert. Ich setzte
mich neben ihn auf das Sofa, und er legte den Kopf an
meine Schulter, und langsam rutschte sein Kopf runter, aufn
Busen, und so hielt ich ihn. Ich dachte, wenn er jetzt an-
fängt zu weinen, dann sag ich es ihm. Ich streichelte ihm das
Haar, das feine blonde, kurzgeschnittene, rechtsgescheitelte
Haar. Und langsam, ganz langsam rutschte sein Kopf in
meinen Schoß, seine Hand schob er mir unter den Rock,
langsam bittend, einmal mußte ich kurz aufstehen, um den
Stoff freizugeben.

Später, auf der Matratzeninsel, lauschte er. Sonderbar,
sagte er. Kein Alarm, keine Schüsse. Unheimlich, die Stille.
So plötzlich. Und er sagte, was ihm in der Ausbildung gesagt worden war als Ergebnis vieler Jahre Kriegserfahrung
im Erdkampf: Auffällig ist immer die Stille. Gestern morgen hatten die Engländer noch den ganzen Tag über die
Elbe geschossen. Heute diese beunruhigende Stille.

MARIE LUISE KASCHNITZ

Von der Stille

Niemand war, der hätte sagen können: Dieses ist die letzte Luftwarnung, dieses das letzte Rollen der Artillerie, dieses der letzte vereinzelte Schuß. Darum horchen wir noch immer den Geräuschen des Krieges nach, ungewohnt der Stille, ungeübt im stetigen Schlaf. Aber bei dem neuen großen Erlebnis des Schweigens entsprechen doch Nerven und Sinne sehr rasch und fast automatisch den veränderten Umständen, die der Verstand ermißt. Die schutzsuchende Bewegung, der hastige Griff nach den zu rettenden Dingen unterbleibt schon am ersten Tag. Flugzeuge ziehen tief ihre Bahn, aber nun wird das furchtbare Heulen der Motoren mit einemmal gleichmütig hingenommen, aufrecht unbekümmert wandert man auf den freien Wegen dahin. Der Körper hat die ruhige Vernunft der Tiere oder der Pflanzen, die sich anpassen, ohne Erinnerung, ohne Furcht. Aber das Bewußtsein erstaunt über sich selbst: was für ein Wunder ist der Friede, daß er so in jedem einzelnen anheben kann.

Denn noch ist nichts entschieden, nichts allgemein. Noch wird an vielen Orten gekämpft, und Heere durchziehen das Land. Ob auch kein Schuß mehr fällt, ballen sich doch neue Bedrohungen gleich finstern Wolken am Horizont. Aber nicht heute, nicht hier. Hier und heute ist Frieden.

Es kommt mir vor, als sei dies der Augenblick, in welchem zwischen den schweren Torflügeln des Janustempels Krieg und Frieden sich begegnen. Aber nicht wie Tag und Nacht gehen sie sogleich aneinander vorüber. Es gleicht auch der Krieg nicht jener mit geneigtem Haupte zusammenbrechenden archaischen Jünglingsgestalt, die mir immer wie eine Verkörperung des Heldenschicksals erschien. Und der Friede ist nicht der lichte Genius mit dem geneigten Horn, aus dem die Fülle der Gaben quillt.

Vielleicht, daß sich später manches klarer erkennen und reiner unterscheiden läßt. Heute ist alles Überschneidung und Überschattung, und in diesem seltsamen Zwielicht erscheinen die vertrautesten Dinge ins Ungewisse verzerrt. Krieg und Frieden stehen nebeneinander, aber noch ist der Krieg die überragende Gestalt. Riesig, fürchterlich treibt er die Scharen der Toten vor sich her in den Tempel des Ruhms. Sein Haupt reicht bis an die Sterne, und seine Füße wandern durch ein Meer von Blut. Obwohl sein Antlitz schon abgewendet ist, bleibt er doch noch furchtbar gegenwärtig und nah! Der Friede aber, der zaghaft seine ersten Schritte tut – seht doch, wie bleich er ist, wie durchscheinend und stumm. Er kommt mit leeren Händen, und in seinem Gefolge kehren die Begleiter des Krieges, Not und Hunger, auf die Erde zurück. Und obwohl er mit so unendlicher Erwartung empfangen wird, lächelt er uns nicht.

Der Krieg ist gegenwärtiger als der Frieden, und gegenwärtiger als das Leben ist noch immer der Tod. Erst am Ende aller Schlachten kann die große Klage ertönen, erst jetzt scheint wirklich das Schicksal derer besiegelt, die nicht mehr zurückkehren werden. Erst heute erhebt sich in den Herzen der Trauernden die furchtbare Frage nach dem Sinn ihres Opfers, und morgen vielleicht schon wird diese Klage zur Anklage, zum tödlichen Hader mit der vernichtenden Macht des Geschicks. Denn früh vollendet zwar schien der eine, und dem andern war der Rausch des Sieges lohnendere Erfüllung, als ein ganzes Leben der Arbeit ihm hätte gewähren können. Aber wie vielen schien doch das Handwerk des Krieges hart und der Tod bitter, und auch sie mußten unabwendbar dahin.

In den Tagen des Zwielichts erhebt sich der Zweifel in die Gerechtigkeit, die über Tod und Leben bestimmt. War es nicht allezeit so, daß manche am Dasein blieben, die ihr Herz willig hingetragen hätten, die ihrem ganzen Wesen, ihrer ganzen Art nach dazu bestimmt schienen, auf eine solche Weise ihrem herrlich jungen Opferwillen Genüge zu tun? Der Heldentod stand ihnen auf der Stirne geschrieben, aber sie starben ihn nicht. Sie kehrten heim, in all der neuen Ruhe von einer tiefen Ratlosigkeit, in all dem Frieden von einem zehrenden Unfrieden erfüllt. Und da sie keinen Platz finden in der Gemeinschaft der Arbeit, gleichen sie im Getriebe des Volkes jenem zitternden Rädchen im Uhrwerk, das man die Unruhe nennt.

Die andern aber, die sterben mußten, ehe ihre Werke vollendet, ihre Gedanken gereift und ihre schöpferischen Hoffnungen erfüllt worden sind, bedeuten unsere eigentliche Armut und unsere eigentliche Not. Um ihres Todes willen werden die Herzen künftiger Generationen karger und die Grenzen ihres Geistes enger gezogen sein. Ihre Farben fehlen auf den Bildern, ihre Worte in den Versen und ihre Gedanken in der Erkenntnis des Geistes der kommenden Zeit. Und wenn auch von all dieser Kraft nichts verlorengehen kann, so scheint sie doch auf eine erschreckende Weise verschwendet und unserem Besitz entrückt.

In den Tagen des Zwielichts werden die müden Sinne eingeschläfert, aber die Seele ist von einer bangen Traurigkeit erfüllt. Vielleicht ist der Tag nicht mehr fern, an dem wir aus unserer Absonderung heraustreten und gehen können, wohin wir wollen, aber wohin wir gehen, werden wir Trümmer finden. Wir werden wieder Briefe empfangen, und jeder Brief wird das Zeugnis eines zerbrochenen Schicksals sein. Wenn wir bedenken, welche Nachrichten diese noch ungeschriebenen Briefe enthalten können, welche Eindrücke uns auf den noch unbegangenen Wegen erwarten, dann überkommt es uns wohl, daß wir selbst diese bange Stille noch festhalten und noch einen Augenblick länger in der Blindheit verharren möchten, die uns die Zukunft verbirgt.

Denn die Zukunft ist schwer. Aufbrechen müssen wir in eine Welt, in der das Ende von unzählbaren Dingen mit furchtbarer Sinnfälligkeit zum Ausdruck gekommen ist, und noch scheint das Neue nichts anderes als ein erschütterndes Nichts, eine kalte und leere Wüste, mit der es sich abfinden heißt.

Aber gerade des Abfindens und Entbehrens sind wir so unbeschreiblich müde geworden. Denn alle, denen der Geist und die Gerechtigkeit am Herzen lagen, waren ja Darbende in dieser Zeit. Alle, die nach Menschlichkeit und Freiheit dürsteten, waren Verschmachtende, und es ist ihre Not im Laufe der Jahre so angewachsen, daß sie nicht mehr leichthin abgespeist werden können. Wenngleich sie wissen, daß ihr eigenes Leben in Armut und Entbehrung zu Ende gehen wird, sind sie doch erfüllt von unermeßlichem Anspruch an das Licht der Sonne, die über dieser langen Finsternis aufgehen wird. Daher kommt es, daß sie die Glokken läuten hören und dennoch voll bangen Zweifels sind. Sie hören die Menschen sprechen, die als die Verkünder des neuen Tages erscheinen, und der Zweifel verläßt sie nicht. Denn alles, was an die Stelle des Vergangenen treten sollte, müßte ja über jede Menschenmöglichkeit hinaus licht und herrlich sein. Es müßte so rein und stark und voll von Liebe sein, daß es beinahe nie verwirklicht werden kann.

Gedenken wir in der Stille der Brüder des Untergangs, die litten und hofften wie wir. Bald wird jeder von ihnen seinen Platz einnehmen und im Lebendigen wirken wollen. Von den Gesichtern wird der Ernst und das Schweigen verschwinden, mit dem wir uns grüßten, als wir noch glaubten, uns am anderen Tage nicht wiederzusehen. Vielleicht wird der Frieden die entfremden, die der Krieg mit ehernen Ketten aneinanderband, vielleicht tritt jeder, aus dem entsetzlichen Traum erwachend, in einen andern Tag. Aber das Du der dunkeln Zeiten sollte doch nicht untergehen. Es sollte wieder erwachen in dem größeren Kreise, der nicht ein verzweifeltes und schuldiges Volk, sondern alle hoffenden und strebenden Menschenherzen umschließt.

Noch lastet die Dämmerung, noch verändert sich nichts. Der Friede tritt langsam aus dem Tor der Geschichte, aber sein Haupt ist gesenkt, und über die Schulter blicken uns

die alten Gespenster des Leidens an. Ein dumpfes Brausen
erhebt sich in der Ferne. Ist es der Gesang der Arbeit, des
schaffenden Lebens und des ruhigen Glücks? Oder wird
dieser Ton anschwellen zu dem furchtbaren Schrei, mit dem
ein herabgewürdigtes Volk an sich selbst die blutige Rache
vollzieht? Der dramatische Höhepunkt ist überschritten,
aber die Katharsis hat noch nicht begonnen, und wie jede
gewaltsame Reinigung wird sie groß und schrecklich, herrlich und ungerecht sein. Sie wird manchen vernichten, der
reinen Willens war, und manchen erhöhen, der es nicht wert
ist, über den Menschen zu stehen. In die Kammern ihrer
Einsamkeit zurücktreiben wird sie die wenigen, welche die
Macht geringschätzen und die Gewalt verabscheuen und die
in ihrer Traurigkeit verabsäumen, die Rache mit zu vollzie-
hen. Aber auch in die Kammern der Einsamkeit wird das
Geräusch der schweren Schritte der Geschichte tönen, die
sich nach ihren alten Gesetzen vollzieht.

Oh, noch einen Augenblick der Stille ...

ERNST JÜNGER

Kirchhorster Blätter

Kirchhorst, 7. April 1945

Sonniger Morgen nach kühler Nacht. Große Kolonnen von
Gefangenen marschieren nach Osten fort. Tieflieger grasen
die Straße ab; man hört die rollenden Salven der Bordwaf-
fen. Weiter vorn scheint es getroffen zu haben; ein Rudel
von Reitpferden galoppiert mit wehenden Mähnen und leeren Sätteln zurück. Hin und wieder treten Gefangene ein,
um Deckung zu suchen. So wird die Scheune von einem
Trupp Russen überflutet, der sich über einen Haufen von

Mohrrüben hermacht. Perpetua teilt ihnen Brotschnitten aus. Dann Polen – ich frage einen von ihnen, ob er gleich bis zur Ostgrenze weitermarschieren will:

»O nein, erst in einem Jahr. Erst muß Russe weg.«

Es deuten sich bereits die neuen Konflikte an.

Gleich nach dem Essen ertönt die Stimme des Rundfunksprechers:

»Die Panzer setzen ihren Marsch nach Nordosten fort und bedrohen nunmehr die Gauhauptstadt.«

Die Straße wird leer. Man sieht Bauernwagen ins Moor fahren; die weißen und roten Betten leuchten weithin. Auch Nachbar Lahmann hat angespannt – »der Pferde wegen« – er selbst will noch aufs Feld, Kartoffeln setzen gehen.

Nachmittags Radieschen »gestupft«, geschlafen und den Wood beendet, während hin und wieder Flüchtlinge einsprachen. Bin leider stark erkältet, da ich die gestrige Fahrt bei Regen unternahm. Ich notiere das weniger der Unbequemlichkeit wegen, als weil es in solchen Situationen der äußersten Schärfe der Beobachtung bedarf.

Die Lage ist sonst nicht unangenehm. Parteibefehle, Lebensmittelkarten, Polizeivorschriften verloren ihre Gültigkeit. Auch stellte der Hannoversche Sender seine Arbeit ein. Die Stimmen, die jahrelang in falschem Pathos schwelgten, verstummen in der Stunde der Gefahr, in der die Bevölkerung dringend auf Lageberichte angewiesen ist. Selbst Luftwarnungen ertönen nicht mehr.

Kirchhorst, 8. April 1945

Ruhige Nacht. Ich hatte Chinin genommen, worauf sich die Grippe etwas milderte. Zuvor hatte ich einige von Turgenjews Jagdgeschichten gelesen, die ich seit langem schätze, obwohl mich die Pariser Luxusflinte stört, die er in diesen Wäldern spazierenführt.

Geburtstag meines lieben Vaters, der nach dem Ausgang dieses Krieges und nach dem Bilde der neuen Welt, das er bringen würde, so wißbegierig war. Doch hat er ihn gewiß erfahren – ich denke da an den schönen Ausspruch von Léon Bloy, nach dem der Geist im Augenblick des Todes Geschichte in der Substanz erlebt.

Die Engländer sollen bei Pattensen, auch schon bei Braunschweig und an der Küste stehen. Immer noch verlassen Flüchtlinge die Stadt.

Nachmittags schwere Sprengungen im Umkreis; gewaltige Rauchwolken stiegen in der Gegend von Winsen an der Aller auf. Demgegenüber ist es sehr angenehm, daß sich der Druck, der die Parteiherrschaft über zwölf Jahre lang begleitete und den ich atmosphärisch selbst während des Vormarschs durch Frankreich spürte, in Rauch auflöst.

Abends Geschützfeuer, etwa bei Herrenhausen, mit aufleuchtenden Sprengpunkten.

Kirchhorst, 9. April 1945

Wieder Chinin. Während der Nacht war die Straße überfüllt von Soldaten, die ungeordnet zurückfluteten. Ein junger Unteroffizier trat ein; Perpetua rüstete ihn mit einem Hut und einem Regenmantel aus.

Vormittags kam Dr. Mercier von der Weser zurück. Ich schenkte ihm einen Durchschlag der Friedensschrift.

Während des ganzen Tages ertönte in unserer weiten Moor- und Bruchlandschaft bald hier, bald dort Geschützfeuer. Man hat den Eindruck, daß der Amerikaner sich in sie einfiltert wie in ein Stück Fließpapier.

Nachmittags verbreiten sich Gerüchte, daß wir eingekesselt sind. Abends ganz in der Nähe Pistolen- und Gewehrschüsse.

Kirchhorst, 10. April 1945

Unruhige Nacht. Nach Tagesanbruch beginnen bei dichtem Nebel die Steller Geschütze zu schießen, in schnellen, knallenden Salven, am Hause vorbei. Seine Bewohner stürzen, mehr oder weniger bekleidet, in den Garten und suchen den Bunker auf. Ich schreibe dies im Arbeitszimmer während neuer Salven, unter denen das Haus wie ein Amboß unter den Schlägen des Schmiedehammers erdröhnt.

Spät bricht die Sonne durch. Nachmittags kommen zwei amerikanische Panzerwagen von Neuwarmbüchen her in das Dorf gefahren, nehmen vier Flaksoldaten gefangen und kehren wieder um. Auch hört man, daß in Schillerslage, in Oldhorst und an anderen Orten Panzer auftauchten. Die Steller Batterie beschickt den Ortsrand mit Panzerfaustschützen und setzt das Feuer fort. Noch in der ersten Hälfte der Nacht hört man ihr Hämmern und sieht die leuchtenden Geschosse in Richtung auf Großburgwedel über das Haus fliegen. Später lebhafte Feuergefechte in den Wäldern um Colshorn.

Kirchhorst, 11. April 1945

Beim Morgengrauen werden wir durch das Rollen von Panzern geweckt. Die Steller Geschütze treten nicht ins Gefecht. Es heißt, daß ihre Besatzung sich in der Nacht zerstreute, nachdem sie mit den letzten Schüssen ihre Kanonen gesprengt und ihren Feldmeister, der in Zivil entfliehen wollte, umgebracht hatte. Das war der Mann, der über die Einebnung der Gefangenenlager sann. Nun liegt seine Leiche im Spritzenhaus.

Um neun Uhr kündet ein gewaltiges, sich immer mehr verstärkendes Mahlen die Ankunft der amerikanischen Panzer an. Die Straße ist menschenleer. Der übernächtige Blick sieht sie noch kahler, luftleer, im Morgenlicht. Ich bin in diesem Landstrich, wie schon so oft im Leben, der letzte, der Kommandogewalt besitzt. Gab gestern den einzigen Befehl in diesem Zusammenhange: die Panzersperre zu besetzen und dann zu öffnen, wenn die Spitze sichtbar wird.

Wie immer in solchen Lagen spielen sich indessen, wie ich durch Beobachter erfahre, unvorhergesehene Dinge ab. Die Sperre liegt im »Lannewehrbusch«, der alten Landwehr, an einem Waldstück, das mein Vater einst erwarb. Dort erscheinen zwei Unbekannte und stellen sich mit Panzerfäusten am Waldrand auf. Sie werden gesehen und bringen die Spitze ins Stocken, da geraume Zeit verfließt, ehe man sie durch vorgeschickte Schützen entwaffnet und gefangennimmt.

Dann kommt noch ein einsamer Wanderer und bleibt unweit der Sperre an einem Waldweg stehen. Im Augenblick, in dem der erste graue Wagen mit dem fünfzackigen Stern erscheint, entsichert er eine Pistole und schießt sich durch den Kopf.

Ich stehe am Fenster und blicke über den noch kahlen Garten auf die Chaussee hinaus. Das mahlende Getöse nähert sich. Dann gleitet langsam, wie ein Augentrug, ein grauer Panzerwagen mit leuchtendweißem Stern vorbei. Ihm folgen, dicht aufgeschlossen, Kriegswagen in ungeheurer Zahl, die Stunden um Stunden vorüberziehen. Kleine Flugzeuge überschweben sie. Das Schauspiel macht einen hochautomatischen Eindruck in seiner Verbindung von militärischer und mechanischer Uniformität – als rollte eine Puppenparade vorbei, ein Zug von gefährlichen Spielzeugen. Zuweilen pflanzt sich ein Halt durch die Kolonne fort. Dann sieht man die Marionetten, wie vom Faden gezogen, vornüberschwanken, während sie sich beim Anfahren wieder zurückneigen. Wie immer unser Blick sich an gewisse Einzelheiten heftet, so fallen mir besonders die zum Funken ausgeschwenkten Ruten auf, die über den Panzern und ihren Begleitfahrzeugen wippen: sie erwecken in mir den Eindruck einer magischen Angelpartie, vielleicht zum Fange des Leviathans.

Ununterbrochen, langsam, doch unwiderstehlich wälzt sich der Strom vorbei, die Flut von Männern und Stahl. Die Mengen von Sprengstoff, die ein solcher Heereszug bewegt, umgeben ihn mit einer furchtbaren Ausstrahlung. Und wieder, wie schon 1940 auf den Vormarschstraßen um Soissons, empfinde ich den Einbruch gewaltiger Übermacht in eine völlig zerschmetterte Region. Und auch die Trauer kehrt wieder, die mich damals schon ergriff. Wie gut, daß Ernstel das nicht sieht; es hätte ihn zu sehr geschmerzt. Von einer solchen Niederlage erholt man sich nicht wieder wie einst nach Jena oder nach Sedan. Sie deutet eine Wende im Leben der Völker an, und nicht nur zahllose Menschen müssen sterben, sondern auch vieles, was uns im Innersten bewegte, geht unter bei diesem Übergang.

Man kann das Notwendige sehen, begreifen, wollen und sogar lieben und doch zugleich von ungeheurem Schmerz durchdrungen sein. Das muß man wissen, wenn man unsere Zeit und ihre Menschen erfassen will. Was ist Geburtsschmerz, was ist Todesschmerz bei diesem Spiel? Vielleicht sind beide identisch, wie ja der Sonnenuntergang zugleich auch Sonnenaufgang für neue Welten ist.

»Besiegte Erde schenkt uns die Sterne.« Dies Wort wird räumlich, geistig und überirdisch in unerhörtem Sinne wahr. Die äußerste Mühe setzt ein äußerstes, noch unbekanntes Ziel voraus.

SIEGFRIED LENZ

Deutschstunde

Tetjus Prugel schlug schneller zu als andere Lehrer, er schlug wirkungsvoller. Da er am rabiatesten bei Unaufmerksamkeit zuschlug – nicht bei Faulheit, Dummheit oder langer Leitung –, wagte niemand in der Klasse, auf die Fensterscheiben zu blicken, die schon den ganzen Morgen von fernen Detonationen erschüttert wurden, und niemand wagte es, den tief dahinflitzenden Flugzeugen nachzusehen, die von der See her über den Deich sprangen bis zur geteerten Chaussee, abwinkelten – wobei man die englischen Hoheitszeichen erkennen konnte – und Richtung Husum weiterflogen. Höhnisch sah Prugel zur Decke auf, wenn die Motoren seine Rede verstümmelten, wartete bis der Lärm abnahm und sprach dann, Satz und sogar Prädikat mühelos wiederfindend, weiter. Der breite, kahlköpfige Mann, der noch bei Eisgang badete, der so rot anlaufen konnte, daß es, wenn auch nicht in der ganzen Schule, so doch zumindest in einem Klassenzimmer, mollig warm wurde, er sah keinen Grund, die letzte Stunde ausfallen zu lassen, er bestand auf seiner Lebenskunde, auch wenn er sich, wegen der Detonationen und der unruhigen Flugzeuge, immer wieder unterbrechen mußte. Steif saßen wir in den Bänken, mit Hohlkreuz, die Hände nebeneinander auf der schrägen Platte und die Gesichter ihm zugewandt, an seinen Lippen hängend und das Wissen angstvoll von seinen Lippen saugend. Das Wissen von den Fischen, nein, von der Entstehung des Lebens bei den Fischen, nein, das ist auch nicht ganz richtig: das Wissen vom Wunder der Entstehung neuen Lebens bei den Fischen. Dies Wunder wollte er uns zeigen, an diesem heißen Tag, Ende April oder Anfang Mai, im sogenannten Lebenskundeunterricht, mit Hilfe seines privaten Mikroskops, das er in die Klasse mitgebracht hatte. Das Mikroskop war schon aufgebaut, die beiden Blechschachteln mit dem geheimnisvollen, das Wunder bestätigenden Inhalt lagen bereits daneben. Heini Bunje und Peter Paulsen waren schon stellvertretend für die Klasse verwarnt worden: jeder von ihnen hatte drei sehr placierte, dabei im Ansatz kaum erkennbare Schläge mit dem Lineal auf die Fingerspitzen erhalten, damit war die allgemeine Aufmerksamkeit hergestellt und für einige Zeit garantiert.

Es wäre gewiß lohnend, sich noch eine Weile auf Prugel auszuruhen, seine alten Verwundungen zu beschreiben oder sich die Geschichte jeder einzelnen erzählen zu lassen – bei guter Laune zeigte er einem den Schatten einer über die Rippen wandernden Revolverkugel –, aufschlußreich wäre auch ein Besuch bei seiner aus Mecklenburg stammenden Familie, die er bei jedem Wetter zu Wattwanderungen überredete, in Trainingsanzügen, versteht sich; doch da ich ihn nicht unkenntlich machen möchte durch zuviel Beschreibung, will ich hier nur feststellen, daß er in unserer Klasse Lebenskunde gab, heute: das Wunder der Entstehung neuen Lebens bei den Fischen.

Er redete also, während in der Ferne, so weit weg, daß es uns nichts anzugehen brauchte, eine Achtkommaacht mitredete, manchmal auch die Zweizentimeter-Vierlingsflak, seltener die Fünfzehnzentimeter-Langrohr: wir hatten gelernt, sie an den Abschüssen und an ihren Druckwellen zu unterscheiden. Er stand, wie immer, unverwandt vor der Tafel – sicher ein guter Partner für einen Messerwerfer – und bändigte uns durch seine Blicke und forderte uns mit leiser Stimme auf, in die Welt der Fische hinabzutauchen. All diese Arten, sagte er, all diese Namen: klein und groß. Ihr müßt euch dies Leben einmal vorstellen, ihr Hornochsen, sagte er, dieses wimmelnde Leben auf dem Grund der See: Haie, nicht wahr. Hornhechte, Makrelen, der Aal und der Seehase, der Dorsch und nicht zu vergessen: der Sperling der Meere, der Hering. Was würde geschehen, fragte er sich selbst, wenn die Fische sich nicht fort- und fortzeugten? Nacheinander, antwortete er, würden die Arten aussterben. Und was, fragte er sich selbst, wäre ein Meer ohne Fische? Ein totes Meer natürlich. Danach ritt er eine Weile auf dem meisterhaften Plan der Natur herum, in dem anscheinend alles, aber auch alles, bedacht und vorgesehen ist. Er bemühte das Beispiel von der Dampfmaschine, um uns zu überzeugen, daß zum Leben Verbrennung gehört, vergaß die natürliche Auslese nicht und tauchte mit einem Kopfsprung wieder zu den Fischen hinab.

Also auch die stummen Fische, aber so stumm sind sie gar nicht, verfügen über Geschlechtsmerkmale, Geschlechtsunterschiede, Geschlechtsöffnungen. Beide Geschlechter sammeln sich zur Laichzeit in größeren Scharen, suchen seichte Brutplätze in der Nähe der Flußufer oder am Meeresstrand auf, sie wandern mitunter sehr weit, steigen auch, wie ihr sicher schon gehört haben werdet, oft die Flüsse hinauf, wobei sie, denkt nur an den Lachs, bemerkenswerte Hindernisse überwinden. An geschütztem, an nahrungsreichem Ort werden sodann die Eier abgelegt, häufig in Klumpen, und die männlichen Fische befruchten die Eier mit ihrem Samen. Allerdings, die Knochenfische – Prugel unterbrach sich, wartete mit einer Beherrschung, die Verachtung ausdrücken sollte, bis der rasende Schatten des Flugzeugs über unseren Sportplatz geflitzt, der Lärm abgeklungen war und fuhr fort –: und ein großer Teil der Haie bringen lebende Junge zur Welt, aber das nur am Rande, das vergeßt ihr Hornochsen ja doch. Das Ei: das Leben steckt im Ei. Man muß sich wundern, daß nur sehr wenige Fische sich um das einmal abgelegte Ei kümmern oder gar eine Brutpflege übernehmen. Der kleine Stichling, ja, der baut ein Nest, bewacht die Eier und beschützt sogar eine Zeitlang die Jungen; es gibt auch Arten, die verschlucken die Eier und tragen sie zwischen den Kiemendeckeln, bis die Jungen geschlüpft sind. Die meisten Fische aber überlassen das Ei sich selbst, kümmern sich weder um die Entwicklung noch um die Aufzucht der Jungen. Und der kleine Fisch? Er wächst nicht etwa im Ei, ihr Hornochsen, sondern er liegt flach darauf und hebt sich mehr und mehr von ihm ab.

Aber davon, sagte Prugel, werdet ihr euch gleich selbst überzeugen können, ich habe euch den Stoff – er sagte: den wertvollen Stoff –, aus dem Leben entsteht, heute mitgebracht, durch das Mikroskop wollen wir uns die Angelegenheit mal aus der Nähe betrachten.

In der Ferne meldete sich die Vierlingsflak, und der große Bruder vom Kaliber Achtkommaacht ließ den ohnehin brüchigen Kitt an unseren Fensterscheiben wegplatzen, doch Prugel schien das nicht hören zu wollen, er stieg aufs Katheder, öffnete zuerst sein Taschenmesser, danach die beiden Blechschachteln, roch am Inhalt, hob eine Messerspitze der grüngrauen Masse heraus, kleckste sie auf kleine Glasscheiben und drückte die Masse mit einer Fingerkuppe auseinander, das heißt, er verteilte sie, sacht tupfend, auf der Glasscheibe. Dann führte er die Glasscheibe ein und beugte sich übers Mikroskop, schloß ein Auge, wobei sich sein Gesicht zu gewaltsamem Grinsen verzerrte, griff mehrmals daneben, bis er die schwarze Schraube fand, drehte an der Schraube und verschaffte sich Klarheit, und mit einem Ruck, daß es knackte, richtete er sich auf. Er musterte uns. Triumphierend. Mahnend. Auch skeptisch musterte er uns, gerade als ob das, was er nun vorhatte, uns zu zeigen, zu schade für uns sei, verschwendet. Er kommandierte: Auf, setzen, auf, ließ uns in einer Reihe herantreten, in einer Reihe, ihr Hornochsen, zerrte und buffte so lange an uns herum, bis wir ausgerichtet, mit durchgedrückten Knien, jedenfalls in tadelloser Formation angetreten waren, um einen gewinnbringenden Blick auf das Wunder zu werfen. Auf das Ei. Auf das Fischei.

Gott sei Dank war Jobst als erster dran, er würde als erster zu sagen haben, was da zu erkennen war, und gespannt beobachteten wir, wie er sich duckte, sich noch einmal ängstlich zu Prugel umdrehte und sich, auf Zehenspitzen, weit von oben her, über das Mikroskop beugte. Tiefer, befahl Prugel, näher, und das feiste Ungeheuer klemmte nun sein Auge hinter die Linse und starrte. Sein mächtiges Gesäß spannte die Hose, der braune Manchesterstoff schnitt in die Gesäßfalte, während er starrte und starrte und plötzlich gequetscht sagte: Rogen, vielleicht vom Hering. Was siehst du noch, fragte Prugel, und Jobst, nach intensiver Beobachtung: Rogen, ziemlich viel.

Da er sich danach setzen durfte, wußten wir immerhin, was wir zu sagen hatten, um ebenfalls auf unseren Platz geschickt zu werden. Nach Jobst umfaßte Heini Bunje mit blau geschwollenen, vor Schmerzen sicher summenden Fin-

gern das Mikroskop, und in seine Erkundigung hinein sagte
Prugel: Denkt einmal nicht an gebratenen Rogen, an geräu-
cherten oder eingelegten Rogen; denkt einmal nicht ans Essen, ihr Hornochsen, sondern an das Wunder, das in jedem
kleinen Ei steckt. Ein selbständiges Leben in jedem kleinen
Ei. Viele dieser Leben gehen früh zugrunde, dienen anderen
Leben als Nahrung und dergleichen, nur die Stärksten, die
Besten, die Widerstandsfähigsten und so weiter kommen
durch und erhalten die Art: das ist überall so, wenn man
von euch einmal absieht. Unwertes Leben muß zugrunde
gehen, damit wertes Leben bestehen und bleiben kann. Das
schreibt der Plan der Natur vor, wir haben diesen Plan an-
zuerkennen.

Eine Kaulquappe, rief Heini Bunje, eine ganz kleine
Kaulquappe. Immerhin etwas, sagte Prugel und verbesserte:
Ein Fischkind, kurz vor dem Ausschlüpfen, sieh nur genau
hin. – Es ist tot, rief Heini Bunje, und Prugel: Verschwendung, da habt ihr die Verschwendung der Natur. Hundert,
was sage ich: tausend, sogar hunderttausend kleine Eier,
und das alles in der Hoffnung, daß einige wenige verschont
bleiben, die für die Fortsetzung des Lebens sorgen. Auslese,
nicht wahr, und immer wieder: Kampf. Die Schwachen gehen unter im Kampf, die Starken bleiben übrig. So ist das
bei den Fischen, so ist das bei uns. Merkt euch das: alles
Starke lebt vom Schwachen. Am Anfang hat alles die gleiche
Möglichkeit, jedes unscheinbare Ei umschließt und speist
ein Leben, dann aber, wenn der Kampf beginnt, bleibt der
Nichtwürdige – er sagte: Nichtwürdige – auf der Strecke.

Nachdem er diese und ähnliche Erkenntnisse abgelaicht
hatte, winkte er mich ans Mikroskop, gab mir den Blick frei
und sagte: Wolln mal hören, was unser Jepsen entdeckt, und
gleichzeitig trat er neben mich, das Lineal in der Hand.
Kaum hatte ich mich über das Mikroskop gebeugt, da
wollte er sozusagen auch schon Bargeld sehen, fragte: Na?
Hastig überblickte ich das zufällige Muster der graugrünen,
hier und da angequetschten, wie aus Gelatine gefertigten

Kügelchen, wollte mir etwas denken, als mich schon sein
Lineal in der Kniekehle besuchte, schmerzlos über meine
Kniekehle glitt und kühl den Oberschenkel hinauf, doch
ich zog das Auge nicht zurück, ertrug die Wanderungen des
Lineals und suchte nach einem Zeichen für das verspro-
chene Wunder. Kleine glotzende Fischaugen, einen winzigen, durchsichtigen Fischkörper und die Darmverbindung
zwischen Dotter und Fisch: die glaubte ich schon zu erkennen, aber das schien mir nicht genug. Ich wollte – ich weiß
auch nicht mehr, was ich wollte, vielleicht brachte ich auch
nur deshalb kein Wort heraus, weil ich enttäuscht war über
das, was sich unterm Mikroskop anbot. Nix? fragte Prugel,
also nix? – Schellfisch, sagte ich auf gut Glück, es könnten
die Eier von einem Schellfisch sein, worauf er das Lineal zu-
rückzog und bestätigte: In der Tat vom Schellfisch, aber die
Bestätigung wurde kaum noch gehört, denn auf den Ruf:
Engländer, da sind Engländer! stürzten wir ans Fenster. Da
stand also ein staubiger Panzerspähwagen auf dem Schulhof, die lange Antenne wippte, die eher unscheinbare Ka-
none war auf eins der weißgestrichenen Fußballtore gerichtet, und zwei Männer, die wie Engländer aussahen, stiegen
aus einem Luk, ließen sich Maschinenpistolen nachreichen,
riefen einige Worte zu ihrem Panzerspähwagen zurück und
kamen auf die Schule zu, sprungbereit, nach allen Seiten
sichernd. Sie trugen Khakizeug und Schnürstiefel. Sie waren
sehr jung. Beide hatten die Ärmel aufgekrempelt.

Sie gingen nebeneinander auf den Eingang zu, in der
Sonne, an der Fahnenstange vorbei, und ich dachte: wann
werden sie zu uns hinaufsehen, da sahen sie auch schon zu
uns herauf und blieben stehen. Sie machten sich gegenseitig
auf die Klasse aufmerksam, die da hinter der Scheibe klebte.
Sie besprachen sich. Dann forderten sie sich gegenseitig auf,
weiterzugehen, und verschwanden schräg unter uns im Eingang. Wir wären an den vibrierenden Scheiben geblieben,
wenn Lehrer Prugel nicht befohlen hätte: Antreten, und, da
es ihm nicht schnell genug ging, sein Lineal auf unseren

Rücken spielen ließ, hier klatschend, dort stechend; er trieb
uns vom Fenster weg und formierte uns zu einer Reihe, die
vom Katheder durch den Mittelgang führte; Jobst, Heini
Bunje und ich durften uns setzen.

Dieser Lehrer fragte nicht etwa: Wo waren wir stehengeblieben? sondern sagte, obwohl ein Panzerspähwagen auf
unserem Schulhof stand, Engländer in der Schule waren:
Es handelt sich um Schellfischrogen, das hat Jepsen richtig
erkannt. Eier eines Fisches, der vielen anderen Fischen als
Nahrung dient.

Aber was läßt sich noch ausmachen im Ei? Bertram! Und
Kalle Bertram strich sich die aschblonden Haare aus der
Stirn und beugte sich über das Mikroskop, während wir alle
– nur Prugel nicht – mit offenen Mündern lauschten und
den Türdrücker, so gut es ging, im Auge behielten. Waren
da nicht schon Schritte? Englische Laute? Das war Kalle
auf dem Katheder, der sich bei angestrengter Beobachtung
die Beine vertrat. Wurde der Türdrücker nicht bewegt? Er
wurde bewegt. Noch bevor Kalle Bertram Lust hatte, sich
über das Wunder im Ei zu äußern, wurde die Tür geöffnet,
blieb offen, ohne daß sich zunächst jemand zeigte und man
schon annehmen konnte, sie sei aus dem Schloß gesprungen, doch als Prugel vermutlich gerade sagen wollte: Jepsen,
mach die Tür zu, da kamen die beiden herein, beide blond,
beide helläugig, beide mit geröteten Gesichtern.

Sie bewegten sich bis zur Mitte des Seitengangs, wandten
sich uns zu und musterten uns – so als seien sie darauf aus,
irgend jemanden wiederzuerkennen aus einer vergangenen
Zeit. Einer von ihnen sagte: Nix Krieg, Krieg aus, nach
Hause. Ich glaube, wir staunten sie an, sie hingegen musterten uns prüfend, nicht lange allerdings, dann zog es sie, das
merkten wir schon, zur Tafel, zum Katheder. Einer von
ihnen faßte den Schwamm an, drückte ihn zusammen und
warf ihn in den Kasten zurück; der andere spielte sich um
das Katheder herum und forderte stumm, mit einer Handbewegung Lehrer Prugel auf, sich zu setzen. Lehrer Prugel

setzte sich nicht, und der Engländer bestand keineswegs auf Ausführung seines Befehls, wahrscheinlich, weil er jetzt das Mikroskop entdeckte. Er trat an das Mikroskop heran, schaute einmal argwöhnisch zu uns herüber, senkte sein Gesicht, richtete sich, ich muß schon sagen: bestürzt auf und gab seinem Kumpel ein Zeichen; der war mit zwei Schritten bei ihm, machte eine fragende Geste und wurde an das Mikroskop verwiesen. Auch der zweite Engländer sah hindurch, und auf einmal, als hätte er soeben eine geschlüpfte Sirene oder irgendeinen ausgestorbenen Ruderfüßler, mit einem Wort, als hätte er etwas entdeckt, was wir alle, selbst der Lebenskundler Prugel übersehen hatten, preßte er seine Augen an die Röhre und starrte hindurch. Was beobachtete er? Was entdeckte er im Schellfischei?

Er gab das Mikroskop erst frei, als sein Kumpel ihn auf den Nacken tippte, und jetzt nickten sich beide zu: sie hatten gesehen, worauf es ihnen ankam. Hintereinander gingen sie an der Fensterseite entlang zur Rückwand des Klassenraumes, wo unser Naturkundeschrank stand: ein doppeltüriger, durchsichtiger und ewig verschlossener Schrank – einer seiner Schlüssel bereicherte seit langem meine Sammlung. Um den Spiegeleffekt auszuschalten, brachten sie ihre Gesichter sehr nah an die Glaswand: der gesamte tote Inhalt grinste. Der ausgestopfte Haubentaucher grinste, das ausgestopfte Bleßhuhn und der einen polierten Baumstumpf hinauflaufende Iltis, es grinsten der ausgestopfte Feldhase, der Rabe und der präparierte und wie Pergament schimmernde Hechtkopf, und selbst die Blindschleiche in ihrem runden Glas grinste trotz unmöglicher Krümmungen. Stumm machten sich die beiden Engländer auf Entdecktes aufmerksam, gingen sogar in die Hocke, um das Skelett eines Seehunds zu betrachten, einer versuchte, den Schrank zu öffnen. Endlich nickten sie sich zu und gingen zur Tür, und wir alle glaubten, daß sie zum Abschied nichts sagen würden oder nichts zu sagen hätten, doch in der Tür blieben

beide noch einmal stehen, und einer von ihnen sagte abermals: Krieg aus; dann schoben sie ab.

Und Prugel? Hatte er uns vergessen? Hatte er das Mikroskop und das Wunder im Ei vergessen? Warum korrigierte
sein Lineal nicht mehr die Disziplin der Reihe? Warum ließ
er es zu, daß einige an der Scheibe klebten? Ich weiß noch,
wie er die Kreide in der Hand zerdrückte. Wie er seine Lippen verzerrte, weiß ich noch, und wie er den Kopf zurück-
legte mit geschlossenen Augen und kurz und stoßweise
atmete, und ich erinnere mich an die Starrheit und Blässe
seines Gesichts, da er auf einmal so aussah wie ein Athlet im
Zustand endgültiger Erschöpfung. Enttäuschung, Fassungs-
losigkeit und Wut. Langsame, dünende Bewegung seines
Körpers. Schnaufen. Und ich weiß noch, wie er zum Katheder wankte, sich hinaufzog und es gerade noch schaffte, gerade noch den Stuhl erwischte, als er sich fallen ließ, und
die ganze Klasse war Zeuge, wie er sein Gesicht in seinen
Händen verbarg, eine Zeitlang so sitzenblieb und dann
seufzend sein Gesicht mit den Handflächen rieb, behutsam,
als wollte er eine pellende Hautschicht abrubbeln. Auch den
Augenblick weiß ich noch, als er sich emeordrückte gegen
einen unerhörten Widerstand und die beiden Blechschachteln schloß und die Achseln zuckte, dann in die Klasse
sah, deutlich etwas sagen wollte, aber nichts sagen konnte:
Prugel, unser Lebenskundler. Schließlich gelang ihm die
Aufforderung: Geht nach Hause, und während wir hastig
unsere Sachen zusammenkramten, machte er selbst keine
Anstalten, den Klassenraum zu verlassen; er blieb einfach
stehen neben seinem Mikroskop, unentschlossen und sehr
ratlos, er ließ uns zuerst hinausgehen und beantwortete keinen Gruß: so sah ich Lehrer Prugel zum letzten Mal.

ROLF HAUFS

Mein zehntes Jahr

Wir hörten daß wir alle aufgehängt werden sollten
Vater ging in den Wald und kam nur mittags
Einen Teller Suppe hinunterschlingen
Sein Gesicht war mit Erde verschmiert
Mutter wusch täglich das Laken weiß
Es wird uns das Leben retten sagte sie
Aber sicher ist es noch lange nicht
Immer zeigte sie auf das *Buch der Lieder*
Und schwör es sagte sie es hat
Die ganzen Jahre dort gestanden
Und außer einem Knüppel am Bettpfosten
War nie eine Waffe im Haus
Hörst du schrie sie und sagte mein Junge und
Drückte mich gegen den Schreibtisch
In dem die Briefmarkensammlung eingeschlossen war
Aber die Stadt war doch schon ganz kaputt
Und die Straßenbahn fuhr nur noch
Einmal die Stunde
Alle Soldaten mußte ich hergeben und als
Vater den Fahnenträger im Kopfkissen fand brüllte er
Ich brächte sie alle an den Galgen
Mutter stellte das Radio ganz laut zum Glück
War es der richtige Sender mit Zarah Leander
Die sie sich später zur Silbernen Hochzeit
Auf Platte schenkten
Es muß doch eine schöne Zeit gewesen sein.

PETER HÄRTLING

Zwettl

Er lief zwischen den Tischen umher, ließ Soldaten in die
Wirtsstube, es war ihm gesagt worden, er müsse darauf ach-
ten, daß die Tür verschlossen bleibe – dies war seine Aufgabe, er machte sie hinter jedem Soldaten zu, der zögernd
hereinkam, sie hielten alle erst auf der Schwelle an, beobachteten, was geschah. Der Kompaniechef war am Vortag
verschwunden, er hatte den Soldaten gesagt, sie sollten ver-
duften, es sei alles vorbei, die Männer blieben unsicher zurück, bis auf einige, die in der Nähe lebten und nach einem
Tagesmarsch alles hinter sich hatten; sie hatten keine Papiere und ohne Papiere waren sie verloren, bei der Feldgen-
darmerie, bei den Russen. So kann es geschehen sein. Einer
ist auf die Idee gekommen, der H. sei doch auf der Schreibstube gewesen, am Ende allein, er müsse doch Entlassungs-
scheine haben, welche ausschreiben können, es könne für
ihn nicht schwierig sein; vermutlich hat Vater sich zurück-
gehalten: so einfach gehe das nicht; sie werden auf ihn
eingeredet haben; Mimi N. kann das nicht sagen;

ich denke mir
eine Unterhaltung zwischen Vater und Mutter aus, es gibt
eine Fotografie von ihr, auf der sie zwischen Mimi und Richard N. steht, eine kleine, verwilderte Person, unvermin-
dert gegenwärtig, Mimi N. sagt, Sie sind wie Ihre Mutter,
so lebhaft, sie hat immer was tun wollen, oder sie hat erzählt,

F. R. kam später in die Wirtsstube, um sich seine Papiere geben zu lassen, er sagte: Ihre Mutter sehe ich vor mir,
sie lachte viel, sie machte die Unterschrift des Hauptmanns
fabelhaft nach.

Haben Sie den Entlassungsschein noch?

Nein.

Sie hatte immer handeln, etwas bewegen wollen,
sie könnte auf ihn eingeredet haben, denn sie kannte
sein Zaudern

             es ist alles vorbei, Rudi, es ist sinnlos,
weiterzumachen,

               das ist Urkundenfälschung, du
weißt es,

        wer wird das jetzt noch nachkontrollie-
ren,

    vielleicht niemand, aber es ist ein Rechtsbruch,

                      du
bist verrückt, es geht alles kaputt, alles, auch dein
Recht, du kannst sicher sein, stell die Entlassungen
aus,

    ich kann nicht,

            du bringst deine Kameraden ins
Unglück, sie wollen nach Hause, sie könnten es durch
dich,

    die meisten werden nicht weit kommen,

                     aber ein
paar,

    ich bin nicht imstande, Unterschriften zu fäl-
schen,

       ich werde die Unterschriften nachmachen,

                    das
geht nicht,

        warum nicht? ich werde ein paarmal üben,
so schwierig werden die Unterschriften nicht sein,

                   du
darfst es nicht,

        jetzt darf man alles,

              nein, im Gegen-
teil,

    doch, du wirst es einsehen, bitte, laß es zu,

                   er hatte,
sagt Mimi N., von Pflicht gesprochen, als er sich bei

den Russen meldete, ihr Bruder habe ihn überreden wollen,
sich für einige Tage zu verstecken; er werde sich melden,
bald wiederkommen. Er sei krank gewesen, habe Darm-
krämpfe gehabt.

Diese Unterhaltung hat keine Stimmen, sie
ist geschrieben, ausgedacht. Sie bleibt tonlos. So jedoch
könnten sie gesprochen haben.

Die kleine Frau saß am Ecktisch, den Rücken zum Fenster. Die Vorhänge waren zugezogen, damit von der Straße
her niemand das ungesetzliche Tun wahrnehmen könne,
doch außer den Feldgendarmen, die sich inzwischen zurückgezogen hatten, hätte sie ohnehin niemand gehindert.
Sie hat eine Weile die Unterschrift des Kompaniechefs ge-
übt, die Ergebnisse herumgezeigt, ist das gut, geht das
jetzt?, Vater (er hatte Uniform an, der Gefreite R. H., obwohl mein Gedächtnis ihn beharrlich in Zivil sehen will,
Mimi N. und R. F. sind sicher, daß er Uniform trug),
schrieb Datum, Name, Dienstgrad in die Papiere, Tante K.
stempelte, Mutter unterschrieb.

Es war an einem der letzten Tage im April. Die Wirts-
stube war überfüllt. Die Soldaten hockten eng an den
Tischen, standen an den Wänden, manchmal spielte einer
Klavier: »Hast Du dort oben vergessen auf mich« oder
»Mamatschi, schenk mir ein Pferdchen«, sie lachten, die
Stube war verraucht, viele drehten Zigaretten, gaben sie
dem Nachbarn, drehten von neuem, Herr N. und Mimi N.
brachten Bier,

er rannte herum, sah seiner Mutter zu, half
Tante K. beim Stempeln, es war ein wärmendes, befristetes
Glück. Die Soldaten hänselten ihn wegen seiner Jungvolk-
uniform, er könne noch kämpfen, er könne zum Werwolf gehen. Der Führer ist tot, sagte einer, hier sagt nun jemand, der
Führer sei tot, ich habe es geschrieben, ohne nachzudenken,
es ist ein Satz, der Ereignisse datiert, der mitgeschrieben
wurde, ohne daß ich aufgemerkt hätte, nun, bei der Revi-

sion, erläutert er mir einen Zeitpunkt, der Soldat sagt, der
Führer ist tot. Ihr Gelächter war stetig und dicht. Jeder hielt
seinen Entlassungsschein hoch und schrie: Ich bin entlassen.
Einige verschwanden sofort. Er merkte es anfangs nicht,
dann sah er sie verstohlen zur Tür hinausgehen, dem einen
oder anderen noch die Hand geben,
                                        die Gewehre könnt
    ihr nicht hierlassen, sagte Herr N., werft sie in den
    Kamp,
            bisweilen war das Gelächter Geschrei, ein
    sinnloser, gegen die befürchtete Zukunft anbrandender
    Lärm;
                manche berieten in Gruppen, wohin sie mitein-
    ander gehen sollten;
                            Amerikaner/Russen/Linz wurde
    zum Refrain. Dauernd rollten Lastwagen die Land-
    straße hinunter.
Vater sagte: Soviel sind gar nicht in unserer Kompanie gewesen, die meisten hier kenne ich nicht. Das können wir
nicht machen. Er sieht, wie Mutter den Kopf in den Nacken
wirft, sie ärgert sich; L. sitzt still neben ihr, der große Stuhl
macht sie noch zarter, kleiner, sie ist eingeschüchtert und
müde. Ich schreibe: Sie hatte ihre Puppe auf dem Schoß. Es
kann sein. Die Puppe hieß Klaus und sie trennte sich selten
von ihr. Er bat die Soldaten, Klavier zu spielen und zu singen, Vater spielte mit grimmigem Gesicht sein Paradestück,
Sindings Frühlingsrauschen, sie sangen »Heimat, deine
Sterne«.

Es könnte Abend gewesen sein. Vater und Mutter hatten
kaum mehr etwas zu tun, Herr N. hatte sich zu ihnen gesetzt und die Kinder wurden in den Hof geschickt. Vermutlich ist besprochen worden, wo die Familie für die Nacht
Unterschlupf finden könnte. Mein Gedächtnis sucht nach
einem dunklen Raum, in dem die kurzen, heftigen Bewegungen Schlafender und ihr Atem zu hören sind; ich sehe

sie auf Tischen liegen, in einer tiefen Erschöpfung, manchmal zucken die Arme oder die Beine, manchmal stöhnt jemand, es ist der wilde, die Bewußtlosigkeit hinnehmende
Schlaf von Flüchtenden.

INGEBORG DREWITZ

Gestern war Heute

Aus dem Arbeitstagebuch zum Roman

Zukunft. Zwischenreich. Anfang. Wörter, die nichts besagen, wenn alle unter der Zeit weg von einem Tag auf den
anderen leben, von einem Tag auf den anderen zu überleben
versuchen. Gegen den Hunger, gegen die Ruhr, gegen den
Typhus an, gegen die Sehnsucht an, die keinen Umriß hat,
Sehnsucht nach Sonne auf der Haut, klarem Quellwasser,
Jasmintaumel, draußen in den Gärten irgendwo unerreich-
bar! Sehnsucht nach einem Zimmer mit verglastem Fenster, mit bauschigen Gardinen, aber auch nach Zärtlichkeit,
Hüfte an Hüfte, Schulter an Schulter, aber auch nach Wild-
heit, Mund an Mund, Leib an Leib, ichduich, Zangengriff
der Schenkel, der Geruch des Geschlechts, der Tropfen Blut
auf der Lippe, das zerwühlte Gras.

Gejagt werden von Bildern. Nicht schreien können.
Nicht denken können.

Wahrnehmen:

Wie die am Straßenrand wegsehen, als Gruppen und einzelne aus den KZs, den Zuchthäusern zurückkommen, noch
in dem gestreiften Zeug und kahlgeschoren, wie sie über die
Schulter weg zeigen auf die, von denen sie nichts gewußt
haben wollen. Wie Kolonnen von Frauen, alle in blaubunt

geflickten Kittelschürzen, zusammengestellt werden, um die Straßen von den Barrikaden, den Pferdekadavern, den gestürzten Bäumen und dem Schutt der Schlacht – ausgebrannten Straßenbahnwagen und Panzern und Lastkraftwagen – freizuräumen für Pfenniglohn. Denn sie müssen Geld verdienen, um die Lebensmittel auf Karten kaufen zu können, die Miete zahlen zu können, für den Schwarzmarkt reicht der Lohn nicht aus. Wie sie erschöpft aus der Kolonne scheren, angebrüllt werden und zwischen Ziegeltrümmern und Brennesselstauden breitbeinig hinhocken, pissen, und sich schnell, möglichst schnell wieder einreihen. Wie im Schatten von Hauseingängen gehandelt wird, Schmuck, Reichsmark, das Geld ist teuer, weil die Konten noch immer gesperrt sind, in den Westzonen, heißt es, geben sie Reichsmark mit vollen Händen aus. Wie Butter angeboten wird, Tabak, Zucker, Leinöl, Rübensirup und Melasse, auch Molke, auch Magermilch. Wie sie sich auf den Vorortbahnsteigen drängen, weil Züge eingesetzt werden sollen bis zu den Endstationen in der Mark und sie Kartoffeln und Rüben holen wollen aus den Mieten. Wie sie auf die Wagendächer klettern, wie Trauben an den Haltegriffen hängen, auf den Puffern sitzen.

Die Wintersaat ist ins Kraut geschossen und von Panzern niedergefahren. Auf den Weiden grasen die kleinen russischen Pferde, für die der Krieg nun auch zu Ende ist, wiehern, wenn sie die Stute riechen, wälzen sich auf dem Rücken, die Sonne ist warm, die Lerchen hängen hoch und die krüppeligen Holunderbüsche haben sich in weiße Dolden eingehüllt. Über den zerschossenen Panzern stehen Fliegenschwärme. Die Pfützen, die sich in den Bombentrichtern gesammelt haben, blühen hellgrün.

An so einem Tag mit Vater unterwegs sein. Da sind doch Bekannte oder Verwandte von denen aus dem Oderbruch, ihr wißt schon! Menschen besuchen, die man nie gekannt hat. Ein Wollkleid dabei, Vaters weiße Hemden. Denen ist gerade ein Kind gestorben, aber es gibt Kartoffeln, eine

Waschschüssel voll, und nicht die glasig frostigen, die in der
Stadt verteilt werden. Die Bäuche blähen sich nach dem Essen, die Blasen können kaum das Wasser halten. Sie schleppen zwei Säcke auf die Stadt zu. Kartoffeln. Auch ein Riegel
Speck ist dabei. Sommer. Hitze. Zum ersten Mal wissen,
was das ist, Sommer. Zeit der Düfte. Zeit der Farben.

An der Stadtgrenze ist die Straße gesperrt. Komm, sagt
Vater, die nehmen uns alles ab! Und sie ducken sich in
den Chausseegraben, kriechen zurück bis an das Wäldchen,
Jungkiefern, die Schonung reicht bis über die Stadtgrenze
weg, gibt Deckung. Da peitschen Schüsse. Dicht neben
ihnen brechen Äste.

Hinwerfen! sagt Vater, das weiß ich noch aus der Cham-
pagne!

Die Schüsse schlagen rings um sie ein.

Laß sie die Magazine leerschießen, sagt Vater.

Dann robben sie an den Rand der Schonung, ziehen ein
Taschentuch. Und die Posten, die die Stadtgrenze bewa-
chen, winken mit kreisenden Armbewegungen.

Keine Angst zeigen, sagt Vater, dann lassen sie uns durch.
Sind doch auch Menschen! Und der Krieg ist aus!

Aber sie müssen den Speck abgeben und einen Sack Kartoffeln. Sie können sich nun abwechseln beim Tragen, bis sie
die U-Bahnstation Friedrichsfelde erreichen und ein paar
Stationen weit fahren können.

Beobachten:

Wie die Glaser und die, die einen Glasschneider besit-
zen, Bretter aufbocken an den Straßenecken, Glas anbieten,
Glasbruch, und Leute aus der Umgebung mit ihren Fens-
terrahmen anstehen und warten, um ein paar Flickenstücke
Glas und Fensterkitt zu erhalten und die Glasermeister
oder die selbsternannten Glaser mit Reichsmarkbündeln
bezahlen oder mit Lebensmitteln.

Oder wie immer welche in den stinkenden Mülltonnen
wühlen. Oder wie andere mit handgemalten Postkarten an
den Ecken stehen, Blumen, Vasen, Falter. Kaufen Sie doch,

schenken Sie Freude! Postkarten, die man doch nicht abschicken kann. Oder wie andere Fähren über die Spree einrichten, fünf Pfennig die Überfahrt, und immer sind da Wartende, Stadtwanderer auf der Suche nach Freunden, Verwandten, nach Arbeit und Lebensmitteln, und leisten sich die Überfahrt.

Notieren:

Daß die Friseure ihre Läden aufmachen, Haarwäsche anbieten, Dauerwelle. Es heißt, die Amis kommen bald, haben Thüringen gegen das westliche Berlin eingetauscht. Auch die Tommies sollen kommen. Da müssen die Frauen die Kopftücher ablegen, adrett aussehen, versteht sich. Und immer noch fahren die Züge mit Beutegut über die Stadtbahn und den Nord- und Südring, über die notdürftig abgestützten Brücken nach Osten. Der zweite Schienenstrang wird auf allen Strecken abmontiert.

Festhalten:

Daß immer wieder Kinder abstürzen, die in den Ruinen herumklettern, um Gebälk herauszubrechen, Feuerholz, Winterholz. Daß Ulrike in der Schule russisch lernt – die russischen Emigranten der zwanziger Jahre sind mit einemmal wichtig geworden, wer kann sonst schon russisch? Die aus den Nationalbewegungen in Bjelorußland oder in der Ukraine von den Nazis an die Universitäten geholt worden waren, haben sich nach Westen abgesetzt oder müssen sich noch verbergen. Ulrike lernt auch deutsche Grammatik, wie Vater vorausgesagt hat, aber der Geschichtsunterricht ist gestrichen.

Aufrechnen:

Die Stunden, die Mutter und Großmutter täglich nach Lebensmitteln anstehen, am Güterbahnhof, vor Kellergeschäften, Lagerräumen, oft genug von Gerüchten getäuscht. Die Stunden aufrechnen, die Vater an einem Handwagen baut. Er hat ein Kinderwagengestell aus einer Ruine mitgebracht, legt es mit Brettern aus, streicht Gestell und Bretter mit Aluminiumfarbe an, die er noch vorrätig hat. Mit dem

Rest der Farbe streicht er die Klosettbrille silbergrau. Wegen der Fäule, sagt er. Natürlich blättert die Farbe ab und der Handwagen taugt nicht mal für ein Netz voll Kartoffeln.

Erinnern:

Wie sie sich in der Dorotheenschule vorstellt, hat doch studiert, kann doch unterrichten, wie vielen hat sie schon als Schülerin Mathematik und Französisch beigebracht! Sie steht im gebohnerten Direktorzimmer, die Zeugnisse unterm Arm. Wenn sie sich doch setzen dürfte! Ihr wird schwarz vor Augen. Der Speichel klebt beim Sprechen, Kälte kriecht über den Rücken. Aber Sie haben kein Diplom. Und Sie haben für niemand zu sorgen wie unsere Studienräte und Studienrätinnen! Ein freundlicher lascher Händedruck. Ach, Ihre Schwester ist Schülerin bei uns? Und Ihre Mutter war auch schon Schülerin? Dann werden Sies schon schaffen! Sinnlose Freundlichkeit. Sie taugt also nicht.

Erinnern:

Wie sie neben den Frauen in der Arbeitskolonne in der Reihe steht, die abgeklopften Mauersteine aus den zusammengestürzten Häusern weiterreicht zum Aufschichten. Stein auf Stein, Stein auf Stein, das Häuschen wird bald fertig sein. Die Frauen summen nicht mit, Kinderlieder, was solls, sie reden von Monatsbeschwerden, vom Hunger, vom Jieper auf eine Zigarette und daß sie auf die Männer warten. Keine fragt, wer die billig nutzbar gemachten Mauersteine verwenden wird. Ich komm mir so vor wie Sisyphos, sagt eine, die sie mit Frau Doktor anreden. Ne Obernazisse, heißts in der Kolonne.

Erinnern:

Wie die Frauen die Steine fallen lassen, wenn einer in feldgrauer Uniform die Straße entlangkommt mit schmutzigen Fußlappen und ohne Knöpfe und Schulterstücke, und wie sie ihn umdrängen und nach ihren Männern fragen. War zuletzt an der Neiße, kennen Sie den? war in Pommern, war bei Teupitz, war bei Neubrandenburg, in Litzmann-

stadt – nee, heißt ja anders jetzt, war in Riga, so JanuarFe-
bruar die letzte Post. Und der in der abgetakelten Uniform
kennt keinen von denen. Aber er lebt. Er wird zum Bild der
Hoffnung für die Frauen. Wenn meiner erst so ankommt!
Und meiner! Und sie schenken ihm Trockenbrot und Zigaretten.

Erinnern:

Wie die aus Baumschulenweg zu Besuch gekommen sind,
die Frau und der Mann. Er war zuletzt im Zuchthaus Bran-
denburg, wiegt nur noch fünfzig Kilo, aber er lebt, ist frei.
Das Haar steht ihm noch in Borsten vom Schädel, wächst
nicht so schnell nach. Die Kinder haben vielleicht Augen gemacht, sagt er, will, daß sie Freunde werden, weil sie seiner
Frau und den Kindern geholfen hat – wer war denn das,
fragt Mutter nachher, der sieht ja aus wie ein Verbrecher!

Aber auch erinnern:

Wie sie das Haus noch gefunden hat in der Stuttgarter
Straße. Die Wohnung. Und die graue Lehrerin hat sie wie-
dererkannt. Sie waren beide so elend, daß sie geweint haben, als sie sich um den Hals gefallen sind. Wir sollten uns
jetzt beim Vornamen nennen. Sie wissen ja sicher noch aus
dem Lehrerverzeichnis, daß ich Elisabeth heiße. Vom Lager
hat sie nichts erzählt. Nur, daß sie sich nicht nach Westen
hat schleppen lassen. Es war ja doch Winter und die Straßen
verstopft. Es war Glück dabei, sagt sie. Sie arbeitet wieder
in der Schule, ein anstrengender Weg täglich bis Köpenick,
bei den Verkehrsverbindungen! Aber die Schüler sind aufgeschlossen. Sind Jungen darunter, denen ein Bein oder
Arm amputiert ist, ein Mädchen, das verschüttet war, Wai-
sen, Halbwaisen, aber auch solche, denen sie die Väter weg-
geholt haben, weil sie Nazis waren.

Wenn Gabriele den Mörtel von den Steinen klopft, die
Steine weiterreicht oder schichtet, wenn die Frauen von Zigaretten oder von den dicken Nudelsuppen reden, die sie
ihren Kindern gern kochen würden, von Schwarzmarkt-
preisen für Mehl und Stärke, wenn sie merkt, daß Vater

vom Zucker in der Dose genascht oder Ulrike sich heimlich
ans Brot gemacht hat, das Mutter doch sorgfältig abwiegt
für jeden, denkt sie an diese Jungen und Mädchen und an
Elisabeth.

Und erinnern:

Wie die Kolonnen der Amis und Tommies im Juli die
westlichen Bezirke der Stadt besetzt haben. An den Straßen
stehen viele und winken. Und die in den aufgeklappten
Panzertürmen und in den Jeeps und auf den Lastern winken
zurück, weiße Hände, schwarze Hände, No fraternization!.
Und wie Vater sagt: Du mußt zu den Amis oder Tommies
gehen, du kannst doch englisch. Wir verhungern ja sonst.
Und wie sie mit Hunderten oder Tausenden ansteht, den
Fragebogen studiert und erstaunt über die vielen NS-Orga-
nisationen eine Kolonne No untereinander schreibt, nur
einmal unterbricht: eingetreten in den BDM, ausgetreten
aus dem BDM, und den Fragebogen abgibt. Und die hinter
dem Schiebefenster sagt: Ihr Jahrgang fällt doch sowieso
unter die Jugendamnestie. Aber Sie müssen sich wiegen und
röntgen lassen. Und ihr eine Anweisung für den Arzt gibt
statt einer Arbeitsanweisung. Das Vorzimmer des Arztes
erinnern, die gekerbten Gesichter, die Gerüche der kranken
Körper, die verkrochenen Augen, die flinken Hände von
Frauen, die Aufgeribbeltes stricken, das Blättern der Männer in Illustrierten, die noch aus der Nazizeit stammen.
Und die Enttäuschung, als sie den Röntgenbefund bekommt und den Zettel für das Gesundheitsamt Tiergarten.
Es ist den Besatzern nicht zuzumuten, daß TB-Kranke in
ihrer Umgebung arbeiten, aber der Herd ist klein, den ver-
kapseln Sie, sagt der Arzt.

Notieren:

Die Nachricht vom Treffen der Großen Vier in Potsdam,
wo die Zukunft Deutschlands festgeschrieben wird.

Die Nachricht vom Abwurf der Atombomben auf Hiroshima und Nagasaki. Und daß die Katastrophe so unvorstellbar ist, daß sich das Grauen lange nicht einstellt.

ELIAS CANETTI

Aufzeichnungen

Der Zusammenbruch der Deutschen geht einem näher, als
man es sich zugestehen mag. Es ist das Maß der Täuschung,
in der sie gelebt haben, das Riesenhafte ihrer Illusion, das
Blindmächtige ihres hoffnungslosen Glaubens, was einem
keine Ruhe gibt. Man hat immer die verabscheut, die diesen
eklen Glauben zusammengeleimt haben, die wenigen wirklich Verantwortlichen, deren Geist zu soviel gerade noch
ausgereicht hat, aber die anderen alle, die nichts getan als
geglaubt haben, in wenigen Jahren mit soviel konzentrierter
Kraft wie die Juden sie über die Jahrtausende aufbrachten,
die Leben und Appetit genug hatten, um ihr irdisches Para-
dies, Weltherrschaft, wirklich zu wollen, alles übrige dafür
zu töten, selber dafür zu sterben, alles in kürzester Zeit,
diese unzähligen, blühenden, strotzend gesunden, einfälti-
gen, marschierenden, dekorierten Versuchstiere für Glauben, abgerichtet zum Glauben, dressiert wie kein Moham-
medaner, – was sind sie denn wirklich jetzt, wenn ihr
Glaube zusammenstürzt? Was bleibt von ihnen übrig? Was
sonst war in ihnen vorbereitet? Welches zweite Leben
könnten sie jetzt beginnen? Was sonst sind sie ohne ihren
furchtbaren militärischen Glauben? Wie sehr fühlen sie ihre
Ohnmacht, da es für sie nichts als Macht gab? Wohin können sie noch fallen? Was fängt sie auf?
[...]

Man kann nicht atmen, es ist alles voll Sieg.
[...]

Durch die furchtbaren Ereignisse in Deutschland hat das
Leben eine neue Verantwortung bekommen. Früher, während des Krieges, stand er ganz allein. Was er dachte, war

für alle gedacht; wohl hatte er in einer kommenden Zeit dafür vor Gericht zu stehen, aber keinem von den heute Lebenden war er Rede und Antwort schuldig. Es war ihnen
allen zu viel geworden, sie begnügten sich mit abgerissenen
Windstößen des Lebens; das Volle einzuatmen, war ihnen
nicht möglich, sie hatten versagt. Damals schien es ihm noch
von keiner tieferen Bedeutung, daß er in dieser deutschen
Sprache dachte und schrieb. In einer anderen Sprache hätte
er dasselbe gefunden, der Zufall hatte ihm diese ausgesucht.
Sie war ihm gefügig, er konnte sich ihrer bedienen, sie war
noch reich und dunkel, nicht zu glatt für die tieferen Dinge,
denen er auf der Spur war, nicht zu Chinesisch, nicht zu
Englisch; das Pädagogisch-Moralische, um das es auch ihm
natürlich zu tun war, verstellte nicht den Weg zu Erkennt-
nissen, es floß erst aus ihnen. Die Sprache, gewiß, war auf
ihre Weise alles; sie war aber nichts, gemessen an seiner
Freiheit.

Heute, mit dem Zusammenbruch in Deutschland, hat
sich das alles für ihn geändert. Die Leute dort werden sehr
bald nach ihrer Sprache suchen, die man ihnen gestohlen
und verunstaltet hatte. Wer immer sie rein gehalten hat, in
den Jahren des schärfsten Wahns, wird damit herausrücken
müssen. Es ist wahr, er lebt weiter für alle, und er wird immer allein leben müssen, sich selber als höchster Instanz
verantwortlich: aber er ist jetzt den Deutschen ihre Sprache
schuldig; er hat sie sauber gehalten, aber er muß jetzt damit
auch herausrücken, mit Liebe und Dank, mit Zins und Zin-
seszinsen.
[...]

Hitler müßte jetzt als Jude weiterleben.
[...]

Mit Schuld begann der Krieg. Mit Schuld hat er geendet.
Sie ist nur zehntausendmal größer.

IV

»Uns're Hände sind befleckt«
Die Schrecken des Erwachens

»Aus Haßtraum und Blutrausch / Erwachend, blind noch
und taub / Vom Blitz und tödlichen Lärm des Krieges« – so
beginnt Hermann Hesses Gedicht *Dem Frieden entgegen*,
das er am 25. Februar 1945 für die künftige Waffenstill-
standsfeier von Radio Basel verfaßte. Als Erwachen aus einem bösen Traum oder als Ende einer langjährigen Verblendung wurde das Kriegsende danach immer wieder beschrieben. Die »Stunde Null« erschien als Stunde der Wahrheit
und der Erkenntnis. Vielfach spielt bei dieser Erfahrung die –
von Hesse und Kantorowicz als scheinheilig kritisierte –
»Entdeckung« der Konzentrationslager durch die Alliierten
und die Information über die dort geschehenen Greuel eine
entscheidende Rolle. Für die Exilanten Peter Weiss und
Hans Sahl wurde dadurch, ähnlich wie für den in diesem Zusammenhang besonders wichtigen Lyriker Paul Celan, die
eigene Rettung und das eigene Weiterleben zum schuldhaf-
ten Problem – eine radikale Reaktion, die in Deutschland nur
wenige zeigten. Schuldbekenntnisse wie das des Rates der
Evangelischen Kirche vom 19. Oktober 1945 in Stuttgart
waren die Ausnahme. Aber man mußte sich jetzt mit der
grausamen Wirklichkeit und der Anklage aus dem Ausland
auseinandersetzen. »Uns're Hände sind befleckt«, bekannte
angesichts eines in den Farben des Jüngsten Gerichts erwar-
teten Kriegsendes Werner Bergengruen in seiner Dichtung
Dies Irae schon im Sommer 1944. Im Gedicht *An die Völker
der Erde* warnte er die anderen Nationen aber zugleich vor
einer selbstüberheblichen Verurteilung Deutschlands, denn
der Ruf des (göttlichen) Gerichts gelte allen.

Der Schweizer Max Frisch sah sich als reisender Besucher
Deutschlands nach Kriegsende unwillentlich in die Rolle

des Richters gedrängt. Zwischen »Urteil«, »Erbarmen« und
»Hilfe im Sinne einer Erkenntnis« versuchte er, das richtige
Verhältnis zu den Deutschen zu gewinnen. Auf der einen
Seite standen diejenigen, die eine harte, rücksichtslose Bestrafung der Deutschen forderten, wie z. B. im Morgen-
thauplan formuliert. Auf der anderen Seite sammelten sich
alle, die aus Sorge um die Zukunft der deutschen Bevölkerung wenn nicht Nachsicht, so doch Gerechtigkeit statt Rache walten lassen wollten. Nicht um Sühne für die von
Deutschen begangenen Verbrechen ging es ihnen in erster
Linie, sondern um die Einsicht der Betroffenen in ihr Versagen und um einen dadurch ausgelösten Lernprozeß. Beide
Positionen stießen freilich bei vielen Deutschen auf eine
hartnäckige Abwehrhaltung. In Reaktion auf die frühe Kollektivschuldthese der Alliierten waren die meisten bestrebt,
die Schuld auf eine bestimmte Gruppe von Verantwortlichen abzuwälzen und sich selbst als unbelastet darzustel-
len. Dem Vorwurf »Das ist eure Schuld!«, der im Sommer
1945 auf Plakaten mit Bildern und Berichten aus den KZs
zu lesen war, wurde die Replik »Das war nicht ich!« entge-
gengehalten. Man berief sich auf Unwissenheit, Befehl und
Führer. Gleichzeitig nahmen viele die eigene materielle
Notsituation zum Anlaß, politische Pädagogik ebenso wie
aggressive Schuldzuweisungen aus dem Ausland abzuleh-
nen und statt dessen eine bessere Versorgung zu fordern. In
Auflehnung gegen die als Demütigung empfundene alliierte
Militärherrschaft wurde auch die Verantwortung für das
selbst erlittene Elend geleugnet.

Statt Schuldbekenntnissen gab es vor allem Schuldzuweisungen und Schuldtheorien. Der fehlende »Reinigungsvorgang der Selbstbefreiung« (Kantorowicz) wurde durch die
Kunst des Weißwaschens ersetzt. Verantwortlich gemacht
für die Verbrechen der NS-Zeit wurde neben der politischen Führung je nach ideologischer Ausrichtung die deutsche Finanzoligarchie oder der deutsche Pöbel, der preußische und der romantische Geist, der Abfall von Gott und

der Triumph von Dämonen, der Lauf der Geschichte und die Tragik des Menschseins. Eine der wenigen Ausnahmen machte der Philosoph Karl Jaspers mit seiner 1946 erschienenen Schrift *Die Schuldfrage*, die auf eine Vorlesung in der wiedereröffneten Heidelberger Universität zurückgeht. In ihr unterscheidet er zwischen krimineller, politischer, moralischer und metaphysischer Schuld, um dann zu resümieren: »Daß wir Deutschen, daß jeder Deutsche in irgendeiner Weise schuldig ist, daran kann, wenn unsere Ausführungen nicht völlig grundlos waren, kein Zweifel sein.« Selbst »außerhalb des magischen Dunstkreises der deutschen Schuld« stehend, kommt der Psychoanalytiker Carl Gustav Jung 1945 in seinem Essay *Nach der Katastrophe* zu einem ähnlichen Ergebnis.

Wie die ausländischen Autoren Frisch und Jung gerieten auch die unbelasteten Exilliteraten in die Rolle des Richters. Dabei wurden immer wieder Vorwürfe gegen die im Lande gebliebenen Schriftsteller erhoben, die von ihrer Mitverantwortung auch bei Zugehörigkeit zur »Inneren Emigration« nicht entbunden werden könnten. So antwortete Thomas Mann im September 1945 auf Walter von Molos Aufforderung, nach Deutschland zurückzukehren: »In meinen Augen sind Bücher, die von 1933 bis 1945 in Deutschland überhaupt gedruckt werden konnten, weniger als wertlos und nicht gut in die Hand zu nehmen. Ein Geruch von Blut und Schande haftet ihnen an; sie sollten alle eingestampft werden.« Dieser kollektiven literarischen Verurteilung entspricht Manns (später gemildertes) Verdikt über die Deutschen überhaupt. »Alles Deutsche, alles was deutsch spricht, deutsch schreibt, auf deutsch gelebt hat, ist von dieser entehrenden Bloßstellung mitbetroffen«, urteilt er in seiner Rundfunkbotschaft vom 8. Mai 1945 (*Die Lager*), wogegen Walter von Molo behauptet: »Ihr Volk, das nunmehr seit einem Dritteljahrhundert hungert und leidet, hat im innersten Kern nichts gemein mit den Missetaten und Verbrechen.«

Gegen den großen kollektiven »»Bußgang‹ für die Verbrechen der nationalsozialistischen Führer« (Hans Werner
Richter), gegen »eine nationale Buchführung, [die] ein
Volkssubjekt voraussetzt, das es nicht gibt« (Dolf Sternberger) wandten sich viele deutsche Schriftsteller und Intellektuelle. Dennoch waren sie für die von Deutschen während
der NS-Zeit begangenen Verbrechen und die dadurch be-
gründete Schuld oft sensibler als große Teile der übrigen
Bevölkerung, die vor allem das eigene Leid sah. Der anhal-
tenden Uneinsichtigkeit auf seiten der Besiegten, die Günter Kunert in seinem Gedicht *Über einige Davongekommene* sarkastisch aufs Korn nimmt, galt die Kritik zahl-
reicher Autoren ebenso wie der unterschiedslosen Verurteilung aller Deutschen durch die Sieger. Sie lehnten die
Kollektivschuldthese nicht ab, um die begangenen Verbrechen zu verharmlosen oder zu leugnen, sondern weil Verantwortung und Schuld für sie personale Kategorien waren.
Ihnen ging es darum, die tatsächlichen Täter zu bestra-
fen, wobei – wie Kantorowicz notiert – schon vorherzuse-
hen war, daß »morgen die angeblich Besiegten, die Nazifreunde, im Triumphzuge der Sieger mitmarschieren« würden. Ein signifikantes Beispiel für die Kunst der Täter, in
die neuen Verhältnisse unbeschadet überzuwechseln, bietet
die Kurzgeschichte *Das eiserne Kreuz* von Heiner Müller.
Als ahnten sie eine solche Entwicklung voraus, greifen
die KZ-Häftlinge in Tadeusz Borowskis Erzählung *Das
Schweigen* allen Ermahnungen der Amerikaner zum Trotz
zur Selbstjustiz. Müllers ästhetische Grundthese, daß »die
erste Erscheinung der Wahrheit [...] der Schrecken« ist,
wird durch seine eigene Erzählung ebenso wie durch Borowskis Text einprägsam bestätigt.

Auch von den zahlreichen Soldaten unter den Autoren
bekannten sich nur wenige zu ihrer eigenen Mitverantwortung für die Verbrechen des Krieges und des Dritten Reiches. Dennoch reflektieren viele Texte der Nachkriegsliteratur nicht zuletzt das Schuldgefühl ihrer Autoren und das

Trauma, auf der falschen Seite gestanden zu haben. Von besonderer Bedeutung werden dabei Szenen der Erkenntnis und der Entscheidung, wie Gefangennahme und Desertion bzw. Desertionsversuche. Die »Entfernung von der Truppe«, die Alfred Andersch, Horst Krüger, Heinrich Böll oder Franz Fühmann in autobiographischen Texten beschrieben haben, wurde zum Wendepunkt ihrer Existenz, und auch in Bertolt Brechts Erzählung *Die zwei Söhne* wird der Schrecken zum Anlaß einer Erkenntnis. Die neuen Einsichten führen zu einzelnen Handlungen der Befreiung und Reinigung, mit denen der ausgebliebene Akt einer kollektiven Katharsis teilweise kompensiert wird. Während im Dritten Reich nur wenige Schriftsteller, wie Günther Weisenborn, dem aktiven Widerstand gegen Hitler angehörten, haben sich nach 1945 viele Autoren um solche individuelle Revisionen des gemeinsamen Versagens bemüht, das in der übrigen Bevölkerung mit der deutschen »Unfähigkeit zu trauern« (Mitscherlich) noch lange nachwirkte.

WERNER BERGENGRUEN

Die Erwartung

Eh der Blitz mit Flammenlettern
fährt in unsres Landes Schoß,
langsam aus den stummen Wettern
ringt sich eine Stimme los.

Die wir lange uns, zu hören,
weigerten, wir hören jetzt.
Dunkler Gott, dich zu beschwören,
welche Worte sind gesetzt?

Wär'n uns auch die Worte eigen,
blieben sie im Mund gebannt.
Denn die Lippen sind vom Schweigen,
sind vom Lügen uns verbrannt.

Dürfen wir die Hände heben?
Uns're Hände sind befleckt.
Und kein Fürsprech ist gegeben,
bis das Urteil sich vollstreckt.

Hoch um ferne Felsenscharten
wächst ein schwefelfarb'nes Licht.
Wir erbeben und erwarten,
stumm Geduckte, das Gericht.

PETER WEISS

Fluchtpunkt

Dann, im Frühjahr 1945, sah ich den Endpunkt der Entwicklung, in der ich aufgewachsen war. Auf der blendend hellen Bildfläche sah ich die Stätten, für die ich bestimmt gewesen war, die Gestalten, zu denen ich hätte gehören sollen. Wir saßen in der Geborgenheit eines dunklen Saals und sahen, was bisher unvorstellbar gewesen war, wir sahen es in seinen Ausmaßen, die so ungeheuerlich waren, daß wir sie zu unsern Lebzeiten nie bewältigen würden. Es war ein Schluchzen zu hören, und eine Stimme rief, vergeßt dies nie. Es war ein kläglicher, sinnloser Ruf, denn es gab keine Worte mehr, es gab nichts mehr zu sagen, es gab keine Erklärungen, keine Mahnungen mehr, alle Werte waren vernichtet worden. Dort vor uns, zwischen den Leichenbergen, kauerten die Gestalten der äußersten Erniedrigung, in ihren gestreiften Lumpen. Ihre Bewegungen waren unendlich langsam, sie schwankten umher, Knochenbündel, blind füreinander, in einem Schattenreich. Die Blicke dieser Augen in den skeletthaften Schädeln schienen nicht mehr zu fassen, daß die Tore geöffnet worden waren. Wo war der Styx, wo war das Inferno, wo war Orpheus in seiner Unterwelt, von Flötentrillern umrieselt, wo waren die großen Visionen der Kunst, die Bildwerke, die Skulpturen, die Tempel, die Gesänge und Epen. Es war alles zerstäubt, und nie mehr konnte daran gedacht werden, nach neuen Gleichnissen, nach Haltepunkten zu suchen, vor diesen endgültigen Bildern. Dies war kein Totenreich. Dies war eine Welt, in denen das Herz noch schlug. Dies war eine Welt, in der Menschen lebten. Dies war eine Welt, die von Menschen errichtet worden war. Und dann sahen wir sie, die Wächter dieser Welt, sie trugen keine Hörner, keine Schwänze, sie trugen Uniformen, und geängstigt scharten sie sich zusam-

men und mußten die Toten zu den Massengräbern tragen.
Zu wem gehörte ich jetzt, als Lebender, als Überlebender,
gehörte ich wirklich zu jenen, die mich anstarrten mit ihren
übergroßen Augen, und die ich längst verraten hatte, gehörte ich nicht eher zu den Mördern und Henkern. Hatte
ich diese Welt nicht geduldet, hatte ich mich nicht abge-
wandt von Peter Kien und Lucie Weisberger, und sie aufgegeben und vergessen. Es schien nicht mehr möglich, weiter-
zuleben, mit diesen unauslöschlichen Bildern vor Augen. Es
schien nicht mehr möglich, je wieder hinauszugehen in die
Stadt, in die Straßen, und hinauf in mein Zimmer.

Und doch gelang es. Ich war wieder hinausgegangen, mit
den andern Lebenden, den andern Bewohnern der Stadt, ich
war in den Straßen umhergegangen, die Tränen waren ver-
siegt und hatten den Blick wieder freigegeben, ich hatte
geatmet, hatte wieder gesprochen, gelacht, hatte wieder Bücher gelesen und Kunstwerke betrachtet. Ich hatte weiterge-
lebt, mit der ständigen Gegenwart dieser Bilder. Diese Bilder gehörten fortan zu unserm Dasein, sie waren nie wieder
wegzudenken, und oft machten sie jedes Wort, das gesprochen wurde, jede Aufzeichnung, zu Lüge und Hohn. Lange
trug ich die Schuld, daß ich nicht zu denen gehörte, die die
Nummer der Entwertung ins Fleisch eingebrannt bekommen hatten, daß ich entwichen und zum Zuschauer verurteilt worden war. Ich war aufgewachsen, um vernichtet
zu werden, doch ich war der Vernichtung entgangen. Ich
war geflohen und hatte mich verkrochen. Ich hätte umkom-
men müssen, ich hätte mich opfern müssen, und wenn ich
nicht gefangen und ermordet, oder auf einem Schlachtfeld
erschossen worden war, so mußte ich zumindest meine
Schuld tragen, das war das letzte, was von mir verlangt
wurde. Ich hörte die Stimme des toten Hoderer. Jetzt, da die
Gefahr vorbei ist, wagst du anzublicken, was lange vorhanden war und von dessen Existenz du gewußt hast. Jetzt, da
dir nichts mehr geschehen kann, wagst du, die Augen zu

öffnen. Doch dein Schmerz ist eitel, du bist die Erschütterung, die dich überkommt, nicht wert. Und an dem Maitag, an dem die Glocken läuteten und der Papierschnee aus den Fenstern fiel und wir auf den Plätzen der Stadt tanzten und einander umarmten, mitten in diesem Befreiungstaumel, in dem die verbotenen Weinflaschen offen herumgereicht wurden und die schwerfälligen Menschen dieses Landes ein paar Stunden lang andere Lebensmöglichkeiten spürten, hörte ich seine Stimme wieder. Du tust, als habest du den Sieg gewonnen, sagte er spöttisch, doch mit einem Sieg hast du nichts zu tun. Es rinnt alles an dir ab, du bist ein Parasit, ein Mitläufer, andere haben für dich gekämpft, werden weiter für dich kämpfen, während du bequem an deinem Schreibtisch hockst und über das Unglück der Welt nachdenkst. Ich wollte mich verteidigen, indem ich ihm vorhielt, daß ich nie etwas anderes gewählt hatte als meine Flucht und meine Feigheit und meine Vermessenheit des Abstandnehmens, und er lächelte nur. Was willst du denn, rief ich. Soll ich verzweifeln, daß ich nicht ermordet worden bin. Soll ich mich töten, wie du. Auch dies konnte ihn nicht aus der Fassung bringen. Du brauchst dich nicht zu töten, sagte er, denn du gehörst zu denen die aussterben und vergehen in ihrer Unbeteiligtheit. Was soll ich denn tun, fragte ich. Aber er antwortete mir nicht mehr. Für wen soll ich denn Partei ergreifen. Keine Antwort.

HANS SAHL

Beim Lesen deutscher KZ-Berichte

Mein Kind, ich habe dir ein Hemd aus Zephir gekauft
Und Mokassins aus Gazellenleder,
An deinem Bett stehen Hase und Bär Wache,
Aber an den Stätten, über die kein Mund berichten
Kann, ohne zu stammeln, hätten sie dich in ein Hemd
Aus schwarzer Erde gekleidet und zu den Ratten geworfen.
Wie kann ich, der ich umsichtig und behutsam mit dir
                                        verfahre,
Der ich dir die Milch bringe und laute Worte vermeide,
Wie kann ich, was ich weiß und nicht mehr
Vergessen werde, vor dir verbergen,
Mich über dich beugen und in deinem Gesicht,
Das mich ansieht, nicht die andern sehen,
Sie verscheuchen wie Fliegen, die deine Nachtruhe stören?
Wie kann ich dir, in deinem Hemd aus Zephir
und den Mokassins aus Gazellenleder,
Verständlich machen, daß ich schaudernd
Eines Jahrhunderts innewerde, in dem dein Lächeln,
Das mich entzückt, mir wie ein unverdienter
Besitz zufiel, scheu und nicht ohne Bangen
Bewahrt, wie Hehlergut in einem unsicheren Versteck?

TADEUSZ BOROWSKI

Das Schweigen

Sie erwischten ihn im Block der deutschen Kapos, gerade
in dem Augenblick, als er das Bein über die Fensterbank
schwingen wollte. Wortlos zogen sie ihn herunter und
schleppten ihn, schnaufend vor Haß, hinaus, auf einen Seitenweg. Dort, während die schweigende Menge einen dich-
ten Kreis um sie bildete, schlugen unzählige Hände auf ihn
ein.

Im gleichen Augenblick kamen warnende Worte vom
Lagertor, die von Mund zu Mund gingen. Bewaffnete Soldaten liefen über die Hauptstraße, wichen den kleinen
Menschengruppen aus, die überall im Lager herumstanden.
Die Menge verließ den Platz vor dem Häuschen der deutschen Kapos und verschwand in den Baracken, die überfüllt, stickig und heiß waren. In den Öfen wurde alles mög-
liche gekocht – alles, was man von den nächtlichen Streif-
zügen zu den Bauern in der Umgebung mitgebracht hatte.
Auf den Pritschen und zwischen den Pritschen saßen Häftlinge und mahlten Getreide, putzten Fleisch und schälten
Kartoffeln – die Abfälle wurden einfach auf den Boden geworfen. Einige der Männer spielten Karten um gestohlene
Zigaretten, andere kneteten den zähen Teig aus dem grob
gemahlenen Getreide, noch andere verschlangen heißen
Brei oder jagten ihre müden Flöhe. Der stickige, würgende
Gestank nach altem Schweiß vermischte sich mit den un-
definierbaren Gerüchen, die aus den Kochtöpfen aufstiegen,
mit dem Dampf, der an die Decke stieg und in winzigen
Tropfen von den Balken fiel wie ein unablässiger dünner
Regen. An der Tür entstand ein plötzliches Gewimmel, ein
sehr junger amerikanischer Offizier mit einem Helm aus
Pappe kam herein und sah sich mit freundlichen Augen um.
Er trug eine tadellos gebügelte Uniform, sein Revolver hing

tief, bei jedem Schritt schlug er ihm gegen den Schenkel. Mit ihm kam ein Dolmetscher im Zivilanzug, eine gelbe Binde mit dem Wort »Interpreter« auf dem Arm, daneben noch der Vorsitzende des Häftlingskomitees, angetan mit einer weißen Sommerjacke, Frackhosen und weißen Tennisschuhen. Die Männer im Block verstummten, hoben die Augen von ihren Töpfen, Schüsseln und Tellern und sahen den jungen Offizier abwartend an.

»Gentlemen«, sagte der Offizier und nahm den Helm ab. Der Dolmetscher übersetzte Wort für Wort. »Ich weiß, daß Sie nach allem, was Sie erlebt und gesehen haben, Ihre Henker zutiefst hassen. Wir, Soldaten aus Amerika, und Sie, Männer aus Europa, haben gemeinsam dafür gekämpft, daß Recht über Unrecht siegen möge. Wir werden das Recht schützen. Sie müssen wissen, daß alle Schuldigen bestraft werden, hier, in diesem Lager, und in allen anderen auch. Es wird Ihnen zum Beispiel bekannt sein, daß die gefangenen SS-Männer bereits die Leichen begraben.«

»Stimmt«, sagte einer der Männer auf der unteren Pritsche leise. »Das könnte gehen. Hinter dem Spital, der kleine Platz. Alle haben sie noch nicht weggebracht.«

»Oder die Sammelstelle«, fügte ein zweiter flüsternd hinzu. Er saß auf der Kante, die Finger fest in die Decke verkrallt.

»Halt die Klappe!« mahnte ein dritter, zwar leise, aber um so eindringlicher. »Habt ihr es denn so eilig? Hört doch zu, was der Offizier sagt.« Er lag schräg auf der Pritsche. Keiner von den dreien konnte den Offizier sehen, denn die dichtgedrängte Menge verdeckte ihn vollständig.

»Kollegen! Der Commander gibt Ihnen sein Ehrenwort: Alle Schuldigen, die unter den SS-Männern und auch die unter den Häftlingen, werden gerecht bestraft«, sagte der Dolmetscher. Von allen Pritschen ertönten laute Rufe und Klatschen. Jeder versuchte, dem jungen Mann aus Übersee durch Lachen oder durch eine Geste seine Sympathie zu bekunden.

»Deswegen bittet Sie der Commander, Geduld zu haben und kein Unrecht zu begehen, das sich an Ihnen selbst rächen müßte. Sie sollen die Schuldigen nur der Lagerwache übergeben, sonst nichts. Einverstanden?«

Der Block antwortete mit einem einstimmigen Schrei. Der Commander dankte dem Dolmetscher, wünschte den Häftlingen eine angenehme Ruhe und baldiges Wiedersehen mit ihren Lieben und verließ, begleitet vom freundschaftlichen Gemurmel der Männer, den Block, um weiterzugehen, zum nächsten Block.

Erst als der junge amerikanische Offizier auch die letzte Baracke hinter sich hatte, als er mit den beiden Zivilisten und in Begleitung seiner Soldaten in der Kommandantur verschwunden war, zerrten wir den Mann von der Pritsche herunter, wo er, das Gesicht tief in den Strohsack gedrückt, geknebelt, mit Decken zugedeckt und mit unseren Körpern abgeschirmt, gelegen hatte. Wir schleppten ihn auf den Betonboden vor dem Ofen, und dort, unter wütendem, haßerfülltem Schnaufen der ganzen Baracke, wurde er zu Tode getreten.

HERMANN HESSE

Briefe

Während die Affen in England sich jetzt plötzlich über ganz Deutschland empören, als seien die Lagergreuel wirklich vom deutschen Volk begangen, schweigt man von den Tausenden stiller Dulder und Helden, die wie Suhrkamp sich zäh und immer wieder gegen die Übermacht gestemmt, vielmals Freiheit und Leben gewagt, und das deutsche Volk in der edelsten Weise in seiner schwersten Zeit repräsentiert

haben. – Die Engländer haben jetzt, im Jahr 1945, die Lagergreuel entdeckt, die im Jahr 1934 schon in Prager Zeitschriften geschildert waren, und die die englischen Gesand-
ten damals in Berlin hätten veranlassen sollen, von Hitler
abzurücken, statt vor ihm Kotau zu machen, wie sie es getan haben, diese Affen. Davon spricht heute niemand. Und
in Italien haben die Alliierten viele Leute, die vorher von
den Deutschen und Faschisten verfolgt und im Volk als
brave Antifaschisten bekannt waren, bis auf den heutigen
Tag im Gefängnis gehalten.

(Aus einem Brief, Ostern 1945, an Otto Basler)

Du meinst in deinem Brief, es wäre besser gewesen, wenn
Hitler bei jenem Attentat umgekommen wäre. Das stimmt
insofern, als für Deutschland alles ein klein wenig besser
ausgesehen hätte. Aber die Tatsache, daß Deutschland sich
Hitler ausgeliefert, daß es Böhmen, Österreich, Polen, Nor-
wegen und schließlich die halbe Welt überfallen, ausgeraubt,
Menschen zu Millionen geschlachtet und Land um Land
ausgeraubt hat, diese traurige Tatsache bestünde auch dann
weiter, wenn Hitler etwas früher umgekommen wäre. Und
das Unglück und die Schande Deutschlands besteht ja nicht
darin, daß es jetzt auch einiges leiden muß und besiegt
wurde, sondern daß es viele Jahre lang diese Scheußlichkei-
ten ausgeübt hat. Wir haben vor Wut geknirscht, als Eure
Rekruten schon vor 1939 sangen: »Heute gehört uns
Deutschland, morgen die ganze Welt«, und wir sind traurig
darüber, wie wenig Euer Volk bis jetzt zu ahnen scheint,
was es eigentlich angerichtet hat.

(Aus einem Brief vom 16. 6. 1945 an Günther Friedrich,
in englischer Gefangenschaft)

Keinesfalls würde ich öffentliche und kollektive Bußpredigten an Deutschland mit unterschreiben, dagegen privat sage ich es fast jedem Deutschen, der mich anspricht: eine wie schlechte, böse und im Grunde dumme Politik Deutschland seit 1870 gemacht hat, stets und immer, und wie eben doch alle daran mit schuld sind. Wer sich für Bismarck oder Wilhelm den Zweiten nicht mehr mitverantwortlich fühlt und sich ostentativ die Hände wäscht, der ist doch, in 99 von 100 Fällen, treulich und begeistert seinerzeit zur Urne gepilgert, um Hindenburg zu wählen. Irgendeinmal muß eben doch das Volk anfangen, sich für sein Tun und sein Leiden selber verantwortlich zu fühlen. Aber das lernt sich schwer, und da viele andre Völker unendlich lang dazu gebraucht haben, wird es auch hier nicht rasch gehen.

(Aus einem Brief vom Juli 1945 an Paula Philippson)

ALFRED KANTOROWICZ

Deutsches Tagebuch

New York, den 26. März 1945

Vorgestern hörten wir von der Rheinüberschreitung der alliierten Armeen. Der letzte Akt dieses Krieges hat begonnen. Es ist zu vermuten, daß im Juni keine intakte deutsche Kampfgruppe mehr im Feld stehen wird. Mag sein, daß einige tausend Unheilbare dann noch in den bayerischen Bergen eine Parodie der Siegfried-Tragödie spielen; sie zur Besinnung zu bringen wird keine Kriegshandlung mehr sein.

Man darf Bilanz ziehen. Militärisch ist der vermessene Welteroberungsversuch des Nazismus gebrochen. Ideologisch, als Weltgefühl des »gemeinen Mannes«, hat er überlebt. Die Konflikte sind ungelöst. Die Reaktion ist abermals der Revolution zuvorgekommen. Der Reinigungsvorgang der Selbstbefreiung ist entmutigt, wo nicht unterdrückt worden. Der moralische Wirrwarr wird auf längere Sicht noch trübseligere Folgen haben als die materielle Verwüstung. Eine Generation von selbstischen Zynikern wird sich behaupten, die erfahren hat, daß Unrecht gedeiht, Charakterlosigkeit der Karriere hilft, Scheinheiligkeit geachtet und Schwachsinn promoviert – aber die Sehnsucht nach Freiheit beargwöhnt, Charaktertreue mißhandelt, Intelligenz gepaart mit Redlichkeit vor neue Inquisitionstribunale gezerrt wird.

Alvarez del Vayo, den ich schon in Spanien, zur Zeit als er Außenminister war, aufrichtig verehrt habe und der sich nun seit Jahren auch hier in Amerika als streitbarer Wortführer der unabhängigen Linken bewährt, hat mit seinem Artikel »V-day« in der »Nation« die Gefühle Vieler von uns ausgedrückt, wenn er einem ungenannten Freund die Worte in den Mund legt, er möchte »den Tag« noch erleben, aber er halte es für ratsam, daß unsereiner sich am Abend »des Tages« an einer Schlinge aufknüpfe, um nicht mehr mitanzusehen, daß am folgenden Morgen die angeblich Besiegten, die Nazifreunde, im Triumphzuge der Sieger mitmarschieren und uns Nazigegner im Namen der Demokratie oder Freiheit oder Ordnung, oder was auch immer behandeln – wie Aussätzige.

New York, den 26. April 1945

Im April 1945 hat die westliche Welt den Bestand von Konzentrationslagern in Nazideutschland »entdeckt«. Ein Aufschrei des Entsetzens läuft durch die Presse der Demokratien. Sie hätten das alles bereits seit zwölf Jahren zur Kenntnis nehmen können, aus Tausenden von Berichten entkommener Opfer, aus dokumentarisch belegten Büchern – dem Braun-Buch zum Beispiel. – Hätten sie die Wahrheit damals nicht überhört, so wäre dieser Krieg mit seinen dreißig Millionen Toten und der Verwüstung Europas vielleicht zu verhindern gewesen. Wir alle haben gewarnt: Seht euch um, so beginnt es; die ersten Opfer sind die guten Deutschen selber, ihr werdet die nächsten sein, wenn ihr ihnen nicht zu Hilfe eilt. Jetzt, nachdem alles vorbei ist, die Blüte Europas teils in diesen Lagern und teils auf den Schlachtfeldern verfault, jetzt »entdeckt« man, daß Nazis wie Nazis handeln. Es wird die Toten nicht wieder erwecken.

Den 1. Mai

Heute nachmittag kam die Meldung von Hitlers »Heldentod« in der Reichskanzlei über das Hamburger Radio (das Berliner ist seit Tagen verstummt). Sie kündigten mit dumpfem Trommelwirbel eine ernste Nachricht an. Dann spielten sie »Götterdämmerung«. Ich sagte im Newsroom zu Ted Church, der eine Deutung erbat: »It's a good guess they will announce that their beloved Führer has gone to Walhalla.« Eine halbe Stunde später kündigten sie an: Hitler »auf seinem Kampfposten in der Reichskanzlei ... bis zum letzten Atemzug gegen den Bolschewismus kämpfend ...«

Der abnorme Kriminelle hat's hinter sich. Deutschland, ein von erbitterten Truppen der überfallenen Völker besetztes Rumpfdeutschland, wird zwanzig Jahre brauchen, allein um materiell aufzubauen, was durch seiner Clique Schuld zerstört wurde – von den unwägbaren moralischen Verwüstungen zu schweigen. Jedenfalls wird niemand nun sagen können, daß Hitler den Krieg nicht verloren habe. Vor neun Monaten, am 20. Juli, hätte sein Tod eine Legendenbildung zur Folge gehabt, das Geraune der Unbelehrbaren: »Ja, wenn sie uns unseren geliebten Führer nicht umgebracht hätten, würden wir den Krieg am Ende noch gewonnen haben.« Das können sie heute wohl schwerlich behaupten. Wer weiß? Die deutsche Verstocktheit ist abgründig.

New York, den 8./9. Mai 1945 (nachts)

Einige falsche Alarme hatten in den vergangenen Tagen die Kapitulation der Reste von Hitlers Armee vorweggenommen. Seit heute ist das Überfällige amtlich. Ich habe mir die Nachtschicht gewählt, meine jungen Reporter zu den Siegesfeiern in den Straßen New Yorks gehen lassen und bin mit meinem Schreibheft allein in dem Abhörraum des Newsroom. Es ist gut, heute allein zu sein. Das also liegt hinter uns. Immerhin zwölf Jahre. Zwölf Jahre, die die Verbrechen von tausend Jahren angehäuft haben. Ich versuche mir eine Vorstellung davon zu machen, wie es jetzt da drüben aussieht, aber ich weiß, daß jede Vorstellung vor der millionenfältigen Wirklichkeit versagen muß. Noch wage ich nicht weiterzudenken. Von irgendwoher wird Beethovens Fünfte gesendet. Die Hymne des Sieges!? Es gibt keinen Sieg. Es gibt am Ende dieses Krieges nur Besiegte.

MAX FRISCH

Nachtrag zur Reise

Im großen ganzen, wenn man an die einzelnen Begegnungen zurückdenkt, ist die Kluft doch größer, als man erwartet und erhofft hat, und zugleich überbrückbarer, sobald man auf der anderen Seite ein menschliches Gesicht sieht. Es gibt einzelne, die uns jede Grenze vergessen lassen; man sitzt sich nicht als Deutscher und als Schweizer gegenüber; man ist dankbar, daß man die gleiche Sprache hat, und schämt sich jeder Stunde, da man diese einzelnen vergessen hat. Die Mehrzahl freilich sind solche, die diese Versuchung wieder beschwören, die sich rechtfertigen und uns, ob wir wollen oder nicht, zum Richter setzen, der freisprechen soll, und wenn wir uns dazu nicht entschließen können, sondern schweigen oder an gewisse Dinge erinnern, die man nicht vergessen darf, trifft uns der stumme oder offene Vorwurf, daß wir richterlich sind –

Das Erbarmen – kann es den Sinn haben, unser Urteil aufzulösen? Oder hat es nicht eher den Sinn, daß das Erbarmen uns über das Urteil, ohne es aufzulösen, hinausführte zum zweiten Teil der Aufgabe: zum Handeln, und wie sollte ein Handeln, das nicht aus einem Urteil kommt, jemals eine wirkliche Hilfe sein? Hilfe bedeutet Veränderung im Sinne einer Erkenntnis; beides im Maße unseres Vermögens –

Oft die Empfindung, daß die einzige Zukunft, die möglich ist, wirklich bei den Verzweifelten liegt; aber es fragt sich dann immer, wieweit der Selbstekel, der zum Anhören ebenso erschütternd wie peinlich ist, fruchtbar werden kann, wieweit er ein Vorbote wirklicher Erkenntnis ist, die wir als Verzweifelte eigentlich schon haben, aber noch nicht annehmen; sondern wir übertreiben sie ins Maßlose: damit sie uns selbst unglaubhaft wird. Das aber wäre wieder die Ausflucht in einen Überschwang, der uns nie verändert.

Vor allem ist es natürlich das Elend, das jede Veränderung, noch wo sie möglich wäre, mehr und mehr verhindert. Wenn ich in tödlicher Lungenentzündung liege und man meldet mir, daß mein Nachbar gestorben sei, und zwar durch mein Verschulden, mag sein, ich werde es hören, ich werde die Bilder sehen, die man mir vor die Augen hält; aber es erreicht mich nicht. Die tödliche Not, die eigene, verengt mein Bewußtsein auf einen Punkt. Vielleicht sind manche Gespräche darum so schwierig; es erweist sich als unmenschlich, wenn man von einem Menschen erwartet, daß er über seine eigenen Ruinen hinaussehe. Solange das Elend sie beherrscht, wie sollen sie zur Erkenntnis jenes anderen Elendes kommen, das ihr Volk über die halbe Welt gebracht hat? Ohne diese Erkenntnis jedoch, die weit über die bloße Kenntnis hinausgeht, wird sich ihre Denkart nie verwandeln; sie werden nie ein Volk unter Völkern, was unsrer Meinung nach das eigentliche Ziel ist. Für ein Volk, das nur sich selber sieht, gibt es bloß zweierlei: Weltherrschaft oder Elend. Die Weltherrschaft wurde versucht, das Elend ist da. Und daß es gerade dieses Elend ist, was eine Erlösung aus jener Denkart abermals verhindert, das als das Trostlose –.

Was geschehen müßte?

Das erste ist Nahrung, die allerdings auch bei den Siegern teilweise fehlt, und das andere, was man vorschlagen möchte, wäre die Erlaubnis für junge Deutsche, daß sie für einige Zeit in andere Länder reisen können. Viele sind zwar schon draußen gewesen; sie kennen die Normandie und den Kaukasus, aber nicht Europa; sie lernten alles nur als Sieger kennen. Jedenfalls ist es nicht möglich, daß sie in ihrem Land, selbst wenn sie das Verlangen danach haben, zu einer Übersicht gelangen können; es fehlen ihnen nicht nur die Nachrichten, es fehlt die Entfernung; sie sehen die Besatzung, deren Fehler sie als eigenes Alibi verwenden, und fast niemand, der dort lebt, entgeht diesen augenscheinlichen Verwechslungen von Ursache und Folge. Anderseits zeigt es sich fast ohne Ausnahme, daß junge Deutsche, die ein halbes oder ein ganzes Jahr in einem andern Land sind, vieles anders sehen, und sicher können es nur Deutsche sein, die es den Deutschen sagen.

BERTOLT BRECHT

Epistel an die Augsburger

Und als dann kam der Monat Mai
War ein tausendjähriges Reich vorbei.

Und herunter kamen die Hindenburggass'
Jungens aus Missouri mit Bazookas und Kameras

Und fragten nach der Richtung und kleinerer Beute
Und einem Deutschen, der den zweiten Weltkrieg bereute.

Der Irreführer lag unter der Reichskanzlei
Niederstirnige Leichen mit Bärtchen gab es zwei, drei.

In Straßengräben faulten Feldmarschälle.
Schlächter bat Schlächter, daß er's Urteil fälle.

Die Wicken blühten. Die Hähne schwiegen betroffen.
Die Türen waren geschlossen. Die Dächer standen offen.

HEINER MÜLLER

Das eiserne Kreuz

Im April 1945 beschloß in Stargard in Mecklenburg ein Pa-
pierhändler, seine Frau, seine vierzehnjährige Tochter und
sich selbst zu erschießen. Er hatte durch Kunden von Hitlers Hochzeit und Selbstmord gehört.

Im ersten Weltkrieg Reserveoffizier, besaß er noch einen
Revolver, auch zehn Schuß Munition.

Als seine Frau mit dem Abendessen aus der Küche kam, stand er am Tisch und reinigte die Waffe. Er trug das Eiserne Kreuz am Rockaufschlag, wie sonst nur an Festtagen.

Der Führer habe den Freitod gewählt, erklärte er auf ihre Frage, und er halte ihm die Treue. Ob sie, seine Ehefrau, bereit sei, ihm auch hierin zu folgen. Bei der Tochter zweifle er nicht, daß sie einen ehrenvollen Tod durch die Hand ihres Vaters einem ehrlosen Leben vorziehe.

Er rief sie. Sie enttäuschte ihn nicht.

Ohne die Antwort der Frau abzuwarten, forderte er beide auf, ihre Mäntel anzuziehen, da er, um Aufsehen zu vermeiden, sie an einen geeigneten Ort außerhalb der Stadt führen werde. Sie gehorchten. Er lud dann den Revolver, ließ sich von der Tochter in den Mantel helfen, schloß die Wohnung ab und warf den Schlüssel durch die Briefkastenöffnung.

Es regnete, als sie durch die verdunkelten Straßen aus der Stadt gingen, der Mann voraus, ohne sich nach den Frauen umzusehen, die ihm mit Abstand folgten. Er hörte ihre Schritte auf dem Asphalt.

Nachdem er die Straße verlassen und den Fußweg zum Buchenwald eingeschlagen hatte, wandte er sich über die Schulter zurück und trieb zur Eile. Bei dem über der baumlosen Ebene stärker aufkommenden Nachtwind, auf dem regennassen Boden, machten ihre Schritte kein Geräusch.

Er schrie ihnen zu, sie sollten vorangehen. Ihnen folgend, wußte er nicht: hatte er Angst, sie könnten im davonlaufen, oder wünschte er, selbst davonzulaufen. Es dauerte nicht lange, und sie waren weit voraus. Als er sie nicht mehr sehen konnte, war ihm klar, daß er zuviel Angst hatte, um einfach wegzulaufen, und er wünschte sehr, sie täten es. Er blieb stehen und ließ sein Wasser. Den Revolver trug er in der Hosentasche, er spürte ihn kalt durch den dünnen Stoff. Als er schneller ging, um die Frauen einzuholen, schlug die Waffe bei jedem Schritt an sein Bein. Er ging langsamer. Aber als er in die Tasche griff, um den Revolver wegzuwer-

fen, sah er seine Frau und die Tochter. Sie standen mitten
auf dem Weg und warteten auf ihn.

Er hatte es im Wald machen wollen, aber die Gefahr, daß
die Schüsse gehört wurden, war hier nicht größer.

Als er den Revolver in die Hand nahm und entsicherte,
fiel die Frau ihm um den Hals, schluchzend. Sie war schwer,
und er hatte Mühe, sie abzuschütteln. Er trat auf die Tochter
zu, die ihn starr ansah, hielt ihr den Revolver an die Schläfe
und drückte mit geschlossenen Augen ab. Er hatte gehofft,
der Schuß würde nicht losgehen, aber er hörte ihn und sah,
wie das Mädchen schwankte und fiel.

Die Frau zitterte und schrie. Er mußte sie festhalten. Erst
nach dem dritten Schuß wurde sie still.

Er war allein.

Da war niemand, der ihm befahl, die Mündung des
Revolvers an die eigene Schläfe zu setzen. Die Toten sahen
ihn nicht, niemand sah ihn.

Er steckte den Revolver ein und beugte sich über seine
Tochter. Dann fing er an zu laufen.

Er lief den Weg zurück bis zur Straße und noch ein Stück
die Straße entlang, aber nicht auf die Stadt zu, sondern
westwärts. Dann ließ er sich am Straßenrand nieder, den
Rücken an einen Baum gelehnt, und überdachte seine Lage,
schwer atmend. Er fand, sie war nicht ohne Hoffnung.

Er mußte nur weiterlaufen, immer nach Westen, und die
nächsten Ortschaften meiden. Irgendwo konnte er dann untertauchen, in einer größeren Stadt am besten, unter frem-
dem Namen, ein unbekannter Flüchtling, durchschnittlich
und arbeitsam.

Er warf den Revolver in den Straßengraben und stand
auf.

Im Gehen fiel ihm ein, daß er vergessen hatte, das Eiserne
Kreuz wegzuwerfen. Er tat es.

GÜNTER KUNERT

Über einige Davongekommene

Als der Mensch
Unter den Trümmern
Seines
Bombardierten Hauses
Hervorgezogen wurde,
Schüttelte er sich
Und sagte:
Nie wieder.

Jedenfalls nicht gleich.

BERTOLT BRECHT

Die zwei Söhne

Eine Bäuerin im Thüringischen träumte im Januar 1945, als
der Hitlerkrieg zu Ende ging, daß ihr Sohn im Feld sie rief,
und schlaftrunken auf den Hof hinausgehend, glaubte sie
ihren Sohn an der Pumpe zu sehen, trinkend. Als sie ihn an-
sprach, erkannte sie, daß es einer der jungen russischen
Kriegsgefangenen war, die auf dem Hof Zwangsarbeit ver-
richteten. Einige Tage darauf hatte sie ein merkwürdiges Erlebnis. Sie brachte den Gefangenen ihr Essen in ein nahes
Gehölz, wo sie Baumstümpfe auszugraben hatten. Im Weg-
gehen sah sie über die Schulter zurück denselben jungen
Kriegsgefangenen, übrigens einen kränklichen Menschen,
das Gesicht nach dem Blechtopf wenden, den ihm jemand

mit der Suppe reichte, und zwar in einer enttäuschten Weise, und plötzlich verwandelte sich dieses Gesicht in das ihres Sohnes. Schnelle und schnell verschwimmende Verwandlungen des Gesichts eben dieses jungen Menschen in das ihres Sohnes passierten ihr in den nächsten Tagen öfter. Dann wurde der Kriegsgefangene krank; er blieb ohne Pflege in der Scheuer liegen. Die Bäuerin spürte einen zunehmenden Drang, ihm etwas Kräftigendes zu bringen, jedoch wurde sie daran gehindert durch ihren Bruder, einen Kriegsinvaliden, der den Hof führte und die Gefangenen roh behandelte, besonders nun, wo alles anfing, drunter und drüber zu gehen, und das Dorf die Gefangenen zu fürchten begann. Die Bäuerin selbst konnte sich seinen Argumenten nicht verschließen; sie hielt es keineswegs für recht, diesen Untermenschen zu helfen, über die sie schreckliche Dinge gehört hatte. Sie lebte in Furcht, was die Feinde ihrem Sohn antun mochten, der im Osten stand. So hatte sie ihren halben Vorsatz, *diesem* Gefangenen zu helfen in seiner Verlassenheit, noch nicht ausgeführt, als sie eines Abends im verschneiten Obstgärtchen eine Gruppe der Gefangenen bei einer eifrig geführten Unterredung überraschte, die wohl, um im geheimen vorgehen zu können, in der Kälte stattfand. Der junge Mensch stand dabei, fieberzitternd, und wahrscheinlich seines besonders geschwächten Zustands wegen erschrak er am tiefsten vor ihr. Mitten im Schrecken nun geschah wieder die sonderbare Verwandlung seines Gesichts, so daß sie in das Gesicht ihres Sohnes schaute, und es war sehr erschrocken. Das beschäftigte sie tief, und wiewohl sie pflichtgemäß ihrem Bruder von der Unterredung im Obstgärtchen berichtete, beschloß sie doch, dem jungen Menschen die bereitgestellte Schinkenschwarte nunmehr zuzustecken. Dies stellte sich, wie manche gute Tat im Dritten Reich, als äußerst schwierig und gefahrvoll heraus. Sie hatte bei diesem Unternehmen ihren eigenen Bruder zum Feind, und sie konnte auch der Kriegsgefangenen nicht sicher sein. Dennoch gelang es ihr. Allerdings entdeckte sie dabei, daß

die Gefangenen wirklich vorhatten, auszubrechen, da die
Gefahr für sie täglich wuchs, daß sie vor den anrückenden
Roten Armeen nach Westen verschleppt oder einfach nie-
dergemacht werden würden. Die Bäuerin konnte gewisse,
ihr pantomimisch und mit wenigen Brocken Deutsch klar-
gemachte Wünsche des jungen Gefangenen, an den sie ihr
merkwürdiges Erlebnis band, nicht abschlagen und ließ sich
so in die Fluchtpläne der Gefangenen verwickeln. Sie be-
sorgte eine Jacke und eine große Blechschere. Eigentüm-
licherweise fand die Verwandlung von da ab nicht mehr statt;
die Bäuerin half jetzt lediglich dem fremden jungen Menschen. So war es ein Schock für sie, als eines Morgens Ende
Februar ans Fenster geklopft wurde und sie durch das Glas
im Dämmer das Gesicht ihres Sohnes erblickte. Diesmal
war es ihr Sohn. Er trug die zerfetzte Uniform der Waffen-
SS, sein Truppenteil war aufgerieben, und er berichtete aufgeregt, daß die Russen nur noch wenige Kilometer vom
Dorf entfernt seien. Seine Heimkunft mußte unbedingt
geheimgehalten werden. Bei einer Art Kriegsrat, den die
Bäuerin, ihr Bruder und der Sohn in einem Winkel des
Dachbodens abhielten, wurde vor allem beschlossen, sich
der Kriegsgefangenen zu entledigen, da sie möglicherweise
den SS-Mann gesehen hatten und überhaupt voraussichtlich
über ihre Behandlung Aussage machen würden. In der
Nähe war ein Steinbruch. Der SS-Mann bestand darauf, daß
er in der kommenden Nacht sie einzeln aus der Scheuer lok-
ken und niedermachen müßte. Dann konnte man die Leichen in den Steinbruch schaffen. Am Abend sollten sie noch
einige Rationen Branntwein bekommen; das konnte ihnen
nicht allzusehr auffallen, meinte der Bruder, weil dieser zusammen mit dem Gesinde in der letzten Zeit schon ausge-
macht freundlich zu den Russen gewesen war, um sie im
letzten Augenblick noch günstig zu stimmen. Als der junge
SS-Mann den Plan entwickelte, sah er plötzlich seine Mutter
zittern. Die Männer beschlossen, sie auf keinen Fall mehr in
die Nähe der Scheuer zu lassen. So erwartete sie voller Ent-

setzen die Nacht. Die Russen nahmen den Branntwein anscheinend dankend an, und die Bäuerin hörte sie betrunken
ihre melancholischen Lieder singen. Aber als ihr Sohn gegen
elf Uhr in die Scheuer ging, waren die Gefangenen weg. Sie
hatten die Trunkenheit vorgetäuscht. Gerade die neue un-
natürliche Freundlichkeit des Hofs hatte sie überzeugt, daß
die Rote Armee sehr nahe sein mußte. – Die Russen kamen
in der zweiten Hälfte der Nacht. Der Sohn lag betrunken
auf dem Dachboden, während die Bäuerin, von Panik er-
faßt, seine SS-Uniform zu verbrennen versuchte. Auch ihr
Bruder hatte sich betrunken; sie selbst mußte die russischen
Soldaten empfangen und verköstigen. Sie tat es mit verstei-
nertem Gesicht. Die Russen zogen am Morgen ab, die Rote
Armee setzte ihren Vormarsch fort. Der Sohn, übernächtig,
verlangte von neuem Branntwein und äußerte die feste Ab-
sicht, sich zu den rückflutenden deutschen Heeresteilen
durchzuschlagen, um weiterzukämpfen. Die Bäuerin versuchte nicht, ihm klarzumachen, daß Weiterkämpfen nun
sicheren Untergang bedeutete. Verzweifelt warf sie sich ihm
in den Weg und versuchte, ihn körperlich zurückzuhalten.
Er schleuderte sie auf das Stroh zurück. Sich wieder aufrich-
tend, fühlte sie ein Deichselscheit in der Hand, und weit
ausholend schlug sie den Rasenden nieder.

Am selben Vormittag fuhr mit einem Leiterwagen eine
Bäuerin in dem nächstgelegenen Marktflecken bei der russischen Kommandantur vor und lieferte, mit Ochsenstricken
gebunden, ihren Sohn als Kriegsgefangenen ab, damit er,
wie sie einem Dolmetscher klarzumachen suchte, sein
Leben behalte.

V
»Es ist trotz allem eine große Stunde«
Anfänge und Aufbrüche

»Ich sage: es ist trotz allem eine große Stunde, die Rückkehr Deutschlands zur Menschlichkeit.« Mit diesen Worten begann Thomas Mann am 10. Mai 1945 den letzten Abschnitt seiner letzten von fünfundfünfzig Radioreden nach Deutschland. Es war ein öffentlicher, in die Zukunft gerichteter Satz, der die geschlagenen und geächteten Deutschen – »trotz allem« – trösten und aufrichten wollte. In sein Tagebuch hatte der gleiche Thomas Mann nur wenige Tage zuvor sehr viel skeptischer und klarsichtiger notiert: »Übrigens aber wird dies und das *mit* Deutschland, aber nichts in Deutschland geschehen.« So war es denn auch.

Denn Deutschland war seit dem 8. Mai 1945 ein »besiegter Feindstaat«; und die Deutschen waren trotz der »Befreiung« keineswegs zu handlungsfähigen Subjekten geworden. Selbst wenn das katastrophale Ende sie nicht völlig zerrüttet und gelähmt hätte, wäre es ihnen nicht möglich gewesen – im Westen noch weniger als im Osten –, sogleich neu zu beginnen und in eine bessere Zukunft aufzubrechen. Es gab zwar, hüben wie drüben, eine potentiell revolutionäre Situation, aber es fehlten die Revolutionäre und die Revolution. Es gab individuelle Aufbrüche, bei den desertierenden Soldaten, den nach innen Emigrierten, in der jungen Generation, aber keine kollektiven Zukunftsentwürfe.

Wenn überhaupt, dann erreichte die tröstliche Botschaft Thomas Manns die Deutschen erst mit jahrelanger Verspätung. Erst im Rückblick wurde der 8. Mai 1945 für die meisten von ihnen doch noch zu einer »großen Stunde«. Auf ihre hoffnungslose Situation in den ersten drei Nachkriegsjahren traf nicht einmal die Binsenweisheit zu, daß aller Anfang schwer sei, denn ein Anfang war noch nicht sichtbar.

An moralischen Appellen und kulturellen Wiederge-
burtsphantasien der intellektuellen Eliten hat es freilich
nicht gefehlt. In den Nachkriegszeitschriften findet man
Reformen vorgeschlagen und diskutiert, die erst wieder in
den sechziger Jahren aufgegriffen wurden. Karl Jaspers
hoffte in seiner Monatsschrift *Die Wandlung* auf die geistige
Läuterung des Individuums, wagte in seinem gewundenen
Geleitwort vom November 1945 aber nur ein Minimum zu
fordern: »Ein Anfang muß sein. Indem wir beginnen, die
Verwandlung sich offenbaren lassen und fördern, hoffen
wir auf dem Weg zu sein dahin, wo wir wieder einen Grund
legen werden. Wir fangen so ganz von vorn an, daß wir
noch nicht einmal dieser Fundamente gewiß sein können.«
Im östlichen Zeitschriften-Pendant *Aufbau* ließ Johannes R.
Becher gleichzeitig keinen Zweifel daran, auf welchem Fun-
dament die »Verwandlung« stattfinden sollte: »Wir sind uns
[...] klar darüber, daß eine grundsätzliche Wandlung im
Fühlen und Denken des Menschen in Wechselwirkung steht
mit einer Aufhebung untragbar gewordener gesellschaftlicher Bedingungen, und im Sinne einer geistigen Neugeburt
unseres Volkes ist es darum begrüßenswert, wenn eine der
entscheidendsten Maßnahmen unserer Geschichte, die Aufhebung des Großgrundbesitzes, nunmehr endlich durchge-
führt wird.«

In der SBZ wurde der Neuanfang, in Moskau konzipiert,
von oben verordnet, im Zonenwirrwarr des Westens hat
er sich allmählich ergeben, aber was dabei herauskam, die
Gründung zweier deutscher Staaten, war ein Provisorium,
das niemand gewollt hatte, am wenigsten die Deutschen in
Ost und West.

So ist es nicht verwunderlich, daß die kleinen und großen Zukunftsentwürfe auch in der Nullpunkt-Literatur
Mangelware geblieben sind und daß die wenigen hier
versammelten Beispiele eines hoffnungerweckenden Umbruchs von lauter »Außenseitern« stammen, von Exilierten
(Johannes R. Becher, Stefan Heym, Thomas Mann), von

»inneren Emigranten« (Wolfgang Koeppen), von unbotmä-
ßigen Soldaten (Wolfgang Borchert, Horst Krüger), von
einer »rassisch« Verfolgten (Lotte Paepcke) und einem Sozialisten und literarischen Außenseiter par excellence (Ernst
Jandl).

Der bedeutendste, für die Nachkriegsjahre repräsentativ-
ste Zukunftsentwurf stammt zweifellos von Stefan Heym.
In seiner *Republik Schwarzenberg* verkörpert sich die
Hoffnung vieler deutscher und europäischer Intellektueller,
nach 1945 den »dritten Weg« einer wahrhaft sozialistischen
Demokratie zwischen den beiden ungeliebten Machtblök-
ken finden und gehen zu können. Diesem Traum verschrieb
sich die Zeitschrift *Ost und West* (1947–1949) von Alfred
Kantorowicz, ihm sollte die bald scheiternde, den *Frankfurter Heften* nahestehende »Gesellschaft Imshausen« dienen,
und dieser Traum prägte auch das eigenwillige politische
Konzept der Zeitschrift *Der Ruf*, die die »junge Generation« um sich versammelte. Sie verfocht einen auf der Freiheit des Einzelnen basierenden humanistischen Sozialismus
jenseits des »alten orthodoxen Marxismus«. Damit machte
sie sich jedoch nach allen Seiten unbeliebt, und ihre Chef-
redakteure Hans Werner Richter und Alfred Andersch
mußten auf Anweisung der Alliierten bald ihre Plätze räumen. Der Traum von einem »dritten Weg« ist zweifellos die
größte, aber auch die unzerstörbarste Illusion der Nachkriegszeit gewesen.

Sie wurde von den beiden Autoren weitergetragen in die
»Gruppe 47« und mit ihr auch die Vision und die Legende
von einer »Stunde Null«, vorbereitet durch sprachliche und
literarische »Kahlschlag«-Manifeste. Da sich die politischen
und sozialen Wunschträume der »jungen Generation« als
unrealisierbar erwiesen hatten, sollten sie wenigstens in
einer kleinen Gruppe politisch und literarisch Gleichge-
sinnter ihre Ersatzstätte und Pflege finden. Ihre Mitglie-
der wurden deshalb zu den eigentlichen Sachwaltern und

Mahnern eines historisch verpaßten radikalen Neuanfangs »trotz allem«.

Ihr literarisches Nullpunkt-Manifest formulierte Hans Werner Richter im März 1947, in dem programmatischen Artikel *Literatur im Interregnum*, den er später verschämt verleugnete, weil er die Vatermordabsichten dieser zur Brüderhorde versammelten Söhne allzu unverblümt artikulierte. Die eigene Zeit deutete Richter als Zwischenreich eines »Umbruchs zwischen der liberalistischen, bürgerlichen Welt von gestern und der heraufkommenden sozialistischen, proletarischen Welt von morgen«. Dann erfolgte die kompromißlose Absage an die kalligraphische Dichtung der ›Inneren Emigration‹, an die überlebte Exilliteratur, an den Realismus des 19. Jahrhunderts und der modernen Amerikaner und an die bürgerlichen Kunstideale der Verinnerlichung und der Weltflucht. Schließlich definierte Richter einen neuen zeitgemäßen literarischen Realismusbegriff und übertrug der jungen »Generation von Heimkehrern«, an denen sich der Fluch der bürgerlichen Väter schrecklich erfüllt habe, die säkulare Aufgabe, mit einer »literarischen Revolution« der proletarischen Welt von morgen den Weg zu bahnen.

Hier wird wahrlich »reiner Tisch« gemacht, vergleichbar nur mit Sartres Figur des Elternmörders und Beginners Orest (*Die Fliegen*), mit dem diese junge Generation sich noch im gleichen Jahr identifizieren konnte. Die »Gruppe 47« lebte fortan von dem dreifachen utopischen Gehalt des »Stunde Null«-Begriffs, von seinem Ursprungsmythos, von seiner Erinnerung an die christliche »Zeitenwende« und von seiner Vorstellung, daß auch in der Geschichte auf das Ende der Nacht immer wieder ein neuer Morgen folgt. Je mehr in Gesellschaft und Staat der Bundesrepublik die restaurativen Tendenzen sich durchsetzten, desto demonstrativer hielt diese Gruppe an den unverwirklichten Möglichkeiten einer imaginären »Stunde Null« fest. Sie wurde die westdeutsche Gewissensinstanz für alle Versäumnisse und Fehlentwicklungen, die man den ungenutzten Nachkriegsjahren anlasten konnte. Als diese Defizite in den sechziger Jahren endlich aktiv eingeklagt wurden, da hatte sich auch die »Gruppe 47« überlebt. Eine neue »junge Generation« erschien und probte ihre eigenen Anfänge und Aufbrüche.

JOHANNES R. BECHER

Zeitenschlag

Wohlan, ihr Deutschen, laßt euch sagen,
Die Uhr hat eben elf geschlagen.

Noch eine Stunde – überlegt! –,
Dann ist es, daß es zwölf Uhr schlägt!

Noch eine Stunde! Nützt die Frist,
Die euch so kurz bemessen ist!

Noch eine Stunde – und zu Ende
Ist eine Zeit. Es naht die Wende.

Noch eine Stunde! Prüft euch gut,
Wofür gab Deutschland all sein Blut?

Noch eine Stunde – fragt euch still,
Was jeder von euch künftig will!

Noch eine Stunde! Geht zu Rat
Mit euch! Macht euch bereit zur Tat!

Noch eine Stunde! Macht bereit
Euch alle für die neue Zeit!

Noch eine Stunde! Dann erwacht
Das deutsche Volk um Mitternacht!

Wohlan, ihr Deutschen, laßt euch sagen,
Die Uhr hat eben elf geschlagen.

Noch eine Stunde – überlegt! –,
Dann ist es, daß es zwölf Uhr schlägt!

Dann werden von den Türmen allen
Zwölf dumpfe Glockenschläge fallen,

Dann gellt ein Ruf: »Es werde Licht!«
Und es beginnt ein Volksgericht!

Und keine Schuld bleibt unvergessen,
So wird gewogen und gemessen.

Es tritt, befreit von Acht und Bann,
Die Freiheit ihre Herrschaft an.

Es rückt der Zeiger tagwärts vor,
Noch immer dröhnt ein Glockenchor –

Zu Ende ist der Krieg, zu Ende
Im Zeichen einer Zeitenwende.

So dämmert über Sterbensnot
Herauf ein deutsches Morgenrot . . .

Wohlan, ihr Deutschen, laßt euch sagen,
Die Uhr hat eben elf geschlagen.

Noch eine Stunde – überlegt! –,
Dann ist es, daß es zwölf Uhr schlägt . . .

THOMAS MANN

Deutsche Hörer!

10. Mai 1945

Deutsche Hörer!

Wie bitter ist es, wenn der Jubel der Welt der Niederlage, der tiefsten Demütigung des eigenen Landes gilt! Wie zeigt sich darin noch einmal schrecklich der Abgrund, der sich zwischen Deutschland, dem Land unserer Väter und Meister, und der gesitteten Welt aufgetan hatte!

Die Sieges-, die Friedensglocken dröhnen, die Gläser klingen, Umarmungen und Glückwünsche ringsum. Der Deutsche aber, dem von den Allerunberufensten einst sein Deutschtum abgesprochen wurde, der sein grauenvoll gewordenes Land meiden und sich unter freundlicheren Zonen ein neues Leben bauen mußte, – er senkt das Haupt in der weltweiten Freude; das Herz krampft sich ihm zusammen bei dem Gedanken, was sie für Deutschland bedeutet, durch welche dunklen Tage, welche Jahre der Unmacht zur Selbstbesinnung und abbüßender Erniedrigung es nach allem, was es schon gelitten hat, wird gehen müssen.

Und dennoch, die Stunde ist groß – nicht nur für die Siegerwelt, auch für Deutschland, – die Stunde, wo der Drache zur Strecke gebracht ist, das wüste und krankhafte Ungeheuer, Nationalsozialismus genannt, verröchelt und Deutschland von dem Fluch wenigstens befreit ist, das Land Hitlers zu heißen. Wenn es sich selbst hätte befreien können, früher, als noch Zeit dazu war, oder selbst spät, noch im letzten Augenblick; wenn es selbst mit Glockenklang und Beethoven'scher Musik seine Befreiung, seine Rückkehr zur Menschheit hätte feiern können, anstatt daß nun das Ende des Hitlertums zugleich der völlige Zusammenbruch Deutschlands ist, – freilich, das wäre besser, wäre das Allerwünschenswerteste gewesen. Es konnte wohl nicht

sein. Die Befreiung mußte von außen kommen; und vor
allem, meine ich, solltet ihr Deutsche sie nun als Leistung
anerkennen, sie nicht nur als das Ergebnis mechanischer
Übermacht an Menschen und Material erklären und nicht
sagen: »Zehn gegen einen, das gilt nicht«. Deutschland zu
besiegen, das allein mit aller Gründlichkeit den Krieg vorbereitet hatte, war auch im Zweifrontenkrieg eine Riesen-
aufgabe. Die Wehrmacht stand vor Moskau und an der
Grenze Ägyptens. Der europäische Kontinent war in deutscher Gewalt. Es gab scheinbar gar keine Möglichkeit, kein
Terrain, keinen Ansatzpunkt zur Bezwingung dieser unan-
greifbar verschanzten Macht. Der russische Marsch von Stalingrad nach Berlin, die kriegsgeschichtlich völlig neue und
nicht für möglich gehaltene Landung der Angelsachsen in
Frankreich am 6. Juni 1944 und ihr Zug zur Elbe waren
militärisch-technische Bravourleistungen, denen deutsche
Kriegskunst kaum etwas Ebenbürtiges an die Seite zu stellen hat. Deutschland ist wahrlich, wenn auch unter un-
geheuren Opfern, nach allen Regeln der Kunst geschlagen
worden und die militärische Unübertrefflichkeit Deutschlands als Legende erwiesen. Für das deutsche Denken,
das deutsche Verhältnis zur Welt ist das wichtig. Es
wird unserer Bescheidenheit zustatten kommen, den Wahn deutschen Übermenschentums zerstören helfen. Wir werden
nicht mehr von den »militärischen Idioten« dort drüben
sprechen.

Möge die Niederholung der Parteifahne, die aller Welt
ein Ekel und Schrecken war, auch die innere Absage bedeuten an den Größenwahn, die Überheblichkeit über andere
Völker, den provinziellen und weltfremden Dünkel, dessen
krassester, unleidlichster Ausdruck der Nationalsozialismus
war. Möge das Streichen der Hakenkreuzflagge die wirkliche, radikale und unverbrüchliche Trennung alles deutschen
Denkens und Fühlens von der nazistischen Hintertreppen-
Philosophie bedeuten, ihre Abschwörung auf immer. Man
muß hoffen, daß das Mitglied des deutschen Kapitulations-

Komitees, Graf Schwerin-Krosigk, nicht nur dem Sieger zum Munde reden wollte, als er erklärte, Recht und Gerechtigkeit müßten fortan das oberste Gesetz deutschen nationalen Lebens sein und Achtung vor Verträgen die Grundlage internationaler Beziehungen. Das war eine indirekte und allzu schonende Verleugnung der moralischen Barbarei, in der Deutschland länger als zwölf Jahre gelebt hat. Man hätte sich eine direktere, ausdrucksvollere gewünscht; aber der Fluch, den das deutsche Volk heute, wie ich glaube, gegen seine Verderber im Herzen trägt, klingt doch wenigstens darin an.

Ich sage: es ist trotz allem eine große Stunde, die Rückkehr Deutschlands zur Menschlichkeit. Sie ist hart und traurig, weil Deutschland sie nicht aus eigener Kraft herbeiführen konnte. Furchtbarer, schwer zu tilgender Schaden ist dem deutschen Namen zugefügt worden, und die Macht ist verspielt. Aber Macht ist nicht alles, sie ist nicht einmal die Hauptsache, und nie war deutsche Würde eine bloße Sache der Macht. Deutsch war es einmal und mag es wieder werden, der Macht Achtung, Bewunderung abzugewinnen durch den menschlichen Beitrag, den freien Geist.

HORST KRÜGER

Das zerbrochene Haus

Etwas Nebel und Feuchtigkeit steigt jetzt schon vom Boden auf. Es ist kaum fünf Uhr und schon fast wieder Dämmerung. Irgendwo in der Ferne tuckert ein Maschinengewehr. Glitschiger, lehmiger Boden, in den ich einsinke. Gleich neben der Schulruine liegt unser Bunker. So etwas Ähnliches wie ein Kompaniegefechtsstand ist hier für die Kampf-

gruppe Grasmehl improvisiert. In einer Hausruine, deren
Zimmerwände nackt in den Himmel stehen, eine Art
Schreibstube. Zwei Feldwebel hocken hier herum, kurbeln
nervös an einem Feldtelefon: »Hören Sie uns? Hier Kampfgruppe Grasmehl! Hallo, ist da die Division?« Ich gebe
mein Zeug ab und versuche mich in so etwas Ähnlichem
wie einer Ehrenbezeigung. Mir gelang das nie richtig solda-
tisch, aber die beiden am Telefon nehmen das jetzt nicht
mehr so ernst. Sie sagen: »Na gut, hau schon ab!« Sagen es
wie zu einem Hund. Übersehen meine miserable Zivilisten-
manier. Das ist ein deutliches Zeichen: Wenn deutsche Feldwebel menschlich werden, dann ist allemal ein Weltkrieg
verloren.

Draußen hinter dem Haus plötzlich das große Erschrek-
ken. Ich habe es bis heute nicht vergessen, ich werde es nie
vergessen. Da steht Hermann Suhren vor einer Mauer und
sieht aus fast wie Jesus. Sie haben ihm das Koppelschloß
abgenommen, seinen Obergefreitenwinkel heruntergeris-
sen, um die Augen haben sie ihm ein weißes Tuch gebunden. Er sieht wie ein Verwundeter aus, der gerade am Kopf
verbunden wurde, und er war auch verwundet worden; vor
einem Jahr in Cassino, zusammen mit mir, auch Ostern,
Ostern 44, waren wir beide bei dem Sturm auf die Höhe
503 gleich unter dem Kloster verwundet worden. Wir hatten uns im Lazarett in Bozen wiedergesehen, und dann,
in Deutschland, waren wir Freunde geworden. Von Bran-
denburg aus waren wir vor einer Woche zusammen hier-
hergekommen. Hermann war Uhrmacher, stammte hier
irgendwo aus der westfälischen Erde, war auf jene dumpfe
und treue Art katholisch, wie Jungens aus Westfalen es
öfters sind, und war so gefeit gegen den verbissenen Fana-
tismus der Endsieger. »Kerle«, sagte er öfters zu mir, »wenn
das mal schiefgeht – o Gott, o Gott!«

Jetzt erschießen sie ihn. Ein Fallschirmjäger-Leutnant
steht zwanzig Meter vor ihm, zwei Unteroffiziere neben
ihm. Der Leutnant hat seine Maschinenpistole über Schulter

und Hüfte gespannt. Ich kenne ihn gar nicht, habe ihn nie gesehen, er sieht schlank und blond und drahtig wie alle Leutnants der Welt aus, und während ich noch dazwischenstürzen will: Hermann, was ist, was machen sie mit dir, das ist doch unmöglich, das muß doch ein Irrtum sein, höre ich plötzlich die Maschinenpistole hell loskläffen, ein irrer Feuerstoß, nur fünf oder sechs Schüsse, ganz kurz, ganz knapp und genau gezielt, und ich sehe, wie Hermann Suhren an der Wand lautlos zusammensackt. Er fällt wie ein Mehlsack langsam nach vorn, krümmt sich zusammen, stürzt mit dem Kopf zuerst in den Lehm, klatscht auf, gibt keinen Ton von sich. Ich kenne das: Kugeln sind eine schmerzlose Art zu sterben. Du spürst nur einen dumpfen Schlag, nicht mehr.

Später erfuhr ich einige Zusammenhänge. Er war aus seinem Loch davongekrochen, war schon einen halben Tag nicht auf seinem Posten gefunden worden, war hier hinter dieser Hausruine verschwunden. Ich weiß bis heute nicht, ob er nur einfach Schutz suchte, vernünftigen soldatischen Schutz vor dem Orkan von Eisen, der auf uns niederging, oder ob er nicht mehr kämpfen wollte. Sein Heimatdorf war ja nicht weit. Damals war schon alles kurz vor der Auflösung, der Krieg ein nahendes Chaos, ein Wirrwarr von lauter Einzelnen, Versprengten, Rückzüglern und Durchhalteposten. Immer noch kämpften einige verbissen, immer noch glaubten manche an den Sieg, und dazwischen suchte jeder seine Haut zu retten. Aber einer hatte ihn erwischt. Einer von diesen blonden, nordischen Göttern, die der Krieg geboren und emporgetragen hatte, hatte ihn in der Hausruine, etwa dreihundert Meter hinter der Front, schlafend erwischt, hatte daraus einen Fall von unerlaubter Entfernung von der Truppe gemacht, einen Fall von Feigheit vor dem Feinde, einen Fall von Fahnenflucht, und machte mit ihm nun kurzen Prozeß. Das war erlaubt. Es gab damals solche Befehle, irre Befehle des finsteren Mannes in Berlin, um die Manneszucht und Kampfmoral der Truppe intakt zu halten. Die Sache war damals fast legal: jeder Offizier konnte damals jeden Soldaten, der flüchtete, auf der Stelle erschießen.

Für mich aber war es die Stunde, wo ich erwachte, wo ich aufschreckte aus vierjährigem Soldatenschlaf, wo ich sagte: Es ist aus, es ist Schluß, du bleibst keinen Tag mehr in diesem Volk. Es war meine Sekunde der Wahrheit. Es war plötzlich nur Wut und Haß und Protest in mir: Hermann, jetzt haben sie dich umgebracht, dich aus Cassino, dich aus Westfalen, sie haben Millionen Menschen erschossen, wir alle haben geschossen, unsere Hände sind alle voll Blut. Europa ist ein Blutbad, die Festung Europa ein Schlachthaus; so langsam werden hier alle von allen erschossen. Der Krieg ist ein abscheuliches, sinnloses Gemetzel geworden, so abscheulich wie unsere deutsche Mythologie: blutende Walstatt, König Etzels Tod und Kriemhild und Siegfried und Trauer über Walhall. Ach, dieses Volk, dem ich zugehöre. Was ist mit diesem Volk, das sich so blutig hinschlachten läßt, das noch seine eigenen Leute in letzter Minute erschießt und erstickt, ermordet und erschlägt? Ich hasse dieses Volk der Nibelungentreue mit dem Zug zur heroischen Größe, mit dem finsteren Richard-Wagner-Gesicht, diese Mörderbande, diese Schlächtergesellen, die hier auf der Bühne der Geschichte, als Generäle und Kriegsgerichtsräte verkleidet, uralte deutsche Nibelungensage spielen, Götterdämmerung bei Lünen. Ich will kein Deutscher mehr sein. Ich will dieses Volk verlassen. Ich gehe rüber.

Ich weiß, das Ganze klingt wenig ruhmvoll. Es ist fünf Minuten vor zwölf. Das Reich bricht wie ein alter Schrank auseinander, es hat nur siebzig Jahre gehalten. Sie haben es in Jalta längst aufgeteilt. In Berlin tragen die mächtigen Männer seit Wochen die kleinen Ampullen bei sich, auf die sie beißen werden, wenn sie nach ihrem Höllengalopp durch die Geschichte am Ziel sind. In vier Wochen werden sie beißen. In diesem Augenblick, wo überall der Spuk verschwindet, wo selbst Blinde wieder sehend werden, kommst du rüber, du, ein kleiner Obergefreiter der Wehrmacht, fünfundzwanzig Jahre alt, einer aus zwanzig Millionen Uniformierten, und trittst mutterseelenallein vor die Vereinigten Staaten von Nordamerika und sagst: Ich will nicht mehr, ich kann nicht mehr. Ich komme aus Haß gegen Hitler und aus Wut und Verzweiflung über mein Volk. Diese verdammte deutsche Treue! Ich weiß, diese Pose kommt etwas zu spät, riecht fast schon nach Anbiederung. Das geht nicht mehr. Du solltest mit ihnen untergehen. Sie werden nur grinsen und sagen: Seht sie euch an, diese Deutschen, jetzt kommen sie einzeln angekrochen und wollen schon immer dagegen gewesen sein. Ein ekelhaftes Volk von Untertanen. Jetzt, wo der Antifaschismus zu Schleuderpreisen auf den Märkten der Welt feilgeboten wird, verraten sie ihre eigene Sache. Ein ekelhafter Fall von Verrat.

Ich bin damals doch rübergegangen. Ich war nur von Haß erfüllt, war aufgeschreckt aus der Lethargie meines Landserlebens, war hellwach und sagte mir: Jetzt muß etwas geschehen. Jetzt mußt du handeln. Jetzt darfst du nicht mehr mitmachen. Ich kroch in mein Loch zurück, es war schon dunkel geworden am Dortmund-Ems-Kanal, ich glitschte richtig rein in die Lehmkuhle, ließ mich fallen, griff zum Karabiner, legte ihn schußbereit hin, wollte ja schießen, es war eine sinnlose Handlung, wir saßen da wie Pappkameraden und hatten schon seit zwei Tagen keine Gewehrmunition mehr. Manchmal, wenn die von drüben Leuchtmunition schossen, wurde es plötzlich strahlend hell, und alles sah für wenige Sekunden wie ein Schlachtfeld bei einer Shakespeare-Aufführung aus: *Macbeth* in Gießen oder Bad Kissingen. Warum haben Weltuntergänge immer diesen Anstrich von richtigen Provinzinszenierungen? Ist die Weltgeschichte im Grunde eine Puccini-Oper?

Im Loch neben mir hockte jetzt ein Neuer. Ein junger Kerl, Anfang Zwanzig, intelligentes Bauerngesicht, schwarzer Haarschopf, den ich plötzlich sehe, als er mitten im Feuer seinen Stahlhelm abnimmt. Ist er irr? Mitten im Krepieren der Granaten hat er einen winzigen Taschenspiegel

vor sich aufgebaut, holt aus seiner Hose einen Kamm,
macht ihn mit Spucke naß und beginnt, sich seine Haare zu
frisieren, interessiert sich nur für seinen geraden Scheitel,
fummelt an sich herum wie ein Tangojüngling im Bad, bevor er des Abends groß ausgeht. Ein richtiger Narziß im
deutschen Endkampf. Mein Gott, setz doch den Helm endlich auf, hier fliegen Granatsplitter herum wie Mücken im
Herbst am Wannsee, laß doch deine Visage, die kommen
hier sowieso bald runter, hör auf mit dieser schlechten Pla-
tenszene im Schützengraben: Eros und Thanatos, deutscher
Jüngling schmückt sich gelassen zum Tod, Böcklinmotiv
oder Feuerbach. Das ist ja wieder so eine gräßliche Puccini-
Idee aus der deutschen Bürgerromantik: Schönheit und Tod
sind Zwillingsbrüder. Wieder dieser Provinzgeschmack im
deutschen Untergang. Der Herr da oben, der das Ganze
nach Hegel doch leiten soll, muß ja ein seltsamer Mann sein:
ein richtiger Striese auf seinem göttlichen Thron. Abscheuli-
che Schmiere – die Weltgeschichte.

    Aber dann weiß ich plötzlich: Der ist richtig, der genau.
Dem kann die Reich doch auch nicht so wichtig sein. Und
während jetzt die Abendverpflegung verteilt wird, wir im
Dunkeln nach Wurst und Bier und Marmelade tasten, beuge
ich mich zu ihm rüber und sage so im Kauen beiläufig:
»Heute nacht hau' ich ab. Kommst du mit?« Ich bin nie ein
guter Soldat gewesen, aber ich weiß, daß man solche Grenz-
gänge nicht allein unternehmen darf. Man muß das zu zweit
machen. Man kann sich dann helfen. Allein ist man immer
verloren. Und der drüben sieht mich etwas grinsend und
ungläubig an, hat längst den Helm wieder aufgesetzt und
fragt erstaunt: »Mensch, so einfach rüber? Zu den Amis?
Bist du verrückt?« – »Ja«, sage ich, »heute nacht. Wenn du
willst, kannst du mitkommen.« Der andere brummte etwas
vor sich hin, das man so oder so auslegen konnte. Im Augenblick schien ihn die Wurst mehr zu interessieren. Es gibt
eherne Regeln im Kriege, taktische Regeln, auf die man sich
immer verlassen kann, und zu ihnen gehört, daß auch das

schlimmste Trommelfeuer bald nach Mitternacht eingestellt wird. Bis zum Morgengrauen hat man dann Ruhe. Die Helden wollen dann schlafen. Als die Leuchtziffern meiner Armbanduhr genau drei zeigten, kletterte ich aus meinem Loch, nahm mein Zeug lautlos zusammen, stieß ihn mit dem Fuß an und flüsterte: »Los, komm mit!« Und der andere erhebt sich wie im Traum, vielleicht hat er geschlafen, und kriecht mir nach. Seltsam, denke ich, wenn man sie nur richtig stößt und »los« sagt, folgen sie dir bis ans Ende der Welt.

Wir arbeiten uns langsam wie Raubtiere im Urwald Meter für Meter zum Kanalufer vor. Vorn ist eine Brücke, ein schmaler, eiserner Viadukt, der längst gesprengt ist, die schwarzen Träger sind in den Kanal gestürzt. Von unserer Seite aus kann man sich da hinunterhangeln. In der Dunkelheit ist nicht mehr als ein geborstener Pfeiler und diese verrutschte Stahlschiene zu sehen, die unten irgendwo im Wasser enden muß. Das wird man ja sehen. Das Ganze hat etwas vom Urwald. Mit unseren Armen hängen wir jetzt wie Affen an diesem schwarzen, glitschigen Träger, krallen uns an den Seiten fest und hangeln uns hinunter. Nun ade, du mein lieb' Heimatland – hatte ich das nicht einmal in der Schule gelernt?

Plötzlich höre ich ein Platschen und Klatschen, ich spüre Wasser, lasse mich fallen, stehe bis zum Koppelschloß im Wasser, aber nicht tiefer, ein Glucksen und Rauschen um mich. Mein Gott, wir verraten uns. Das muß ja hier jeder hören. Man hatte es gehört. Es gab plötzlich Feuer, ein Maschinengewehr von unserer Seite, einige Karabiner bellten kurz auf. Dann wurde es wieder ruhig. Es war wohl eine Routinereaktion der Wachen. So standen wir eine kleine Ewigkeit im Wasser, wagten uns nicht zu bewegen, zitterten vor Kälte und Angst. Mein Gott, wenn die uns jetzt erwischen! Du hast nicht einmal mehr Munition, um zurückzuschießen. Aber nein, die kriegen dich nicht. Du wirst lieber untergehen, ertrinken oder ihnen die Waffe aus der Hand reißen, ihnen mit dem Gewehrkolben ins Gesicht schlagen und dich selber erschießen. Lebend bekommt ihr mich nicht mehr, ihr Herren. Es ist aus. Ich habe mich entschieden. Ich will lieber tot sein als noch länger deutscher Soldat. Die Brücke ist eingestürzt, ich stehe schon tief im Wasser, ich schwimme gen Westen, nun ade – ich gehe zum Feind.

Osternacht am Dortmund-Ems-Kanal. Das Wasser schlägt hoch und gluckst manchmal aus den Schaftstiefeln in Blasen empor. Der Herr ist auferstanden, wahrlich, er ist auferstanden. Sie haben Hermann erschossen, alle werden jetzt erschossen, ich will nicht mehr, ich kann nicht mehr, ich war einmal ein Soldat, ich war einmal ein Student, ich war einmal ein Sohn aus Berlin, auf den seine Eltern Hoffnungen setzten. In Berlin haust jetzt der finstere Mann und läßt alles verbrennen. Er wird sich zum Schluß selber verbrennen. Wir sind in die Mühlen der Geschichte geraten, wir Bürgerkinder aus Hamburg und Breslau, wir deutschen Söhne, jeder von uns wird jetzt für sich gemahlen, wie tausend Körner, wir werden zerstampft und in den Kuchen der Geschichte gerührt. Jetzt rühren die anderen Völker den Kuchen: die Amerikaner und die Russen, die Engländer und die Franzosen, und die Deutschen werden zerstampft. Gott sei Dank: Es ist aus mit den Deutschen in der Geschichte. Ich habe mein Volk verlassen. Ich bin frei.

Und dann plötzlich, es war wohl mehr als eine Stunde vergangen, standen wir tatsächlich drüben am anderen Ufer. Wir standen in Feindesland. Ich war fünfundzwanzig, triefte von Wasser, zitterte vor Kälte und Angst und stand zum erstenmal auf deutschem Boden ohne Hitler. Deutscher Boden ohne Hitler? Sieh ihn dir an, diesen dunklen, vom Winter verwaschenen Grasboden an deinen Füßen, sieh dir das an, diese wenigen Quadratmeter westfälischer Erde, Feindesland, das gibt es, die gehören ihm nicht mehr, der Grund, auf dem du jetzt stehst, auf dem gibt es keine SS und keine Kriegsgerichtsräte mehr. Deutscher Boden ohne Hitler, freies Deutschland im Dunkel der Nacht, daß es so

etwas überhaupt geben kann? Deine ganze Jugend ist rück-
gängig gemacht; daß man ihm Deutschland entreißen kann,
daß es das gibt. Wirf dich nieder, küsse den Boden, sage: Er
ist auferstanden. Jürgen, respondiere: Wahrlich, er ist auferstanden.

Wir warfen uns nicht zu Boden, wir küßten die Erde nicht,
aber ich weiß, daß ich zu Jürgen sagte: »Los, schmeiß das
jetzt weg!« Und wir nahmen unsere Karabiner und unsere
Stahlhelme, unsere Seitengewehre und Gasmasken und ließen sie auf den Boden fallen, der frei von Hitler war. Ich war
vierzehn Jahre, als Hitler zur Macht kam, ich kannte nur dieses Reich, sein Reich, unser Reich, ich kannte nur Haß und
Krieg und daß wir uns alle bis zum letzten aufopfern müßten. Ich hatte immer nur gehört, daß draußen die Juden, die
Bolschewisten, die Plutokraten herrschten, alles Feinde, alles
Wilde, alles Untermenschen, die unser armes, stolzes Land
zertreten, vernichten wollten. Ich hatte nie einen Amerikaner oder einen Russen gesehen. Ich wußte eigentlich gar
nicht, zu wem ich überlief und was mich da wohl erwarten
würde. Ich wußte nur: Hier ist zum erstenmal Deutschland
ohne Hitler, hier ist Erde, die er nicht mehr beherrscht. Seine
Macht ist gebrochen. Diese Erde ist gut.

Also kein Ostergruß, kein Osterdank, aber doch wohl so
etwas wie ein kindlicher Freudentanz: Mensch, Jürgen, wir
haben es geschafft! Wir sind frei, wir sind keine Soldaten
mehr, der Krieg ist aus! Weißt du, was das heißt: Der Krieg
ist aus? Der Krieg ist wie eine schwarze, giftige Wolke, die
über die Völker kommt, sie lähmt, sie blendet, man kann
sich nicht wehren. Aber jetzt haben wir uns gewehrt, wir
sind ausgebrochen aus diesem Zirkel des Todes, haben dem
Völkerschicksal ein Schnippchen geschlagen. Wir konnten
diesen Krieg nicht verhindern, gewiß nicht, aber wir haben
ihn doch beenden können. Wir allein. Das ist unsere Leistung, unsere Tat. Heute nacht, in der Osternacht 45, wurde
der Krieg zwischen Deutschland und der Welt beendet, und
wir beide haben es getan.

ERNST JANDL

1944 1945

krieg krieg
krieg krieg
krieg krieg
krieg krieg
krieg mai
krieg
krieg
krieg
krieg
krieg
krieg
krieg

(markierung einer wende)

WOLFGANG KOEPPEN

Der Tod in Rom

Er stützte sein Gesicht in die Hände. Er hatte mir das Ende
der Ordensschule erzählt, das Ende der nationalsozialistischen Erziehungsburg, in der sie uns schmoren ließen, aus
der sie ihren Führernachwuchs holen wollten. Wir hatten
schon immer mit Handgranaten geschmissen, mit Übungs-
handgranaten, die mit einem spitzen Knall und einer spitzen kleinen Flamme auf der Schulwiese explodierten, und
dann hatte man ihnen richtige Handgranaten an das Wehr-
gehenk gegeben, aber es waren nicht genug Granaten für
alle Kinder da, und es wurden alte unzuverlässig gewordene
Beutehandgranaten griechischer Herkunft hinzugenom-
men, und einem Jungen hatte eine Granate den Leib zer-
fetzt, weil die Abzugschnur sich um seinen Schulterriemen
gewunden und sich beim Gehen gelöst hatte, so erklärten
die Erzieher den Unfall, und die Erzieher hatten ihnen dann
Gewehre gegeben, Beutegewehre aus Siegestagen mit ver-
rosteten Läufen, und sie sollten zusammen mit den alten
Männern des Volkssturms den Adlerhorst verteidigen, das
Refugium der geschlagenen und noch immer blutdürstigen
Götter, aber die Götter fraßen zum Glück einander und
verloren den Kopf, bevor sie tot waren, und die alten Männer des Volkssturms verdrückten sich in den Wald und
in die Berge, oder sie versteckten sich in Heumieten und
Kartoffelkellern, und die forschen Erzieher huschten wie
Mäuse umher, denn nun sollten sie für den Speck zahlen,
den sie gegessen hatten, nun saßen sie in der Falle, saßen
im Netz des Käfigs, den sie Masche für Masche mitgefloch-
ten hatten, und dann hieß es, es gehe noch ein Zug, und die
Erzieher schickten die Kinder nach Hause, ohne Gewehr,
ohne Handgranaten, aber in der braunen Schuluniform, und
das Zuhause war nicht mehr zu erreichen, das Zuhause war

eine Erinnerung. Der Zug kam nicht weit. Er wurde von
Tieffliegern beschossen. Wie wütende Hornissen stachen
die Flieger mit Schußgarben durch splitterndes Glas, Blech
und Holz der Abteile. Adolf war unverletzt. Aber der Zug
blieb auf der Strecke, ein regloser zur Strecke gebrachter
Wurm. Die Kinder gingen zu Fuß den Bahndamm weiter,
dem Schotter nach, sie stolperten über die Schwellen, und
dann trafen sie den anderen Zug, es war ein Konzentrationslager, das verladen und auf dem Gleis liegengeblieben
war. Gerippe guckten die Kinder an. Tote guckten sie an.
Die Kinder in der Uniform der Parteischule fürchteten sich.
Aber eigentlich wußten sie nicht, warum sie sich fürchteten.
Sie waren doch deutsche Kinder! Sie waren sogar auser-
wählte Kinder! Aber sie flüsterten nun: »Das sind Kazett-
ler!« Und sie flüsterten: »Das sind Juden!« Und die Kinder
sahen sich um und flüsterten: »Wo sind die Unsern, wo ist
die Wachmannschaft?« Aber es war keine Wachmannschaft
mehr da, und der Zug stand zwischen Wald und Wiese, es
war ein Frühlingstag, die ersten Blumen blühten, die ersten
Falter schwirrten, die Kinder in braunen Jacken standen
allein den Häftlingen im blauweißen Sträflingskleid gegenüber, und die Gerippe und die Toten schauten aus tieflie-
genden Augenhöhlen wie durch die Parteijunker hindurch,
und denen war es auf einmal, als ob sie selbst keine Skelette
mehr hätten, kein Knochengerüst, als ob sie nur noch eine
braune Parteijacke seien, die durch bösen Zauber in der
Frühlingsluft hing. Die Kinder liefen vom Bahnkörper hinunter in den Wald. Sie blieben nicht beisammen. Sie zer-
streuten sich. Sie gingen grußlos auseinander. Kein Arm
wurde gereckt, kein »Heil Hitler« geschrien. Und Adolf
setzte sich vor ein Gebüsch ins Gras, denn er wußte nicht,
wohin er gehen sollte. In dem Gebüsch hatte sich aber ein
Gespenst versteckt, und das Gespenst beobachtete Adolf.
Das Gespenst war genau so alt wie Adolf, aber es hatte
nur die Hälfte von Adolfs Gewicht. Adolf weinte. Immer
hatte man ihm verboten zu weinen. »Ein deutscher Junge

weint nicht«, sprachen die Eltern und Erzieher. Jetzt weinte Adolf. Er wußte aber nicht, warum er weinte. Vielleicht weinte er, weil er zum erstenmal allein war, und weil niemand da war, der zu ihm sagen konnte: »Ein deutscher Junge weint nicht.« Doch als das Gespenst Adolf weinen sah, nahm das Gespenst den Knüppel, der neben ihm lag, und kam aus dem Gebüsch, eine schlotternde Gestalt, ein ausgemergelter Leib, eine verprügelte Haut, ein kahlgeschorener Kinderschädel, ein Totenantlitz, und das Gespenst in seiner blauweißgestreiften Zwangsjacke hob den Knüppel, und seine Nase stand groß und knochig in dem Hungertodgesicht, und Adolf Judejahn erblickte das *Stürmer*-Bild und sah zum erstenmal einen lebenden Juden, wenn der Jude auch kaum noch am Leben war, und das Gespenst, den Knüppel erhoben in der zitternden Hand, schrie nach Brot. Adolf öffnete seinen Rucksack, er hatte Brot und Wurst und Margarine, sie hatten Marschverpflegung bekommen und seltsamerweise ein Pfund Mandeln, weil Mandeln gerade da waren, und Adolf reichte die Verpflegung dem Gespenst, das den Rucksack an sich riß und sich in einiger Entfernung von Adolf niedersetzte und die Wurst und das Brot in großen Stücken in sich hineinstopfte. Adolf sah ihm zu. Er dachte nichts. Er dachte gar nichts. Es war eine absolute Leere in seinem Kopf, es war so, als ob alles, was er bisher gedacht und gelernt hatte, nun ausgeräumt war, um vielleicht einem neuen Denken, einer neuen Lehre Platz zu machen, aber das wußte man noch nicht. Und vorerst war sein Kopf nur leer, ein leerer Luftballon, der schlapp über dem Gras hing. Und das Gespenst, das sah, wie Adolf ihn ansah, warf ihm von der Wurst und vom Brot zu und rief: »Iß auch! Es reicht für uns beide!« Und Adolf aß, ohne Hunger und ohne daß es ihm schmeckte, aber auch ohne Ekel. Als er Adolf essen sah, kam der andere näher. Er setzte sich zu Adolf. Die Mandeln aßen sie zusammen. Die Tüte mit den Mandeln lag zwischen ihnen, und sie langten beide mit etwas abwesenden Bewegungen in die Tüte. »Jetzt kom-

men die Amerikaner«, sagte der jüdische Junge. »Wo willst
du hin?« fragte er. »Ich weiß nicht«, sagte Adolf. »Bist du
Nazi?« fragte der jüdische Junge. »Mein Vater«, sagte
Adolf. »Meine Leute sind tot«, sagte der jüdische Junge.
Und da dachte Adolf, daß auch sein Vater tot sein würde, er
mußte tot sein; aber es sagte ihm nichts, daß sein Vater tot
war. Wenn er weinte, dann weinte er um sich, oder nicht
einmal um sich, er wußte nicht, warum er weinte, vielleicht
weinte er um die Welt, aber er weinte nicht um seinen Vater.
Hatte er ihn nicht geliebt? Er wußte es nicht. Hatte er ihn
gehaßt? Er glaubte es nicht. Er sah ihn nur als Bild, als das
parteioffiziöse Wandbild – es sagte ihm nichts. Der jüdische
Junge erbrach sich. Er gab die Wurst und das Brot und die
Margarine wieder von sich. Er gab auch die Mandeln wieder von sich. Er klapperte mit den Zähnen, und es war, als
klapperten alle seine durch die bleiche Haut drängenden
Knochen. Adolf zog seine braune Parteijacke aus und legte
sie über den Jungen. Er wußte nicht, warum er es tat. Er tat
es nicht aus Mitleid. Er tat es nicht aus Liebe. Nicht einmal
aus Scham deckte er den Jungen zu. Er tat es einfach, weil
der andere zu frieren schien. Nachher tauschten sie ihre Jak-
ken. Adolf zog die blauweißgestreifte Sträflingsjacke mit
dem Judenstern an. Das berührte ihn. Sein Herz schlug so,
daß er den Schlag in den Adern spürte. Die Jacke brannte. Er fühlte es. Später hörten sie auf der Chaussee ein Rollen. »Panzer«, sagte Adolf. »Die Amerikaner«, flüsterte der
Junge. Ihm war das Leben geschenkt, aber er war zu
schwach, um zu den Panzern zu kriechen. Und Adolf? War
ihm das Leben genommen, zerbrach es der Heerbann, der
da rollend und ratternd durch deutsches Land zog? Die
Jungen legten sich in das Laub und deckten sich mit Zweigen zu. Sie lagen beieinander und wärmten einander in dieser Nacht. Am Morgen gingen sie in das Dorf. Der junge
Jude suchte die Amerikaner. Er sagte: »Komm mit!« Aber
Adolf ging nicht mit ihm; er suchte nicht die Amerikaner.
Adolf wanderte durch das Dorf. Man starrte ihn an, einen

Jungen in schwarzer Militärhose mit roter Biese, mit soldatischem Haarschnitt und in einer Zuchthäuslerjacke. Er setzte sich in die Dorfkirche. Er setzte sich in die Dorfkirche, weil ihr Tor offenstand, und weil sonst kein Tor offenstand, und weil er müde war, und weil er nicht wußte, wohin er gehörte. So fand ihn der Priester. Er fand ihn schlafend. War es Berufung? Hatte Gott ihn gerufen? Am Sonntag predigte der Priester: »Wahrlich, wahrlich, ich sage euch, wer mein Wort hört und dem glaubt, der mich gesandt hat, der hat das ewige Leben und kommt nicht ins Gericht, sondern ist schon vom Tod zum Leben übergegangen. Wahrlich, wahrlich, ich sage euch: Es kommt die Stunde, ja sie ist jetzt schon da, in der die Toten die Stimme des Sohnes Gottes hören werden; und die auf sie hören, werden leben.« Wünschte Adolf zu leben? Wollte er nicht ins Gericht kommen? Es waren Frauen und Flüchtlinge in der Kirche und Männer, die schnell in einen Zivilrock geschlüpft waren, um der Gefangenschaft zu entgehen. Es waren auch amerikanische Soldaten in der Kirche, und sie hielten ihre Stahlhelme in den gefalteten Händen, und sie hatten ihre leichten kurzen Gewehre gegen die Kirchenbänke gelehnt. Sie hatten das Leben behalten. Sie sagten, sie seien die Befreier. Sie waren über das Meer gekommen. Sie waren Kreuzritter. Adolf Judejahn hatte in nationalsozialistischer Erziehungsanstalt von den Kreuzzügen gehört; aber seine Erzieher hatten die Kreuzzüge nicht gebilligt. Die Erzieher lehrten die Eroberung der Erde und nicht des Himmels. Für sie lohnte es sich auch nicht, das Heilige Grab zu erobern; doch scheuten sie Gräber nicht. Adolf glaubte seinen Erziehern nicht mehr. Er glaubte den Menschen nicht mehr. Er wollte dem Herrn dienen. Gott Vater Sohn und Heiliger Geist.

WOLFGANG BORCHERT

Generation ohne Abschied

Wir sind die Generation ohne Bindung und ohne Tiefe. Unsere Tiefe ist Abgrund. Wir sind die Generation ohne Glück, ohne Heimat und ohne Abschied. Unsere Sonne ist schmal, unsere Liebe grausam und unsere Jugend ist ohne Jugend. Und wir sind die Generation ohne Grenze, ohne Hemmung und Behütung – ausgestoßen aus dem Laufgitter des Kindseins in eine Welt, die die uns bereiten, die uns darum verachten.

Aber sie gaben uns keinen Gott mit, der unser Herz hätte halten können, wenn die Winde dieser Welt es umwirbelten. So sind wir die Generation ohne Gott, denn wir sind die Generation ohne Bindung, ohne Vergangenheit, ohne Anerkennung.

Und die Winde der Welt, die unsere Füße und unsere Herzen zu Zigeunern auf ihren heißbrennenden und mannshoch verschneiten Straßen gemacht haben, machten uns zu einer Generation ohne Abschied.

Wir sind die Generation ohne Abschied. Wir können keinen Abschied leben, wir dürfen es nicht, denn unserm zigeunernden Herzen geschehen auf den Irrfahrten unserer Füße unendliche Abschiede. Oder soll sich unser Herz binden für eine Nacht, die doch einen Abschied zum Morgen hat? Ertrügen wir den Abschied? Und wollten wir die Abschiede leben wie ihr, die anders sind als wir und den Abschied auskosteten mit allen Sekunden, dann könnte es geschehen, daß unsere Tränen zu einer Flut ansteigen würden, der keine Dämme, und wenn sie von Urvätern gebaut wären, widerstehen.

Nie werden wir die Kraft haben, den Abschied, der neben jedem Kilometer an den Straßen steht, zu leben, wie ihr ihn gelebt habt.

Sagt uns nicht, weil unser Herz schweigt, unser Herz hätte keine Stimme, denn es spräche keine Bindung und keinen Abschied. Wollte unser Herz jeden Abschied, der uns geschieht, durchbluten, innig, trauernd, tröstend, dann könnte es geschehen, denn unsere Abschiede sind eine Legion gegen die euren, daß der Schrei unserer empfindlichen Herzen so groß wird, daß ihr nachts in euren Betten sitzt und um einen Gott für uns bittet.

Darum sind wir eine Generation ohne Abschied. Wir verleugnen den Abschied, lassen ihn morgens schlafend, wenn wir gehen, verhindern ihn, sparen ihn – sparen ihn uns und den Verabschiedeten. Wir stehlen uns davon wie Diebe, undankbar dankbar und nehmen die Liebe und lassen den Abschied da.

Wir sind voller Begegnungen, Begegnungen ohne Dauer und ohne Abschied, wie die Sterne. Sie nähern sich, stehen Lichtsekunden nebeneinander, entfernen sich wieder: ohne Spur, ohne Bindung, ohne Abschied.

Wir begegnen uns unter der Kathedrale von Smolensk, wir sind ein Mann und eine Frau – und dann stehlen wir uns davon.

Wir begegnen uns in der Normandie und sind wie Eltern und Kind – und dann stehlen wir uns davon.

Wir begegnen uns eine Nacht am finnischen See und sind Verliebte – und dann stehlen wir uns davon.

Wir begegnen uns auf einem Gut in Westfalen und sind Genießende und Genesende – und dann stehlen wir uns davon.

Wir begegnen uns in einem Keller der Stadt und sind Hungernde, Müde, und bekommen für nichts einen guten satten Schlaf – und dann stehlen wir uns davon.

Wir begegnen uns auf der Welt und sind Mensch mit Mensch – und dann stehlen wir uns davon, denn wir sind ohne Bindung, ohne Bleiben und ohne Abschied. Wir sind eine Generation ohne Abschied, die sich davonstiehlt wie Diebe, weil sie Angst hat vor dem Schrei ihres Herzens. Wir

sind eine Generation ohne Heimkehr, denn wir haben
nichts, zu dem wir heimkehren könnten, und wir haben
keinen, bei dem unser Herz aufgehoben wäre – so sind wir
eine Generation ohne Abschied geworden und ohne Heimkehr.

Aber wir sind eine Generation der Ankunft. Vielleicht
sind wir eine Generation voller Ankunft auf einem neuen
Stern, in einem neuen Leben. Voller Ankunft unter einer
neuen Sonne, zu neuen Herzen. Vielleicht sind wir voller
Ankunft zu einem neuen Lieben, zu einem neuen Lachen,
zu einem neuen Gott.

Wir sind eine Generation ohne Abschied, aber wir wissen, daß alle Ankunft uns gehört.

STEFAN HEYM

Schwarzenberg

Man hatte, schien mir, den falschen Raum für die Versammlung gewählt; die Gaststube, in der die Tische, bedeckt mit
bierbefleckten Tüchern, noch standen, wäre geeigneter gewesen; so aber nahm die kleine Schar im Versammlungssaal
Platz, an dessen kahlen Wänden sich dunkle Vierecke ab-
zeichneten, wo bis vor kurzem noch Führerbilder, Fahnen
und kämpferische Spruchbänder hingen; wir hatten eben
doch noch nicht richtig Besitz ergriffen von unserer Welt.
Ich fror, und die anderen empfanden wohl ähnlich, denn
man rückte so eng wie möglich zusammen; dann sagte einer
aus Raschau, ich war ihm vor Jahren begegnet, hatte aber
seinen Namen vergessen, »Kadletz! Der Kadletz soll die
Versammlung leiten!« Als Begründung gab er an, ich wäre
schließlich Stadtverordneter gewesen in Schwarzenberg vor

1933. Ob er nun meinte, das Amt von damals verleihe mir heute noch Autorität oder daß ich in dieser Funktion genügend parlamentarische Erfahrungen gesammelt haben müßte, weiß ich nicht zu sagen; auf jeden Fall geschah, was immer geschieht, sobald der kollektive Blick sich auf einen gerichtet hat, von dem zu erwarten ist, daß er die Verantwortung übernehmen könnte, die man selber nicht tragen möchte: der Mann erhält Beifall; und ich war, ehe ich mich's versah, per Akklamation gewählt. Instinktiv schlug ich für den Posten des zweiten Vorsitzenden, den ich für unbedingt notwendig erklärte, einen gewissen Bernhard Viebig vor, einen farblosen Mann mit grauem Stoppelhaar, der bei der Post arbeitete und, wie ich mich zu erinnern glaubte, Sozialdemokrat gewesen war; auf diese Weise war eine Art Parität gewahrt, und es würde nicht heißen können, daß die Kommunisten schon bei der ersten Gelegenheit alles an sich rissen.

Ich stand nun also an der Stirnseite des Saals, neben dem einzig vorhandenen Tisch, vor mir drei, vier Dutzend Gesichter, von denen ich die meisten noch erkannte, obzwar die Jahre der Verfolgung und des Kriegs sie stärker verändert hatten, als normale Zeiten es getan hätten, und spürte eine peinliche Leere im Gehirn. Früher, wenn ich zu sprechen hatte, und seien es auch nur ein paar einleitende Worte, war alles vorbereitet gewesen, Linie und Marschroute von zentraler Stelle gegeben und über Bezirks- und Kreissekretariate herabgeleitet bis zu der örtlichen Organisation; jetzt war da nichts, woran ich mich halten konnte, nur das Lächeln Wolframs, das zu besagen schien, Mut, alter Junge, zeig ihnen, was du an Ideen hast.

Ob es ihnen ähnlich ergangen sei wie mir, begann ich schließlich, mich meinem Publikum zuwendend; nachdem ich begriffen hätte, daß alles vorbei war, das mächtige Reich, das einst auf tausend Jahre geplant, zerbrochen, der Druck, der so lange auf uns gelastet, von uns genommen, sei ich durch die Straßen gelaufen wie blind, ratlos, was zu tun wäre, und doch in der Erkenntnis, daß etwas getan werden müsse, zugleich aber mich vertröstend mit der Ausrede, da werde eine verständnisvolle Besatzungsmacht uns schon anweisen durch ihre Vorschriften und Verordnungen. Doch jetzt, fuhr ich fort, habe sich herausgestellt, daß die Stadt Schwarzenberg samt näherer Umgebung, und allen Berichten zufolge der gesamte zugehörige Landkreis, vielleicht als einziger in ganz Deutschland, nicht besetzt worden wären, weder von der Roten Armee noch von den Amerikanern, nur in Aue, das ja verwaltungsmäßig auch nicht zum Landkreis gehöre, hätten sich amerikanische Spähtrupps gezeigt, wären aber bald wieder abgerückt, so daß wir hier in Schwarzenberg, nachdem, wie im Rundfunk gemeldet, die Reichsregierung zu existieren aufgehört hätte, nun ohne Staat und Obrigkeit dastünden, dafür aber in unserem Niemandsland Tausende von fliehenden Wehrmachtsangehörigen und zivile Flüchtlinge aller Art und Herkunft vorfänden, dazu Kriegsgefangene, Fremdarbeiter und Vertriebene von da und dort, welche, einschließlich der hier ansässigen Bevölkerung, sämtlich beköstigt und behaust werden wollten, von ärztlicher Versorgung ganz zu schweigen, und welche binnen kurzem zu rauben und plündern beginnen würden, ein allgemeines Chaos herbeiführend, mit Mord und Totschlag verstärkt durch die zu erwartende Tätigkeit von Werwölfen und SS, wenn nicht wir Arbeiter das Nötige unternähmen, um unsere Betriebe und Gemeinden zu schützen und für Ordnung und Organisation zu sorgen.

Dies sei der Grund gewesen, daß wir, die Genossen Kiessling und Schlehbusch, und Bruno und Helene Bornemann und ich, uns an eine Anzahl der hier Anwesenden gewandt und den Vorschlag zu dieser Zusammenkunft gemacht hätten, von der, so hoffte ich, Impulse ausgehen würden zur Bekämpfung der Not und zu einer allmählichen Verbesserung der Lage.

Sie werden mir zugeben, daß meine Ausführungen, deren Details mir erinnerlich sind, weil ich mir noch am gleichen

Abend längere Notizen machte, die Schwierigkeiten unserer Situation in keiner Weise vertuschten, ohne daß ich darum vorweggenommen hätte, was zu Recht der Versammlung zustand: Meinungen zu äußern, Vorschläge zu machen, Entscheidungen zu treffen. Allerdings überfiel mich, nachdem ich geendet hatte, die Furcht, daß angesichts der drohenden Katastrophe und unserer totalen Hilflosigkeit, was hatten wir denn schon für Mittel, die Leute sagen könnten: Was geht's uns an? Hat je einer auf uns gehört? Mögen doch die, die das Unglück uns eingebrockt haben, etwas dagegen tun! Von uns kann jeder nur für sich selber sorgen, sind wir irgend jemandem verpflichtet, sind wir der Staat?

Wahrscheinlich hatte mehr als einer derartiges auch im Sinn, aber er sprach es nicht aus, erdrückt von dem Schweigen, das meinen Worten gefolgt war und das andauerte, bis einer der Bermsgrüner Arbeiter ankündigte, man habe bei der Eroberung des Arbeiterheims mehrere Kasten Bier im Keller gefunden und sichergestellt; vielleicht wäre es angebracht, wenn man diese jetzt heraufbrächte, um die Zungen zu lösen.

Ich weiß noch, wie mir das Zeug die trockene Kehle herunterlief und wie mir auf einmal leichter wurde; aber in dem Moment, da ich die Flasche absetzte, spürte ich wieder die Unruhe, grundlos diesmal, wie ich zunächst meinte, denn das Bier hatte tatsächlich die Hemmungen beseitigt, und es wurden Fragen gestellt, sachliche Fragen, und Antworten gegeben, vernünftige Antworten; die sich da äußerten, waren isoliert gewesen voneinander und verlangten nach Information, wie es dort stünde und wie da, in den Betrieben und außerhalb, ob man von Vorräten wisse, von Kohle und Blechen, von Waffen und in wessen Händen diese wären, und wie sich den Nazis gegenüber verhalten, den großen, den kleinen, und wem man Gehorsam schulde, dem Landrat, dem Bürgermeister, dem Amtsvorsteher, dem Polizisten oder keinem von ihnen. Die Sache lief, ich konnte zufrieden sein, das Durcheinander war nicht beängstigend, ich brauchte nur auf den Tisch zu klopfen, zu sagen, einer nach dem anderen, Kollegen, bitte; aber ich konnte mich nicht dazu aufraffen, mein Denken kreiste um den Mann, der da in den Saal getreten war, ungeladen, weil keiner, ich auch nicht, gewußt hatte, daß er in Schwarzenberg war, und der sich nun in die hinterste Reihe setzte und die Vorgänge im Saal beobachtete, in der Haltung, die ich seit je an ihm kannte, den Kopf ein wenig schief, als lausche er nicht nur auf Worte: Erhard Reinsiepe, Bergbauingenieur und Fachmann für Nichteisenmetalle, später in irgendeiner Funktion, zu der er sich nie äußerte, und mein politischer Mentor, bis er eines Februartages, nach dem Reichstagsbrand, ohne ein Wort des Abschieds verschwand. Ja, ich hätte ihn begrüßen, auf ihn zueilen, ihn zu mir nach vorn holen und den Versammelten vorstellen müssen: hier war einer, den wir in dieser Stunde brauchen konnten, einer mit langer politischer Erfahrung auch außerhalb unserer Täler, der wohl zu beurteilen imstande war, was zu tun wäre unter den vorhandenen Umständen und wie man vorzugehen hätte; aber ich tat's nicht, ich weiß nicht genau, weshalb, vielleicht weil noch ein Ressentiment in mir schwelte wegen der Art, wie er verschwunden war und sich der Verantwortung entzogen hatte.

Statt dessen gab ich Max Wolfram das Wort, vor allem, weil ich ihn für fähig hielt, die Vielfalt von Fragen, die sich ergeben, und Fakten, die sich herausgestellt hatten, nach ihrer Priorität zu ordnen und in ein System zu bringen und, darauf aufbauend, Allgemeingültiges zu sagen, das wiederum als Ausgangspunkt für erste Aktionen dienen mochte.

Ich hatte Wolfram noch nie vor einer größeren Anzahl von Menschen sprechen hören und war mir des Risikos bewußt, das ich einging, indem ich ihm, der doch im Grunde wenig mit diesen Arbeitern gemein hatte, eine so schwierige Aufgabe zuschob. Meine Befürchtungen schienen zunächst auch sich bestätigen zu wollen; er sprach leise und unkon-

zentriert, von einem Fuß auf den anderen tretend, während
er dem Mädchen Paula, das neben ihm saß, mechanisch
übers Haar streichelte; dann aber faßte er sich, seine Stimme
wurde fester, seine Augen begannen zu glänzen, als sei das
Fieber, das er am Tag seiner Ankunft gehabt hatte, plötzlich
zurückgekehrt, und bald wurde deutlich, daß er eine wohl-
durchdachte Konzeption vortrug, die er bei unseren Vorge-
sprächen mit den Genossen Schlehbusch und Kiessling und
den beiden Bornemanns entweder noch nicht gehabt oder
uns vorenthalten hatte. Er ging aus von der Frage des
Schutzes der Betriebe, der Maschinen darin und der dort
gelagerten Materialien und Erzeugnisse; aber für wen sollte
man sie schützen, für die Herren Münchmeyer von der Ma-
schinenfabrik und Pilz von der Firma ESEM, die mit den
Nazis paktiert und sich an deren Aufträgen gesundgestoßen
und geholfen hatten, diesen Krieg über uns zu bringen,
oder für uns selbst: unser Brot von morgen? Schutz der Betriebe durch die Arbeiter hieß über kurz oder lang aber
Übernahme der Betriebe, der großen zumindest, durch die
Arbeiter, darüber müsse man sich klar sein, und hieß auch,
sie gegen ihre jetzigen Besitzer, die Unternehmer, zu schützen, die ihre Betriebe lieber ausgeraubt und zerstört sehen
würden, als sie denen zu überlassen, die sie schützten. Und
damit im Zusammenhang die Frage: Wem schulden wir Gehorsam? Die Antwort: Nur uns selbst; die alte Macht war
zusammengebrochen und hinweggefegt, ihre Vertreter, gestern noch hoffärtig drohend, versteckt in irgendwelchen
Kammern unter irgendwelchen Betten oder den Röcken
ihrer Weiber; es gab keinen Landrat, wenn wir ihn nicht
bestätigten, keinen Bürgermeister, wenn wir ihn nicht wähl-
ten, keine Beamten und Polizisten, keine irgendwie geartete
Behörde, wenn wir sie nicht einsetzten, wir, durch unsere
Vertreter, durch ein Komitee, einen Ausschuß, die wir aus-
statteten mit unserer Macht, der Macht, die wir, das Volk
von Schwarzenberg, die Arbeiter, die einzigen, die nach diesem Krieg ein Recht darauf hatten, in diesem Augenblick in

unsere Hände nahmen und die, nach Lage der Dinge, zunächst eine bewaffnete sein mußte, fähig und bereit, die Unterdrücker von gestern nun ihrerseits zu unterdrücken, im Namen der Gerechtigkeit, der Freiheit und der Zukunft.

Und dann zu mir gewandt, »Der Genosse Kadletz hat vorhin von einem Niemandsland gesprochen. Aber sind wir denn niemand? Ist dieses Land kein Land, sind diese Berge und Wälder keine Heimat, sind diese Städte und Dörfer, ob auch zerstört, diese Gruben und Werke, ob auch stillgelegt, nicht unser Erbteil?« Wir, fuhr er dann fort, so wie wir hier versammelt wären, und viele, die zu uns stoßen würden, hätten eine wohl einzigartige Gelegenheit: auf befreitem Boden, aber ohne Druck von seiten fremder Mächte, mochten sie auch noch so wohlwollend sein, ohne Form, die uns vorgeschrieben, ohne Schema, das uns vorgezeichnet, etwas aufzubauen, das wirklich unseres sein würde, nach unseren Ideen und unseren Notwendigkeiten errichtet. Und sei das Gebiet, auf dem wir's versuchten, noch so klein, und die Bedingungen, unter denen wir's versuchten, noch so schwer, wir müßten es unternehmen, »nicht nur«, schloß er, »weil kein Weg außer diesem uns bleibt, sondern weil wir hier ein Muster schaffen können für andere, wenn wir's richtig beginnen und wenn es uns gelingt, Demokratie und Sozialismus miteinander zu verknüpfen in unserem – nennen wir's nicht Niemandsland, nennen wir es –«

»– Republik Schwarzenberg«, sagte ich halb im Scherz und dennoch mitgerissen vom Schwung seiner Worte, und dachte zugleich, ein Tor, ein Visionär, dieser Wolfram, soll das, was er da vorschlägt, Ernst sein, oder sind es nicht eher Phantasien aus einer Todeszelle?

LOTTE PAEPCKE

Wörter

Als die Gefahr vorüber war
und das Gas verströmt,
als es keine Brücken mehr gab
und die Häuser waren auf,
als die Stadt ihren Namen vergessen hatte
und die Kirchen ihre Lieder suchten,
als die Plätze zerplatzt waren
und die Straßen gerissen,
als es in Öfen kein Feuer gab
und in Kleidern nicht Wärme:
da suchte ich die Wörter einzusammeln
verloren gegangen
im Land. Wenige fand ich
und brachte sie heim.
Viele waren in fremde Münder gefallen,
viele verendet in feindlichen Stunden.
Manche fielen
nach ihrer Rückkehr
den Füßen zum Opfer
die geschritten kamen
ihrer viele
von überallher
und neuen Tritt faßten
überallhin.

Autoren, Texte, Druckvorlagen

GÜNTHER ANDERS

Günther Anders (d.i. Günther Stern), 1902 in Breslau geboren, arbeitete als Journalist, bis er wegen seiner jüdischen Herkunft und antifaschistischen Haltung zusammen mit seiner damaligen Frau, der Philosophin Hannah Arendt, 1933 nach Paris fliehen mußte. 1936 emigrierte er in die USA. Als er 1950 nach Europa zurückkehrte, zog er nach Wien, da ihm keiner der beiden deutschen Staaten politisch zusagte. Dort lebte Anders bis zu seinem Tod 1992 als freier Schriftsteller, Philosoph und Mitbegründer der internationalen Anti-Atom-Bewegung.

Für den Exilautor Anders wurden mehrfach Zeitungsmeldungen aus Deutschland zum Ausgangspunkt literarischer Arbeit. So u. a. auch bei Kriegsende in dem Gedicht *Zeitungsnachricht*, das erstmals 1966 in einer Sammlung mit dem Titel *Der Schrecken. Gedichte aus den Jahren 1933–1945* veröffentlicht wurde und das die historische Beschreibungskategorie »Befreiung« zugleich bestätigt und in Frage stellt.

G. A.: Tagebücher und Gedichte. München: C. H. Beck, 1985. S. 362. – © 1985 C. H. Beck'sche Verlagsbuchhandlung, München.

ALFRED ANDERSCH

Alfred Andersch, geboren 1914 als Sohn eines fanatischen Nationalisten, der nach dem Scheitern des Hitlerputsches kurzzeitig inhaftiert wurde, kam 1933 wegen seines Engagements im Kommunistischen Jugendbund ins KZ Dachau. 1940 wurde er als Soldat eingezogen. Seine Desertion am 6. Juni 1944 an der italienischen Front wurde zum Schlüsselerlebnis, das er in den *Kirschen der Freiheit* (1952) als existentielle Entscheidung beschrieb. Es folgten 16 Monate Reeducation in den USA. Bis 1947 gab er mit Hans Werner Richter den *Ruf* heraus. 1980 starb der Mitbegründer der »Gruppe 47« in Berzona (Schweiz).

Anderschs Text *Der Seesack. Aus einer Autobiographie*, erschienen 1977 im *Literaturmagazin 7*, zeigt, wie nach der Entlassung aus der Gefangenschaft das Gefühl der Furcht vor dem »Chaos

Deutschland« dominiert und die in den amerikanischen Lagern er-
fahrene Freiheit zunehmend irreal wird. Befreiung ist letztlich nur
als eigenes Handeln denkbar. Andersch war zentrale Figur der »Jungen Generation«, die den Zusammenbruch als Chance für eine radikale gesellschaftspolitische und kulturelle Umorientierung wertete.
Die »Stunde Null« erschien ihm in der unmittelbaren Nachkriegszeit als reale Möglichkeit totaler Erneuerung.

Das Alfred Andersch Lesebuch. Hrsg. von Gerd Haffmans. Zürich: Diogenes,
1979. S. 83–85. – © 1979 Diogenes Verlag AG, Zürich.

JOHANNES R. BECHER

Johannes R. Becher, 1891 als Sohn eines Amtsrichters geboren,
wurde 1914 als expressionistischer Lyriker bekannt. 1919 schloß er
sich der KPD an und emigrierte 1933 über mehrere Zwischenstationen nach Moskau. Im Mai 1945 Rückkehr nach Berlin, Gründung
des »Kulturbundes zur demokratischen Erneuerung Deutschlands«,
von 1954 bis zu seinem Tode 1958 erster Kulturminister der DDR
und eine Art »Staatsdichter«.

Das Gedicht *Zeitenschlag* erschien erstmals 1943 in dem Gedicht-
bändchen *Dank an Stalingrad* im Verlag für fremdsprachige Literatur Moskau. Die prophetischen Strophen, die in ihrer Nachtwäch-
ter-Metaphorik an die politische Vormärz-Lyrik anschließen, ver-
sammeln schon die entscheidenden Stichworte der Becherschen
Auslegung der »Stunde Null«: »neue Zeit«, »Volksgericht«, »Freiheit«, »Zeitenwende« und »Morgenrot«. Der patriotische kommunistische Dichter traute dem deutschen Volk einen revolutionären
Neuanfang zu.

J. R. B.: Gesammelte Werke. Bd. 5: Gedichte 1942–1948. Berlin/Weimar: Aufbau-Verlag, 1967. S. 183 f. – © 1967 Aufbau-Verlag GmbH, Berlin und Weimar.

GOTTFRIED BENN

Gottfried Benn wurde 1886 in Mansfeld (Westpriegnitz) als Sohn
eines Pfarrers geboren. Er führte zeitlebens ein »Doppelleben« als
Dichter und Arzt für Haut- und Geschlechtskrankheiten. Nach
einer kurzen Anlehnung an das NS-Regime (1933/34, Absage »an

die literarischen Emigranten«) wurde er zu seinem erbitterten Gegner (1938 endgültiges Schreibverbot).

Der von 1932 bis zu seinem Tod 1956 geführte Briefwechsel mit dem Bremer Großkaufmann F. W. Oelze stellt u. a. einen faszinierenden kritischen Kommentar zur Geschichte des Dritten Reiches dar. Typisch im vorliegenden Brief ist Benns Weigerung, irgend etwas zu bereuen, und sein unverminderter Affekt gegen die Exilautoren. Seine Devise nach 1945 lautete: »Sich irren, und doch seinem Inneren weiter Glauben schenken müssen, das ist der Mensch, und jenseits von Sieg und Niederlage beginnt sein Ruhm.«

G. B.: Briefe. Bd. 1: Briefe an F. W. Oelze 1932–1945. Hrsg. von Harald Steinhagen und Jürgen Schröder. Vorw. von F. W. Oelze. Stuttgart: Klett-Cotta, ²1977. S. 387–389. – © 1977 J. G. Cotta'sche Buchhandlung Nachfolger GmbH, Stuttgart.

WERNER BERGENGRUEN

Werner Bergengruen wurde 1892 als Sohn eines baltendeutschen Arztes in Riga geboren. Zu Beginn des Ersten Weltkrieges meldete er sich als Freiwilliger zur deutschen Armee. Zwischen den Kriegen arbeitete er als Journalist und Herausgeber für verschiedene Zeitungen, ab 1927 als freier Schriftsteller. Bergengruen gilt als ein Vertreter der »Inneren Emigration«, die antifaschistischen Gedichte des Gedichtzyklus *Der ewige Kaiser* (1937) gingen in Abschriften von Hand zu Hand. 1937 wurde er wegen des Romans *Der Großtyrann und das Gericht* (1935) aus der Reichsschrifttumskammer ausgeschlossen. Er starb 1964 in Baden-Baden.

Die Erwartung ist das 9. Gedicht des 18 Gedichte umfassenden Bandes *Dies Irae* (entstanden im Sommer 1944, Erstdruck 1945). Bergengruen deutet in diesem Band die Jahre der nationalsozialistischen Herrschaft im religiösen Sinn, als Versuchung eines ganzen Volkes durch den »Widergott«. Er erhebt sich selbst zum Ankläger: »Ihr habt die Stimme nicht gehört«, und beschwört die Sühne der Verbrechen, wenn auch nicht in dieser Welt: »Doch wir sühnen nicht zu Zeiten, / nicht auf diesem blinden Stern. / Es geschieht in Ewigkeiten / und vor 'm Angesicht des Herrn.«

W. B.: Dies Irae. Eine Dichtung. München: Zinnen-Verlag, [1945]. S. 25. – Mit Genehmigung von N. Luise Hackelsberger, Ebenhausen bei München.

HEINRICH BÖLL

Heinrich Böll, 1917 in Köln geboren, wuchs in einem kleinbürgerlichen, katholisch geprägten Elternhaus auf. Er erlebte den gesamten Krieg als Soldat, wurde mehrmals verwundet und geriet 1945 in amerikanische Gefangenschaft. Über seine persönliche Situation bei Kriegsende gibt er im *Bericht an meine Söhne oder vier Fahrräder* (1985) Auskunft. 1972 erhielt er den Nobelpreis für Literatur. Bekannt geworden als ein Vertreter der »Trümmerliteratur«, mischte sich Böll bis zu seinem Tod 1985 immer wieder in aktuelle politische Diskussionen ein.

Wo warst du, Adam? (1951) ist eine Kriegsgeschichte, die in neun relativ unabhängigen Episoden das Schicksal von Soldaten in der Zeit zwischen 1943 und dem Frühjahr 1945 erzählt. Die neun Kapitel sind verschiedenen Personen gewidmet, wobei der »Held« Feinhals erst im sechsten bzw. neunten Kapitel in den Vordergrund rückt. Das zentrale Thema des Romans ist die Langeweile und Sinnlosigkeit des Kriegs. Es wird pointiert dargestellt durch den sinnlosen, absurden Tod der jeweiligen Hauptfigur. Der vorliegende Ausschnitt, das Ende des Romans, beschreibt Feinhals' Heimkehr in sein Vaterhaus. Obwohl er »sinnlos, [...] vollkommen sinnlos« auf der Türschwelle von einer Granate zerrissen wird, mit der die Deutschen die weißen Fahnen des Dorfs beschießen, kann dies im religiösen Sinne als Heimkehr des verlorenen Sohns zum Vater gedeutet werden, als eine Heimkehr zu einer »andere[n], ewige[n] Liebe.«

Der Roman *Billard um halbzehn* (1959) dokumentiert mit seiner komplexen Zeitstruktur Bölls Hinwendung zum modernen Roman. Geschildert wird, wie die drei Generationen der Architektenfamilie Fähmel den 6. September 1958 erleben. Dabei werden, gebrochen in der Erinnerung mehrerer Romanfiguren, die entscheidenden Stationen der Familiengeschichte seit 1907 vergegenwärtigt, so daß eine dialektische Spannung von Gegenwarts- und Erinnerungshandlungen entsteht. Entscheidendes Motiv, das sich auch in der Unterhaltung zwischen dem Enkel Joseph Fähmel und seiner Verlobten Marianne widerspiegelt, ist dabei das Fortwirken von Vergangenheit in der Gegenwart, das Böll auch schon in seiner Erzählung *Die Botschaft* (1947) thematisiert hatte: »Da wußte ich, daß der Krieg niemals zu Ende sein würde, niemals, solange noch irgendwo eine Wunde blutete, die er geschlagen hat.«

H. B.: Werke. Romane und Erzählungen. Hrsg. von Bernd Balzer. Bd. 1: 1947–1951. Köln: Kiepenheuer & Witsch, [1977]. S. 446 f. (1). Bd. 3: 1954–1959. Ebd. S. 469–472 (2). – © 1977, 1987 Verlag Kiepenheuer & Witsch, Köln.

WOLFGANG BORCHERT

Wolfgang Borchert, 1921 in Hamburg geboren, stammt aus einem bildungsbürgerlichen Elternhaus. Nach traumatischen Front- und Gefängniserlebnissen kehrte er von Krankheit gezeichnet im Mai 1945 nach Hamburg zurück. 1946 begann für den Schwerkranken die Phase literarischer Produktivität, in der »wie im Rausch« der Hauptteil seines schriftstellerischen Werkes entstand. Mit dem Heimkehrerdrama *Draußen vor der Tür* (1947) wurde er schlagartig bekannt. Wolfgang Borchert starb im November 1947 in Basel.

Generation ohne Abschied, 1946 geschrieben, erschien 1947 in Borcherts erstem Erzählband *Die Hundeblume*. Borchert beschreibt hier die schmerzliche Gruppenerfahrung einer »verratenen Generation«. Er wendet sich gegen die Väter, die ihre Söhne blind in den Krieg ziehen ließen. Den Söhnen, nun sehend geworden, bleibt am Ende nur die Hoffnung auf einen neuen Anfang, eine »Ankunft auf einem neuen Stern, in einem neuen Leben«. So erscheint diese Generation der Ankunft tatsächlich als eine »Nullpunktgeneration« ohne Bindung an das Gewesene, »denn wir haben nichts, zu dem wir heimkehren könnten.«

Generation ohne Abschied 204

W. B.: Das Gesamtwerk. Hamburg: Rowohlt, 1949. S. 59–61. – © 1949 Rowohlt Verlag, Hamburg.

TADEUSZ BOROWSKI

Tadeusz Borowski, 1922 in Schitomir (Ukraine) geboren, wurde 1943 ins Konzentrationslager Auschwitz und ein Jahr später nach Dachau deportiert. Nach seiner Befreiung durch amerikanische Truppen lebte er zunächst in München, von 1946 bis zu seinem Freitod im Juli 1951 dann als Dichter und Journalist in Polen.

Von Borowski waren bereits drei Gedichtbände erschienen, als er nach dem Krieg mehrere Sammlungen von Erzählungen veröffentlichte, die seine Erfahrungen während der NS-Zeit widerspiegeln.

Der Band *Die steinerne Welt* (polnisch 1948) enthält neben dem Bericht von der KZ-Befreiung in *Das Schweigen* vor allem Prosastücke, in denen der grausame Lageralltag beschrieben wird. Borowski verzichtet dabei auf die Dämonisierung der Mörder wie auf eine Apotheose der Opfer. Er zeigt vielmehr – worauf Andrzej Wirth im Nachwort zur *Steinernen Welt* hingewiesen hat –, wie in einem System der Unmenschlichkeit, das dem Menschen überhaupt die Möglichkeit nahm, Mensch zu sein, die Grenzen zwischen Täter und Opfer verschwimmen konnten. Mord brachte neuen Mord hervor.

T. B.: Die steinerne Welt. Erzählungen. Aus dem Polnischen von Vera Cerny. München: Piper, 1963. S. 225–227. – © 1963 R. Piper & Co. Verlag, München.

VOLKER BRAUN

Volker Braun wurde 1939 in Dresden geboren; sein Vater fiel 1945. Nach dem Abitur war Braun jahrelang als Arbeiter in der Produktion tätig, bevor er 1959–64 Philosophie studieren konnte. Anschließend wurde er Dramaturg am Berliner Ensemble (1965/66) und arbeitet seitdem als freier Schriftsteller in Ost-Berlin.

Die Geschichte *Sächsischer Simplizius* leitet sein 1978/79 entstandenes Stück *Simplex Deutsch. Szenen über die Unmündigkeit* ein (UA 1980 am BE). Wie bei Heiner Müller werden in der Entscheidungssituation des Kriegsendes die Konflikte aufs äußerste zugespitzt. Aber die Deutschen, beladen mit den Geschichtshypotheken der »deutschen Misere« (scheiternde Revolutionen, Untertanengesinnung) erweisen sich als unfähig, sich zu befreien und »endlich selbst zu entscheiden«.

V. B.: Simplex Deutsch. In: V. B.: Gesammelte Stücke. Bd. 2. Frankfurt a. M.: Suhrkamp, 1989. S. 10 f. – © 1989 Suhrkamp Verlag, Frankfurt am Main.

BERTOLT BRECHT

Bertolt Brecht, 1898 als Sohn eines Fabrikanten in Augsburg geboren, ging nach dem Reichstagsbrand Ende Februar 1933 über verschiedene Zwischenstationen nach Dänemark ins Exil. Bei Kriegsausbruch floh er weiter nach Finnland und schließlich ins amerikanische Exil. Ende 1947 kehrte er zunächst nach Zürich, im Herbst 1949 nach Ost-Berlin zurück. Dort gründete er zusammen mit Helene Weigel das Berliner Ensemble und war bis zu seinem Tode 1956 vor allem für das Theater tätig.

Das Gedicht *Deutschland 1945* entstand 1945 und muß im Zusammenhang mit den anderen Deutschland-Gedichten Brechts gesehen werden (*Deutschland*, 1933; *Deutschland 1952* und die *Kinderhymne*, 1950). Alle bezeugen sein Leiden an Deutschland, das er stets als Mutterland in der Sohnesrolle erlebt und angeredet hat. In Anspielung auf die berühmte romantische Frage des Novalis (»Wohin gehen wir denn? – Immer nach Hause«) spricht ein vertriebener und verzweifelter Sohn, der kein Zuhause mehr hat, weil er sein Mutterland bestialisch entstellt vorfindet.

Die erste Niederschrift des Gedichts *Epistel an die Augsburger* findet sich im *Arbeitsjournal* unter dem Eintrag »mitte mai 1945«, in ihr fehlen jedoch die Zeilen 7/8. Brecht bemängelt, daß die Blindheit des deutschen Volkes, die den Faschismus ermöglichte, auch den Zusammenbruch überlebte. Daß Brecht jedoch auch den Sieg der Alliierten kritisch wertete, zeigt sich in der Zeile: »Schlächter bat Schlächter, daß er's Urteil fälle«. Gegen Ende des Krieges äußerte Brecht zunehmend Kritik am Verhalten der USA. Im Mittelpunkt steht dabei zum einen die Bombardierung der Zivilbevölkerung. Zum anderen kritisierte er das Zögern der Amerikaner, die erst entschlossen in den Krieg eingriffen, als sich ein sowjetischer Sieg im Osten abzeichnete.

Die Keimzelle der Kalendergeschichte *Die zwei Söhne* findet sich bereits in Brechts *Arbeitsjournal* unter dem Eintrag vom 12.5.45, hier jedoch als Filmprojekt. Der Text selbst entstand etwa 1946 und erschien erstmals 1949 in den *Kalendergeschichten*. Durch das Überblenden des Schicksals ihres Sohnes mit dem des russischen Kriegsgefangenen befreit sich die Bäurin von einem übernommenen Weltbild: Der Untermensch wird zum Sohn, der Übermensch zum Gefangenen. Indem sie das scheinbar Unmütterlichste tut, rettet sie den Sohn. So bietet die Geschichte eine positive Variante des allegorischen Mutter-Motivs in Brechts Deutschland-Gedichten und seinem dramatischen Werk.

B. B.: Gesammelte Werke in 8 Bänden. Hrsg. vom Suhrkamp Verlag in Zsarb.
mit Elisabeth Hauptmann. Bd. 4: Gedichte. Frankfurt a. M.: Suhrkamp, 1967.
S. 935 (1). S. 933 (2). Bd. 5: Prosa 1. Ebd. S. 363–366 (3). – © 1967 Suhrkamp
Verlag, Frankfurt am Main.

ELIAS CANETTI

Elias Canetti wurde 1905 in Rustschuk (Bulgarien) als Sohn einer
Familie geboren, deren jüdische Vorfahren aus Spanien vertrieben
worden waren. Nach einem naturwissenschaftlichen Studium in
Wien (1924–29) war er als freier Schriftsteller tätig. 1938 mußte er
aus Wien nach London emigrieren, wo er jahrzehntelang an der Studie *Masse und Macht* (1960) arbeitete. 1981 mit dem Nobelpreis
ausgezeichnet, lebte Canetti in London und Zürich, wo er 1994
starb.

Seine Aufzeichnungen zum Kriegsende sind bemerkenswert, weil
sie sich allen vorgegebenen und vertrauten Mustern und Möglichkeiten, darüber zu denken, zu fühlen und zu urteilen, entziehen und
auf jeweils überraschende Weise das ganz Andere zur Sprache bringen. Hitler als Jude – wer anders als der Aphoristiker Canetti hätte
diese »Verwandlung« 1945 wagen können.

E. C.: Die Provinz des Menschen. Aufzeichnungen 1942–1972. München: Hanser, 1973. S. 82 f., S. 87 f., S. 93 und S. 97. – © 1973 Carl Hanser Verlag, München
und Wien.

INGE DEUTSCHKRON

Inge Deutschkron, geboren 1923, überlebte das Dritte Reich als Jüdin in Berlin. Während der Vater nach England floh, verhinderte der
Ausbruch des Krieges die Emigration von Mutter und Tochter, die
eine falsche »arische« Identität annahmen. Nach dem Krieg war
Deutschkron Sekretärin der Zentralverwaltung für Volksbildung in
der SBZ. Nach der Bildung der Einheitspartei SED drohte der überzeugten Sozialdemokratin die Verhaftung. Nach mehreren Aus-
landsaufenthalten arbeitete sie von 1955 an als Deutschlandkorre-
spondentin der israelischen Zeitung *Maariv* in Bonn. 1966 nahm
Deutschkron die Staatsbürgerschaft Israels an, wo sie seit 1972 lebt.

Ihr 1978 erschienener autobiographischer Bericht *Ich trug den
gelben Stern* führt im Kapitel *Danach* über das Jahr 1945 hinaus.

Der Entschluß, die BRD endgültig zu verlassen, findet in der Enttäuschung über die mangelnde Auseinandersetzung mit der Vergangenheit seine Begründung. Nach Jahren der quälenden Angst wird
bereits die Befreiung zur grausamen Perversion einer Hoffnung: Mit
den ersten Wochen der Freiheit, die zur traumatischen Demütigung
durch sowjetische Soldaten werden, geht die Leidensgeschichte der
Opfer weiter.

Ich trug den gelben Stern *Auszug*   71

I. D.: Ich trug den gelben Stern. Köln: Verlag Wissenschaft und Politik, 1978.
S. 193–197. – © 1978 Verlag Wissenschaft und Politik Claus-Peter von Nott-
beck, Köln.

INGEBORG DREWITZ

Ingeborg Drewitz, geboren 1923, wurde 1941 zum Kriegshilfsdienst
eingezogen. Heimlich half sie jüdischen Familien. Die Erfahrungen
dieser Jahre haben die Schriftstellerin bis zu ihrem Tod 1986 zu un-
ablässigem politischen und sozialen Engagement motiviert.

Ihr 1978 erschienener Roman *Gestern war Heute – Hundert
Jahre Gegenwart* erzählt die Geschichte einer Berliner Familie über
fünf Generationen. Mit Gabriele M., die mit ihrer ersten selbständi-
gen Entscheidung, ihrem BDM-Austritt, die Vermittlung des Ge-
schehens übernimmt, hat Drewitz eine autobiographische Gestalt
geschaffen. Insgesamt fünf Einschübe *Aus dem Arbeitstagebuch zum
Roman* unterscheiden sich durch den Stakkato-Stil des abgekürzten
Berichts von der übrigen Handlung, der jeweils vorgegriffen wird.
»Zukunft. Zwischenreich. Anfang« werden durch die komprimierte
Darstellung der Überlebensstrategien entlarvt als »Wörter, die nichts
besagen, wenn alle unter der Zeit weg von einem Tag auf den anderen leben«. Der Abwurf der Atombombe setzt die Katastrophe fort:
»Das Jahr Null, das auf deutschem Boden länger als dieses eine Jahr
währte, zeigte auf der Weltuhr seit dem Abwurf der ersten Atombombe schon das Jahr Eins an« (Drewitz: *Städte 1945*).

Gestern war Heute *Auszug*   144

I. D.: Gestern war Heute. Hundert Jahre Gegenwart. Düsseldorf: Claassen,
1978. S. 165–170. – © 1978 Claassen Verlag GmbH, Hildesheim.

HELEN EPSTEIN

Helen Epstein wurde 1947 geboren. Ihre Eltern überlebten beide als einzige ihrer Familien den Holocaust. Epsteins Mutter, Franci Solar, wurde in Bergen-Belsen befreit. Nach der Rückkehr in ihre Heimatstadt Prag heiratete sie Kurt Epstein, einen Überlebenden des Konzentrationslagers Ausschwitz. 1948 wanderte die Familie in die USA aus. Helen Epstein ist Professorin am Department of Journalism der University of New York.

Sieben Jahre hat Helen Epstein über die Kinder der Überlebenden des Holocaust recherchiert. Ihrem 1979 veröffentlichten Buch *Children of the Holocaust* liegen mehrere hundert Gespräche mit jüdischen Generationsgefährten zugrunde. 1987 erschien ihr Buch um ein Kapitel erweitert in deutscher Übersetzung. Epsteins Beschreibung der Befreiung ihrer eigenen Mutter weist über den »Waffenstillstandstag«, der schon Franci Solar als abstrakte Formel fremd blieb, hinaus. Das Stigma der in der Erinnerung lebendigen Leiden läßt sich, wie die von Trauer und Entsetzen geprägten Gespräche zeigen, nicht auslöschen.

H. E.: Die Kinder des Holocaust. Gespräche mit Söhnen und Töchtern von Überlebenden. München: C. H. Beck, 1987. S. 61–64. – © 1987 C. H. Beck'sche Verlagsbuchhandlung, München.

MAX FRISCH

Max Frisch wurde 1911 in Zürich geboren. Nach einem Studium der Germanistik (1930–34) und der Architektur (1936–40) war er, nach seinem Militärdienst am Anfang des Krieges, als Architekt tätig. Seit 1955 lebte er als freier Schriftsteller u. a. in Rom, Berzona, Berlin, New York und Zürich, wo er 1991 starb.

Der *Nachtrag zur Reise* entstammt seinem *Tagebuch 1946–1949* (1950, zuvor im *Tagebuch mit Marion*, 1947) und zwar dem Jahr 1946, als Frisch erstmals das Nachkriegsdeutschland bereiste. Seine perspektivenreiche Reflexion über die Nachkriegsdeutschen zeichnet sich durch ungewöhnliche Besonnenheit, tiefe Anteilnahme und nüchterne Erkenntnisse aus. Sie urteilt, ohne die Rolle des Richters einzunehmen.

M. F.: Tagebuch 1946–1949. In: M. F.: Gesammelte Werke in zeitlicher Folge. Bd. 2: 1944–1949. Frankfurt a. M.: Suhrkamp, 1976. S. 382–384. – © 1976 Suhrkamp Verlag, Frankfurt am Main.

FRANZ FÜHMANN

Franz Fühmann, geboren 1922 im böhmischen Rokytnice, meldete sich als Sohn eines deutschstämmigen Apothekers und begeisterten Hitleranhängers 1939 zum Reichsarbeitsdienst. Bei Kriegsende geriet der flüchtende Soldat in sowjetische Gefangenschaft. Die Vergangenheit als »verwilderter Nazijunge« sowie die Wandlung zum marxistischen Kulturpropagandisten und schließlich zum kritischen Autor wird zur motivlichen Konstante in Fühmanns Werk. Bis zu seinem Tod 1984 lebte er in Ost-Berlin.

Fühmanns Essay, der 1982 in der DDR unter dem Titel *Vor Feuerschlünden. Erfahrung mit Georg Trakls Gedicht* und in der BRD als *Der Sturz des Engels. Erfahrungen mit Dichtung* erschien, vermittelt das eigene Leben über das Werk Trakls. Beim letzten Heimatbesuch erzählt ihm der Vater von seiner Bekanntschaft mit dem »Schorschl«. Der später weggeworfene Trakl-Band läßt den endsieggläubigen Fühmann für den »Moment eines Augenblicks« begreifen, »daß der Krieg verloren war«. Die beiden letzten Zeilen des Gedichts *Untergang* werden zur Deutung der historischen Stunde: »Unter Dornenbogen / Oh mein Bruder klimmen wir blinde Zeiger gen Mitternacht.« Beim Aufbruch aus dem Elternhaus ist die selbstkritische Erkenntnis aber bereits wieder verschüttet. Die in der Kriegsgefangenschaft erinnerten Zeilen aus *Psalm I* und *De Profundis* werden nicht zum Anlaß radikaler Selbstprüfung, sondern zur unablässigen Litanei des im Selbstmitleid Halt suchenden Bewußtseins.

F. F.: Vor Feuerschlünden. Erfahrung mit Georg Trakls Gedicht. In: F. F.: Werkausgabe. Bd. 7. Rostock: Hinstorff, 1993. S. 25–28. – © 1993 Hinstorff Verlag GmbH, Rostock.

GÜNTER GRASS

Günter Grass, 1927 in Danzig geboren, wuchs in kleinbürgerlichen Verhältnissen auf und wurde in seiner Jugend durch die nationalsozialistische Ideologie geprägt. 1944 wurde er zum Kriegsdienst einberufen, verwundet und geriet 1945 in amerikanische Gefangenschaft. Die ideologische Desillusionierung wurde für Grass, der seit 1960 in Berlin lebt, zum tragenden Motiv seines politischen und literarischen Wirkens.

Die Blechtrommel war Grass' erster Roman (entstanden 1956–58, Erstdruck 1959) und machte die deutsche Nachkriegsliteratur schlagartig auch im Ausland bekannt. Gemeinsam mit *Katz und Maus* (1961) und den *Hundejahren* (1963) bildet *Die Blechtrommel* die *Danziger Trilogie*, die zusammengehalten wird durch die Zeit, den Schauplatz und die Figuren: die Danziger Kleinbürgerwelt in der Zeit von Faschismus und Krieg.

In der *Blechtrommel* erzählt der 1924 geborene Oskar Matzerath rückblickend die Geschichte seiner Familie in der Zeit zwischen 1899 und 1952. Die einzelnen Episoden stehen weitgehend abgeschlossen nebeneinander. Das Kriegsende fällt für Oskar zusammen mit dem Tod seines »mutmaßlichen« Vaters Matzerath, der es bei den Nazis zum Zellenleiter gebracht hat. Der Versuch, seine Vergangenheit mit dem Parteiabzeichen hinunterzuschlucken, scheitert.

Die Blechtrommel *Auszug* 36

G. G.: Studienausgabe. Bd. 1: Die Blechtrommel. Göttingen: Steidl, 1993. S. 479–486. – © 1993 Steidl Verlag, Göttingen.

PETER HÄRTLING

Peter Härtling wurde 1933 in Chemnitz als Sohn eines Rechtsanwalts geboren. 1945 floh die Familie nach Zwettl (Niederösterreich). Der Tod des Vaters 1945 in russischer Kriegsgefangenschaft und der Freitod der Mutter ein Jahr später waren für den Jungen traumatische Erlebnisse. Die Suche nach dem »Ich in verlorener Zeit« wird zum bestimmenden Motiv im literarischen Werk Peter Härtlings, der seit 1974 als freier Schriftsteller in Mörfelden-Walldorf lebt.

In seinem 1973 erschienenen autobiographischen Roman *Zwettl. Nachprüfung einer Erinnerung* versucht Härtling sich der Vergangenheit anzunähern, indem er drei verschiedene Perspektiven – die erzählte Perspektive des Kindes (»er«), die Außenperspektive von befragten Zeugen und Dokumenten und die Erzählerperspektive des Erwachsenen (»ich«) – einander gegenüberstellt. Da er Widersprüche nicht harmonisiert und die sich im Rückblick offenbarende

Fremdheit mit seinem vergangenen Ich nicht verleugnet, gelingt es Härtling, private Geschichte nicht nur zu rekonstruieren, sondern auch die Isoliertheit der Ich-Erfahrung zu überwinden.

P. H.: Zwettl. Nachprüfung einer Erinnerung. Darmstadt/Neuwied: Luchterhand, 1973. S. 17–21. – © 1973 Luchterhand Literaturverlag, München.

ROLF HAUFS

Rolf Haufs, 1935 in Düsseldorf geboren, wuchs in kleinbürgerlichen Verhältnissen in Rheydt auf. Seit 1960 lebt er als Schriftsteller und Literaturredakteur in Berlin.

Haufs zentrales Motiv ist die Kindheit, die gekennzeichnet ist durch ein Ineinander von Sehnsucht und Angst. Seine besondere Wahrnehmungsfähigkeit entdeckt in seiner alltäglichen Umgebung das scheinbare Belanglose und Unscheinbare. Diese Beobachtungen verknüpft er jedoch nicht kausal, sondern stellt sie durch elliptische Aussparung und lakonische Fügung nebeneinander. Eine einfache und prägnante Gedichtsprache, die bewußt auf dekorative Metaphorik verzichtet, ist auch kennzeichnend für sein Gedicht *Mein zehntes Jahr*, das erstmals 1976 in der Gedichtsammlung *Die Geschwindigkeit eines einzigen Tages* erschien. Die unverstellte Erinnerung des Kindes entlarvt die Retrospektive der Erwachsenen als Verklärung.

R. H.: Die Geschwindigkeit eines einzigen Tages. Reinbek bei Hamburg: Rowohlt, 1976. S. 24. – Mit Genehmigung von Rolf Haufs, Berlin.

HERMANN HESSE

Hermann Hesse, 1877 in Calw geboren, wurde von seiner Familie in der Tradition des schwäbischen Pietismus erzogen, seine in Indien geborene Mutter weckte jedoch auch schon früh sein Interesse an indischer Religion und Kultur. 1912 ließ er sich in der Schweiz nieder, seit 1924 war er Schweizer Staatsbürger. Seine pazifistische Grundhaltung zeigte sich vor allem nach Ausbruch des Ersten Weltkriegs in einer Reihe um Versöhnung bemühter Aufsätze und offener Briefe. 1946 erhielt Hesse den Nobelpreis für Literatur. Er starb 1962 in Montagnola (Tessin), wo er seit 1919 lebte.

Hesse führte eine ausführliche Korrespondenz, nicht nur mit Schriftstellern und Künstlern, sondern auch mit Lesern, die ihn um Hilfe baten. Im Laufe seines Lebens schrieb er etwa 35 000 Briefe. Im Zentrum vieler Briefe der unmittelbaren Nachkriegszeit steht dabei Hesses Empörung über die mangelnde Einsicht der Deutschen: »Keiner hat etwas gelernt, jeder macht und denkt da weiter, wo der Krieg begonnen hat, jeder erwartet Mitleid, Hilfe, Verständnis, und keiner läßt merken, daß er sich am Ganzen mitschuldig weiß, nicht nur an Hitler, sondern noch an vielem anderen« (Brief vom 11. März 1946).

Briefe 165

H. H.: Politik des Gewissens. Hrsg. von Volker Michels. Bd. 2: Die politischen Schriften 1932–1964. Frankfurt a. M.: Suhrkamp, 1977. S. 685 f. und S. 688 f. – © 1977 Suhrkamp Verlag, Frankfurt am Main.

STEFAN HEYM

Stefan Heym (d. i. Helmut Flieg), 1913 in Chemnitz als Sohn eines jüdischen Kaufmanns geboren, emigrierte 1935 in die USA und nahm als Offizier für psychologische Kriegführung in der US-Armee am Krieg teil. Nach 1945 arbeitete er als Journalist und Mitbegründer der Münchener *Neuen Zeitung* für die amerikanische Besatzungspresse in Deutschland. Aus Protest gegen den erstarkenden Antikommunismus gab Heym zu Beginn des Kalten Krieges sein Offizierspatent zurück und übersiedelte 1952 in die DDR, wo ein Teil seiner Werke jedoch nicht erscheinen konnte. 1979 wurde er wegen seiner regierungskritischen Haltung aus dem Schriftstellerverband der DDR ausgeschlossen. Unter dem Titel *Nachruf* veröffentlichte Heym, der in Berlin lebt, 1988 seine Memoiren.

1945 wurde nach Heyms Meinung in Deutschland eine revolutionäre Chance vertan. Sein Roman *Schwarzenberg* (1984) spielt auf dem Territorium des gleichnamigen thüringischen Landkreises, der 1945 aus Unklarheit über den Verlauf der Demarkationslinie zwischen Amerikanern und Russen unbesetzt blieb, die Gründung einer neuen Republik und damit die Möglichkeit eines »dritten Weges« durch. Obwohl der Einmarsch der Sowjettruppen das Unternehmen schließlich beendet, wird die ihm zugrundeliegende Utopie bekräftigt. Für die dabei exemplarisch dargestellte Alternative zu Kapitalismus und real existierendem Sozialismus setzte sich

Heym auch nach dem Zusammenbruch des SED-Regimes in der DDR ein.

St. H.: Schwarzenberg. Roman. München: Bertelsmann, 1984. S. 35–41. – © 1984 C. Bertelsmann Verlag GmbH, München.

EDGAR HILSENRATH

Edgar Hilsenrath, 1926 in Leipzig als Sohn eines orthodoxen jüdischen Kaufmanns geboren, wurde während eines Aufenthalts bei Verwandten 1941 von rumänischen Faschisten ins Ghetto der ukrainischen Stadt Mogilev-Podelsk deportiert. Durch die Rote Armee befreit, kehrte er zunächst nach Rumänien zurück, wanderte aber bald nach Palästina und 1951 in die USA aus. Seit 1975 lebt er als freier Schriftsteller in der Bundesrepublik.

Der Nazi & der Friseur erschien 1971 zunächst in englischer Übersetzung in den USA. Erst nach dem Erfolg in Amerika fand 1977 die deutsche Originalfassung einen Verleger in der Bundesrepublik. Der Roman ist eine von schwarzem Humor durchzogene Groteske über den NS-Massenmörder Max Schulz, der sich nach Kriegsende vor der Bestrafung rettet, indem er die Identität seines ermordeten jüdischen Jugendfreundes Itzig Finkelstein annimmt. Aus dem Krieg zurückgekehrt, berichtet er der Frau seines SS-Kameraden Günter Holle von den letzten Kriegstagen. Der saloppe Ton, mit dem Verbrechen und Grauen hier beschrieben werden, wirkt schockierend und erweist sich zugleich als sarkastisch entlarvender Kunstgriff.

E. H.: Der Nazi & der Friseur. Roman. Köln: Literarischer Verlag Helmut Braun, 1977. S. 122–130. – © 1990 R. Piper GmbH & Co. KG, München.

HANS EGON HOLTHUSEN

Hans Egon Holthusen, 1913 als Sohn eines Pfarrers in Rendsburg geboren, war im Krieg Soldat und Frontberichterstatter auf dem Balkan. Als Lyriker, Essayist, Literaturprofessor und Kulturkritiker tätig, gehörte er nach dem Krieg zu den einflußreichsten Vertretern einer literarischen Rechten, die im scharfen kulturpolitischen Gegensatz zur »Gruppe 47« stand. Er lebt in München.

Sein außerordentlich zeittypisches Gedicht *Tabula rasa* wurde im ersten Heft des ersten Jahrgangs der Monatsschrift *Die Wandlung* (1945/46) veröffentlicht. Im Ton eines virtuosen Rilke-Epigonen dämonisiert und exkulpiert es die Schrecken und Verbrechen des Dritten Reiches und des Kriegs, indem es noch aus der eigenen Ohnmacht und Verblendung einen kulinarisch-poetischen Tropfen zu »keltern« versucht – eine Ästhetisierung der »Stunde Null«, die ohnegleichen ist.

H. E. H.: Tabula rasa. In: Die Wandlung. Eine Monatsschrift. Hrsg. von Dolf Sternberger. 1 (1945/46) H. 1. S. 65. – Mit Genehmigung von Hans Egon Holthusen, München.

ERNST JANDL

Ernst Jandl, 1925 in Wien geboren, wurde 1943 Soldat und geriet bei Kriegsende in amerikanische Gefangenschaft. Nach dem Krieg studierte er Germanistik und Anglistik und arbeitete bis 1979 als Gymnasiallehrer. In enger Beziehung zur experimentell schreibenden »Wiener Gruppe« entwickelte Jandl in den fünfziger Jahren neue Formen der Lyrik. Dem visuellen und dem akustischen Eindruck kommt in seinen Werken der »Konkreten Poesie« und in seinen »Sprechgedichten« besondere Bedeutung zu.

In Jandls Text *markierung einer wende*, der 1966 entstand und 1968 im Band *Sprechblasen* erschien, baut die stakkatohafte Reihung des Wortes »krieg« eine negative Spannung auf, die sich im Umschlag zum semantisch positiv besetzten Wort »mai« schließlich entlädt. Der Moment des Kriegsendes wird damit nicht nur als »wende« markiert, sondern auch als erlösendes Erlebnis eines Neuanfangs inszeniert.

E. J.: Gesammelte Werke. Hrsg. von Klaus Siblewiski. Bd. 1: Gedichte. Darmstadt/Neuwied: Luchterhand, 1985. S. 285. – © 1985 Luchterhand Literaturverlag, München.

UWE JOHNSON

Uwe Johnson, 1934 in Kammin (Pommern) als Sohn eines Gutsverwalters geboren, war bei Kriegsende in einem NS-Internat und floh 1945 nach Mecklenburg. Aufgrund von Konflikten mit dem Parteiapparat fand der studierte Germanist im DDR-Staatsdienst keine Anstellung und hatte nur eingeschränkte Publikationsmöglichkeiten. Mit dem Erscheinen der *Mutmaßungen über Jakob* in der Bundesrepublik siedelte er 1959 nach West-Berlin über, was er selbst jedoch nie als »Flucht« verstand. 1974 ging er nach England, wo er bis zu seinem Tod 1984 auf einer Themseinsel lebte.

Im Roman *Das dritte Buch über Achim*, der 1961 in der Bundesrepublik erschien, geht es Johnson um »die Grenze: den Unterschied: die Entfernung« zwischen Ost- und Westdeutschland. Der Hamburger Journalist Karsch soll im Auftrag eines DDR-Verlages als unvoreingenommener Beobachter die dritte Biographie über den ostdeutschen Radrennsportler Achim schreiben, der zugleich Volksvertreter ist. Den Informationen, die Karsch durch Befragung des Spitzensportlers beispielsweise über dessen Erlebnis des Kriegsendes erhält und die ins Bild des DDR-Idols passen, stehen dabei Ergebnisse der übrigen Recherche gegenüber, die Achim als ehemaligen Hitlerjungen und Teilnehmer am Aufstand des 17. Juni erweisen. An der Widersprüchlichkeit dieses Bildes zerbricht schließlich die Zusammenarbeit mit dem ideologisch linientreuen ostdeutschen Verlag.

Das dritte Buch über Achim *Auszug* 75

U. J.: Das dritte Buch über Achim. Roman. Frankfurt a. M.: Suhrkamp, 1961. S. 167–170. - © 1961 Suhrkamp Verlag, Frankfurt am Main.

ERNST JÜNGER

Ernst Jünger, 1895 in Heidelberg geboren, stammt aus einer gutsituierten Apothekerfamilie. Der im Ersten Weltkrieg mit dem Tapferkeitsorden »Pour le mérite« ausgezeichnete Autor war in den 20er und 30er Jahren vor allem als »Kriegsschriftsteller« bekannt. Seit 1940 als Hauptmann in Frankreich stationiert, wurde er 1944 wegen seiner Kontakte zu den Verschwörern vom 20. Juli unehrenhaft aus der Wehrmacht entlassen und an die Heimatfront nach Kirchhorst zurückberufen. Ernst Jünger, für die einen »aktiver Schrittmacher des Nationalsozialismus«, für die anderen »einer der letzten großen

Solitäre der deutschen Literatur«, lebt heute in Wilflingen / Schwäbische Alb.

Unter dem Titel *Strahlungen* sind 6 Tagebücher zusammengefaßt, die in den Jahren 1939–1948 entstanden. Die *Kirchhorster Blätter*, 1949 erstmals erschienen, umfassen den Zeitraum vom 14. August 1944 bis zum 11. April 1945. Die Jahre des Nationalsozialismus und des Zweiten Weltkrieges waren bei Jünger durch einen »Rückzug in die Innerlichkeit« geprägt. Die Intimsphäre des Tagebuchs ermöglichte es dem Autor, literarisch produktiv zu bleiben. Mit der für seine Tagebücher typischen »kühlen Distanz des erhöhten Standorts« beschreibt Jünger die Ereignisse bei Kriegsende.

Kirchhorster Blätter 124

E. J.: Sämtliche Werke in 18 Bänden. Bd. 3: Tagebücher III. Strahlungen II. Stuttgart: Klett-Cotta, 1979. S. 395–401. – © 1979 J. G. Cotta'sche Buchhandlung Nachfolger GmbH, Stuttgart.

ERICH KÄSTNER

Erich Kästner, 1899 in Dresden geboren, wuchs in kleinbürgerlichen Verhältnissen auf. 1933 entschied er sich bewußt gegen die Emigration, weil er von der Chronistenpflicht des Schriftstellers überzeugt war. Seit der Bücherverbrennung 1933 galt auch Erich Kästner als »unerwünschter und politisch unzuverlässiger Autor«. In den folgenden Jahren beschränkte er sich auf unverfängliche Kinderbücher und Unterhaltungsromane, die in Holland, Österreich und in der Schweiz publiziert wurden. Er starb 1974 in München.

1941, 1943 und 1945 begann Erich Kästner für jeweils 6 Monate Tagebuch zu führen. Die Stenonotizen, mit denen er sein »Blaubuch« füllte, sollten ursprünglich als Grundlage für einen großen Roman dienen. Kästner kam jedoch zu der Erkenntnis, daß ein Roman dem Thema Deutschland, Krieg und Faschismus nicht gerecht werden könnte. 1960 entschied er sich daher, sein »Blaubuch« zu überarbeiten und als Tagebuch zu veröffentlichen. Die Aufzeichnungen vom 7. Februar bis zum 2. August 1945 erschienen 1961 unter dem Titel *Notabene 1945*. In der Eintragung vom 8. Mai entwickelt der »innere Emigrant« Kästner seinen eigenen Standpunkt zur Schuldfrage, indem er mit unverhohlenem Sarkasmus die Mitschuld der Alliierten zur Diskussion stellt.

E. K.: Notabene 1945. Ein Tagebuch. Berlin: Dressler, 1961. S. 144–147. – © 1961 Atrium Verlag AG, Zürich.

ALFRED KANTOROWICZ

Alfred Kantorowicz wurde 1899 als Sohn einer jüdischen Familie in Berlin geboren. Studierter Jurist, Journalist und Theaterkritiker, trat er 1931 in die KPD ein, mußte im März 1933 nach Frankreich emigrieren, kämpfte im Spanischen Bürgerkrieg auf der Seite der Internationalen Brigaden, flüchtete 1941 nach New York und wurde dort Abteilungsleiter eines Radio-Konzerns. 1946 kehrte er in die SBZ zurück und gab dort die bald unerwünschte Zeitschrift *Ost und West* heraus (1947–49). Als Professor für deutsche Literatur geriet er wegen seiner kritischen Haltung zunehmend unter Druck und verließ 1957 fluchtartig die DDR. In der Bundesrepublik wurde er erst 1966 als politischer Flüchtling anerkannt und lebte bis zu seinem Tode 1977 zurückgezogen in München und Hamburg.

Sein zweibändiges *Deutsches Tagebuch* (1959/61) ist eine persönliche Chronik der Jahre 1945 bis 1957. In den ausgewählten Auszügen spricht ein unorthodoxer Kommunist, der mit kritischem Blick das Exil in den USA erlebt hat und der sich deshalb über die »Stunde Null« und die Nachkriegszeit keinerlei Illusionen macht – weder über das Verhalten der siegreichen Westalliierten noch über das der besiegten Deutschen. Die Enttäuschung durch den stalinistischen Sozialismus sollte nicht lange auf sich warten lassen.

A. K.: Deutsches Tagebuch. Bd. 1. München: Kindler, 1959. S. 71 f. und S. 78 bis 80.

MARIE LUISE KASCHNITZ

Marie Luise Kaschnitz wurde 1901 in Karlsruhe geboren. Zunächst Buchhändlerin, unternahm sie als Frau eines Archäologen ausgedehnte Studienreisen, vor allem im Mittelmeerraum, und lebte nach dem Krieg in Frankfurt, Rom und im Schloß ihres Bruders bei Freiburg i. Br. Sie wurde in dieser Zeit vor allem durch ihre Erzählungen und ihre Lyrik bekannt; sie starb 1974.

Ihr Essay *Von der Stille* erschien zuerst 1946 in dem Band *Menschen und Dinge 1945*. Er ist das Beispiel einer kalligraphischen

Prosa, die noch ganz den Geist der klassischen Tradition und der »Inneren Emigration« atmet. Ebenso unpolitisch wie elitär, spricht aus ihren erlesenen Sätzen aber auch die Zukunftsangst der »Geistigen«, die am Ende des Krieges die Erschütterung ihrer privaten Welt durch eine schicksalhafte Machtgeschichte befürchten.

M. L. K.: Gesammelte Werke. Hrsg. von Christian Büttich und Norbert Miller. Bd. 7: Die essayistische Prosa. Frankfurt a. M.: Insel, 1989. S. 50–54. – © 1989 Insel Verlag, Frankfurt am Main.

WOLFGANG KOEPPEN

Wolfgang Koeppen wurde 1906 in Greifswald als uneheliches Kind einer verarmten Gutsbesitzertochter geboren. 1934 reiste Koeppen ins »freiwillige« Exil nach Holland, kehrte jedoch 1938 nach Deutschland zurück. Um der Einberufung zur Wehrmacht zu entgehen, hielt er sich seit 1943 am Starnberger See versteckt. Heute lebt Wolfgang Koeppen als freier Schriftsteller in München.

Der Roman *Der Tod in Rom* erschien 1954 als dritter Teil einer Trilogie (*Tauben im Gras*, 1951; *Das Treibhaus*, 1953) über die politischen und gesellschaftlichen Verhältnisse in der Bundesrepublik der Nachkriegszeit. Mit dem *Tod in Rom* demonstriert Koeppen drastisch und schonungslos die Kontinuität von Gewalt und Faschismus in Deutschland. Zentrale Figur des Romans ist der ehemalige SS-Offizier Gottfried Judejahn, der in Rom mit seiner Familie zusammentrifft, um seine Rückkehr in die Bundesrepublik vorzubereiten. Beim blutigen Finale erschießt der unverbesserliche Nazi Judejahn die jüdische Frau des Dirigenten Kürenberg, deren Vater durch Judejahns Schuld im KZ umkam. Im ausgewählten Romanauszug erzählt Judejahns Neffe, der homosexuelle Avantgardekomponist Siegfried Pfaffrath, die Geschichte von Judejahns Sohn Adolf, der bei Kriegsende durch die Begegnung mit einem vom KZ gezeichneten Kind seine Illusionen verliert und fortan als Priester die Schuld des Vaters sühnen will.

W. K.: Gesammelte Werke in sechs Bänden. Hrsg. von Marcel Reich-Ranicki in Zsarb. mit Dagmar von Briel und Hans-Ulrich Treichel. Bd. 2: Romane II. Frankfurt a. M.: Suhrkamp, 1986. S. 458–463. – © 1986 Suhrkamp Verlag, Frankfurt am Main.

HORST KRÜGER

Horst Krüger, 1919 als Sohn eines Beamten in Magdeburg geboren, studierte Literaturwissenschaft und Philosophie und wurde 1939/40 aus politischen Gründen für vier Monate inhaftiert. Ab 1942 war er Soldat und desertierte 1945 zu den Amerikanern. Nach dem Krieg arbeitete er als Publizist und freier Schriftsteller. Er lebt heute in Frankfurt am Main.

Krüger bezeichnet sich selbst als »typischen Sohn jener harmlosen Deutschen, die niemals Nazis waren und ohne die die Nazis ihr Werk nie hätten tun können«. Seine autobiographische Prosa *Das zerbrochene Haus. Eine Jugend in Deutschland* (1966, erweiterte Neuausgabe 1976) ist nicht nur eine Schilderung seines Lebens in den Jahren des Faschismus, sondern auch eine scharfsichtige Analyse des deutschen Kleinbürgertums dieser Zeit. Krüger schrieb sie nieder, nachdem er 1964 vier Monate lang als Beobachter am Auschwitz-Prozeß teilgenommen hatte. Im Kapitel *45, Stunde Null* beschreibt Krüger seine Entscheidung zur Desertion als Augenblick des Erwachens. Mit der Entfernung von der Truppe nimmt er zugleich Abschied von der eigenen Jugend unter Hitler und von einem Volk, für das er nur noch Wut und Verzweiflung empfindet.

H. K.: Das zerbrochene Haus. Eine Jugend in Deutschland. Hamburg: Hoffmann und Campe, 1976. S. 142–151. – © 1976 Hoffmann und Campe Verlag, Hamburg.

GÜNTER KUNERT

Günter Kunert wurde 1929 in Berlin geboren. Da seine Mutter Jüdin war, erhielt er nach 1943 keine schulischen Weiterbildungsmöglichkeiten und wurde für »wehrunwürdig« erklärt. Die Erfahrungen während der Zeit des Nationalsozialismus ließen ihn zum überzeugten Sozialisten und Mitglied der SED werden. Er wurde von Becher und Brecht gefördert. Seit Beginn der 60er Jahre machte er auf Widersprüche und Fehlentwicklungen im Sozialismus aufmerksam. In der Folge konnten einige seiner Arbeiten in der DDR nicht erscheinen; 1977 wurde er aus der SED ausgeschlossen. 1979 konnte er in die Bundesrepublik ausreisen und lebt seither in Itzehoe.

Kunerts frühe Gedichte richten sich gegen das Vergessen der Vergangenheit. Dabei geht es ihm nicht um die Propagierung fertiger Lösungen; vielmehr sollen offene Sentenzen dem Leser Denkanstöße geben. *Über einige Davongekommene*, erschienen in Kunerts erstem Gedichtband *Wegschilder und Mauerinschriften* (1950), thematisiert die Unfähigkeit und den Widerstand des Menschen, aus der Geschichte zu lernen.

G. K.: Erinnerungen an einen Planeten. Gedichte aus fünfzehn Jahren. München: Hanser, [1963]. S. 7. – © 1963 Carl Hanser Verlag, München und Wien.

SIEGFRIED LENZ

Siegfried Lenz, 1926 in Lyck (Ostpreußen) geboren, wuchs in kleinbürgerlichen Verhältnissen auf. 1943 wurde er zur Marine eingezogen, die letzten Kriegsmonate erlebte er in Dänemark. Nach der Erschießung eines Kameraden desertierte er und versteckte sich. Als er vom Ende des Krieges hörte, schlug er sich zur eigenen Truppe durch, um sich von den Engländern gefangennehmen zu lassen (vgl. *Ich zum Beispiel. Kennzeichen eines Jahrgangs*, 1966). Seit 1951 lebt er als freier Schriftsteller in Hamburg.

Mit dem 1968 erschienenen Roman *Deutschstunde* gelang Lenz der literarische Durchbruch. In einer Jugendstrafanstalt schreibt der 21jährige Siggi Jepsen die belastenden Erinnerungen an die politisch bedingten Auseinandersetzungen seines Vaters, des »nördlichsten Polizeipostens Deutschlands« mit dem »entarteten Maler« Nansen nieder. Es ist ein Bedenken und Beschreiben deutscher Geschichte vor und nach 1945 als Strafarbeit über »Die Freuden der Pflicht«. Pflichtbewußt unterrichtet auch Lehrer Prugel weiterhin vulgärdarwinistische »Lebenskunde«, obwohl seine Autorität längst von den näherrückenden Engländern untergraben wird.

S. L.: Deutschstunde. Hamburg: Hoffmann und Campe, 1968, S. 250–256. – © 1968 Hoffmann und Campe Verlag, Hamburg.

THOMAS MANN

Thomas Mann, 1875 in der Hansestadt Lübeck als Sohn eines Großkaufmanns und Senators geboren, wählte frühzeitig, wie sein Bruder Heinrich, den unbürgerlichen Beruf des Schriftstellers und wurde durch seinen Roman *Buddenbrooks* (1901/03) bald berühmt (Nobelpreis 1929). Im Ersten Weltkrieg noch ein Befürworter des Wilhelminischen Deutschland, setzte er sich danach für die Weimarer Republik ein und warnte vor der Gefahr des Nationalsozialismus. Die sogenannte Machtergreifung überraschte ihn in der Schweiz und machte ihn wider Willen zum Exilanten. 1936 wurde er von der NS-Regierung ausgebürgert; 1938 ging er in die USA; 1944 nahm er die amerikanische Staatsbürgerschaft an. In regelmäßigen Rundfunkansprachen appellierte er an die Deutschen, sich selber von Hitler zu befreien. Nach 1945 kehrte er bewußt nicht nach Deutschland zurück, siedelte aber 1952 aus dem Amerika McCarthys in die Schweiz über, wo er 1955, mit Deutschland versöhnt, starb.

Der Tagebucheintrag vom 8. Mai 1945 bildet das intime Pendant zu Thomas Manns Radioansprache nach Deutschland vom 10. Mai 1945. Bemerkenswert ist die Selbstverständlichkeit, mit der dieser akribische Chronist die Daten des Privatlebens auch noch den Ereignissen eines >welthistorischen< Tages vorordnet. Dadurch erinnert er daran, daß das individuelle menschliche Leben auch über die großen Geschichtszäsuren hinweg einfach weitergeht.

Die Rundfunkansprache vom 10. Mai 1945 ist die letzte von »fünfundfünfzig Radiosendungen nach Deutschland«, die Thomas Mann von seinem amerikanischen Exil aus (bzw. der BBC London) seit Oktober 1940 monatlich gehalten hat und die auch heimlich gehört wurden. Sie erschienen erstmals gesammelt in Stockholm 1945. Diese letzte Ansprache ist von der nicht unberechtigten Sorge geprägt, die Deutschen könnten die gewaltsame Befreiung »von außen«, nachdem alle Versuche einer Selbstbefreiung fehlgeschlagen waren, nicht wirklich akzeptieren. Sie schöpft aber auch, wie viele Nachkriegsdeutsche, Trost und Hoffnung aus der traditionellen Vorstellung Deutschlands als einer humanen Kulturnation, d. h. aus dem Deutschland Goethes, Schillers und Beethovens. Damit beruft sich Thomas Mann freilich auf eine einfache Geist-Macht-Antinomie, die sich schon am Ende der Weimarer Republik als illusionär und unwirksam erwiesen hatte.

(1) Th. M.: Tagebücher 1944–1946. Hrsg. von Inge Jens. Frankfurt a. M.: S. Fischer, 1986. S. 201 f. – © 1986 S. Fischer Verlag GmbH, Frankfurt am Main.
(2) Th. M.: Gesammelte Werke in 13 Bänden. Bd. 11: Reden und Aufsätze 3. Frankfurt a. M.: S. Fischer, 1960. S. 1121–23. – © 1960, 1974 S. Fischer Verlag GmbH, Frankfurt am Main.

HEINER MÜLLER

Heiner Müller, geboren 1929 als Sohn eines SPD-Funktionärs, der 1933 verhaftet und in ein KZ gebracht wurde, kam 1945 noch zum Kriegseinsatz im Volkssturm. Er ist der bekannteste Dramatiker der DDR gewesen, die er trotz ständiger Schwierigkeiten mit der Zensur nicht verließ.

Die selbständige Szene *Das Laken* ist die letzte einer Reihe, die Heiner Müller zu dem Stück *Die Schlacht. Szenen aus Deutschland* zusammengefaßt hat. Sie entstanden zwischen 1951 und 1974. Die Szene erschien 1966 im Sonderheft 1 der Zeitschrift *Sinn und Form*, noch ohne die Schlußwendung mit dem Eintritt der Sowjetsoldaten.

Mit dieser Szene knüpft Müller sowohl an Brechts *Furcht und Elend des Dritten Reiches. 24 Szenen* an (entstanden 1935–38, ursprünglicher Titel *Deutschland – ein Greuelmärchen*), wie an dessen Berliner »Vorspiel« zu *Die Antigone des Sophokles* (1949), und zwar unter Zuspitzung der Konflikte. Die blasphemisch zitierte »unbefleckte Empfängnis« meint nicht nur die »Adoption« des toten Soldaten und Deserteurs durch die alte Frau, sondern auch, ironisch, die unfreiwillige »Empfängnis« des Sozialismus in Ostdeutschland. Typisch für Müllers Gestaltung und Deutung der »Stunde Null« ist die kalte Verknüpfung von Töten, Schlachten und Überleben, Tod und Geburt, Schrecken und Hoffnung. Der Gewaltzusammenhang der Geschichte setzt sich auch über die »Zeitenwende« des Kriegsendes fort.

Die Kurzgeschichte *Das eiserne Kreuz* erschien erstmals in der DDR-Zeitschrift *Neue deutsche Literatur* (H. 1, 1956). Auch dieser Text zeigt das Ineinander von Töten und Überleben, Schrecken und Hoffnung am Ende des Krieges, zusammen mit dem für Müller typischen Motiv des Verrats. Verraten wird der von den NS-Ideologen geforderte heroische Untergang des deutschen Volkes in der »Stunde Null«, eine Forderung, für die sinnbildlich das »Eiserne Kreuz« steht. Gleichzeitig wird Westdeutschland als Zuflucht der unverbesserlichen und opportunistischen Nazis denunziert.

(1) H. M.: Die Schlacht. In: H. M.: Die Umsiedlerin oder das Leben auf dem Lande. Berlin: Rotbuch, 1975. [Texte 3.] S. 15 f. – © 1975 Rotbuch Verlag, Hamburg.
(2) H. M.: Germania Tod in Berlin. Berlin: Rotbuch, 1977. [Texte 5.] S. 10–12. – © 1977 Rotbuch Verlag, Hamburg.

INGE MÜLLER

Inge Müller, geboren 1925, wurde in den letzten Kriegswochen als Luftwaffenhelferin eingezogen und gehörte im April 1945 im Kampf um Berlin zu den letzten Wehrmachtstruppen. Sie wurde verschüttet und erst nach drei Tagen gerettet. Wenige Tage vor Kriegsende grub sie die Leichen ihrer Eltern aus den Trümmern ihres Hauses. Dieses Trauma hat Inge Müller nie überwunden. Von der Verschüttung ihres Lebensanspruchs zeugt auch ihre Existenz als Schriftstellerin. Zwar taucht ihr Name als Co-Autorin der frühen Stücke (1958/59) ihres Mannes Heiner Müller auf, ihre lyrische Produktion aber blieb so gut wie unbekannt. 1966 wählte Inge Müller nach jahrelangen Depressionen den Freitod.

Erst 1985 erschien unter dem Titel *Wenn ich schon sterben muß* die erste Sammlung ihrer zwischen 1954 und 1966 entstandenen Gedichte. Der Krieg als existentielle Erfahrung dauernder Unbehaustheit bleibt das lyrische Grundmuster der »zufällig« Übriggebliebenen. Die »verhaßte Uniform« wird zum Symbol des unfreiwilligen Eintritts in eine von Männern gemachte Geschichte, die einen *Heimweg 45* unmöglich macht. Auch in *Fallada 45* – der Titel verweist auf das treue Pferd in Grimms Märchen *Die Gänsemagd* – wird äußere wie innere Zerstörung, die Menschen zu Tieren werden läßt, in reduzierter Sprache artikuliert. Müllers Lyrik verweigert die Bestätigung der offiziellen Geschichts- und Gegenwartsauffassung: Faschismus und Krieg werden nicht als Vorgeschichte abgetan, auch in den Jahren des Aufbaus und des proklamierten neuen Lebens dominiert die Verstörung. Die Provokation dieser distanzlos geschilderten Lebenserfahrung ließ die Stimme des »ersten wichtigen Autors lyrischer Texte der DDR« (Endler, 1979) in der Ulbricht-Zeit untergehen.

I. M.: Wenn ich schon sterben muß. Berlin/Weimar: Aufbau-Verlag, 1985. S. 34 (1). S. 33 (2). – © 1985 Aufbau-Verlag GmbH, Berlin und Weimar.

HANNS-JOSEF ORTHEIL

Hanns-Josef Ortheil, 1951 in Köln-Lindenthal geboren, studierte Musikwissenschaft, vergleichende Literaturwissenschaft, Germanistik und Philosophie.

In der 1983 erstmals erschienenen Erzählung *Hecke* rekonstruiert der Ich-Erzähler mit Hilfe von Tagebucheintragungen, Briefen und der Befragung von Zeitzeugen die Lebensgeschichte seiner Mutter im Dritten Reich. Auf der Suche nach der eigenen Identität ermöglicht die Durchbrechung der mütterlichen Erzählautorität dem Sohn die sprachliche Neugestaltung seines Lebens. »Hecke« ist der Name des Ortes, an dem seine Mutter am Ende des Krieges auf tragische Weise ihr Kind – seinen Bruder – verlor; ein magisches, verbotenes Wort aus seiner Kindheit, dessen Bedeutung er jetzt erst begreift. Der Tod des Kindes zu einem Zeitpunkt, an dem der Tod nicht sinnloser hätte sein können, markiert auf fast schon surreale Weise den Bruch im Leben der Mutter. Er lebt heute als freier Schriftsteller in Stuttgart.

H.-J. O.: Hecke. Erzählung. Frankfurt a. M.: S. Fischer, 1983. – Mit Genehmigung von Hanns-Josef Ortheil, Stuttgart.

LOTTE PAEPCKE

Lotte Paepcke, 1910 als Tochter eines jüdischen Lederhändlers in Freiburg geboren, studierte Jura und wurde wegen ihrer Mitgliedschaft in der »Roten Studentengruppe« in Freiburg für mehrere Wochen inhaftiert. Während ihre Eltern bei Kriegsausbruch über die Schweiz in die USA flohen, überlebte sie die NS-Zeit in Deutschland, wo sie zunächst durch ihre »Mischehe« einen gewissen Schutz genoß, dann aber doch untertauchen mußte. Über ihr Leben in der wachsenden Illegalität hat sie in dem 1952 erschienenen Buch *Unter einem fremden Stern* berichtet, das 1979 unter dem Titel *Ich wurde vergessen* neu aufgelegt wurde. Lotte Paepcke lebt heute in Karlsruhe.

Paepckes Gedicht *Wörter* (Erstdruck 1980) thematisiert das Kriegsende als Zeitpunkt einer besonderen Sprachproblematik. Für den Mißbrauch und die Zerstörung der Sprache durch die NS-Herrschaft waren Schriftstellerinnen und Schriftsteller besonders sensibel, die – wie Elisabeth Langgässer 1947 auf dem 1. Deutschen

Schriftstellerkongreß formulierte – »immer tiefer in den Raum ihrer Sprache hinein« hatten auswandern müssen (vgl. auch Elias Canettis *Aufzeichnungen*, S. 151 f.). Die verschiedenen literarischen Versuche, nach 1945 mit kargen, elementaren Worten und Sätzen sprachlich noch einmal von vorn zu beginnen, faßte Wolfgang Weyrauch 1949 unter dem Begriff »Kahlschlag-Literatur« zusammen. Paepcke konfrontiert die Nachkriegsbestrebungen um eine Sprachreinigung oder gar einen Sprachverzicht mit der Erfahrung, daß die Sprache trotz aller Rettungsbemühungen auch nach 1945 dem Gang der Geschichte ausgeliefert blieb.

L. P.: Gesammelte Gedichte. Moos/Baden-Baden: Elster Verlag, 1989. S. 29. – © 1989 Elster Verlag GmbH & Co., Baden-Baden.

HANS WERNER RICHTER

Hans Werner Richter, 1908 als Sohn eines Fischers in Bansin (Usedom) geboren, wurde nach seiner Tätigkeit als Buchhändler 1940 Soldat und geriet in Italien in amerikanische Gefangenschaft. Zusammen mit Alfred Andersch gab er von 1945 bis 1947 den *Ruf* heraus. Als Mitbegründer und Organisator der »Gruppe 47« wirkte er bis weit in die sechziger Jahre hinein maßgeblich auf das literarische Leben in der Bundesrepublik ein. Richter starb 1993 in München.

Der Titelheld von Richters satirischem Roman *Linus Fleck*, der in der ersten Ausgabe von 1959 den Zusatz *oder Der Verlust der Würde* trägt, nutzt in opportunistischer Manier die Chance der Umbruchszeit nach 1945 und macht bei den Amerikanern Karriere. Vom Küchenboy wird er zum Herausgeber einer Jugendzeitschrift, verliert dabei jedoch jede persönliche Integrität. In der Tradition des *Simplizissimus* ist Richters Roman eine kritische Bestandsaufnahme der gesellschaftlichen und wirtschaftlichen Nachkriegsentwicklung, die die anarchisch-chaotische Situation der »Stunde Null« als Tummelplatz für Glücksritter beschreibt.

H. W. R.: Linus Fleck oder Der Verlust der Würde. München: Desch, 1959. Neuausg. München: Nymphenburger, 1978. S. 7–15. – Mit Genehmigung von Toni Richter, München.

HANS SAHL

Hans Sahl, 1902 in Dresden geboren, wuchs in einem großbürgerlichen, jüdisch-assimilierten Elternhaus in Berlin auf und arbeitete zunächst für verschiedene Zeitungen als Literatur-, Film- und Theaterkritiker. 1933 verließ er Deutschland und gelangte über mehrere Stationen ins Exil nach New York. Dort entstanden die meisten seiner schriftstellerischen Arbeiten. Nachdem Sahl die amerikanische Staatsbürgerschaft erhalten hatte, unternahm er 1947 eine erste Europareise; nach einem begrenzten Deutschlandaufenthalt (1953–58) kehrte er 1989 endgültig in die Bundesrepublik zurück und lebte bis zu seinem Tod 1993 in Tübingen.

Prägend für Sahl war die Erfahrung des Exils, das er als »geistige[n] Zustand, eine Lebensform« empfand. Verstärkt wurde dieses Gefühl der Fremdheit durch seinen Bruch mit der Linken nach Beginn der Moskauer Prozesse. Das Schaudern über das eigene Überleben und das seiner Kinder wird zum prägenden Moment für Sahls Erleben des Kriegsendes, das auch in dem 1945 entstandenen Gedicht *Beim Lesen deutscher KZ-Berichte* (Erstdruck 1976 in der Gedichtsammlung *Wir sind die Letzten*) thematisiert wird.

Beim Lesen deutscher KZ-Berichte 162

H. S.: Wir sind die Letzten. Der Maulwurf. Gedichte. Frankfurt a. M.: Luchterhand, ²1991. S. 45. – © 1991 Luchterhand Literaturverlag, München.

VALENTIN SENGER

Valentin Senger wurde 1918 in Frankfurt am Main geboren. Sein Vater flüchtete im Dezember 1905 vor der zaristischen Geheimpolizei nach Deutschland, wo er einen Schlußstrich unter seine revolutionäre Vergangenheit zog und mit seiner Familie unter dem falschen Namen Senger in der Kaiserhofstraße 12 ein neues Leben begann. Bis zum Ende des Krieges blieb ihre jüdische Herkunft daher unentdeckt. Den Einmarsch der Amerikaner erlebte Senger, der wegen seines Fremdenpasses erst 1944 eingezogen wurde, als Deserteur bei drei Frauen in einem Jagdhaus bei Heimarshausen. Senger lebt heute als freier Schriftsteller in Frankfurt.

Sein autobiographischer Bericht *Kaiserhofstraße 12* erschien 1978. Die Frage »Ist das die Befreiung?«, die dem Kapitel über das Kriegsende voransteht, wird durch die Schilderung einer radikalen Desillusionierung beantwortet. 1984 hat Senger die bitteren Enttäuschungen, die diesem Erlebnis folgten, unter dem Titel *Kurzer Frühling* beschrieben. Als Journalist der in Frankfurt erscheinenden *Sozialistischen Volkszeitung* fühlte er sich wegen seiner jüdischen Herkunft schon 1945 erneut als Außenseiter, bevor die Kommunistische Partei den unbequemen Überlebenden des Nazi-Terrors 1958 ausschloß.

V. S.: Kaiserhofstraße 12. Darmstadt/Neuwied: Luchterhand, 1978. S. 277–282.
– © 1978 Luchterhand Literaturverlag, München.

ARNO SURMINSKI

Arno Surminski, 1934 in Jäglack (Ostpreußen) geboren, schlug sich 1945 nach der Deportation seiner Eltern alleine durch, bis er 1947 in Schleswig-Holstein von einer kinderreichen Familie aufgenommen wurde. Nach einer Lehre in einem Rechtsanwaltsbüro und einem zweijährigen Aufenthalt in kanadischen Holzfällercamps lebt er seit 1962 als freier Schriftsteller und Journalist in Hamburg.

In dem 1976 erschienenen Erzählband *Aus dem Nest gefallen. Geschichten aus Kalischken* erzählt Surminski heiter und ohne Pathos von seiner ehemaligen Heimat Ostpreußen. In der Kurzgeschichte *Die letzten Menschen* wird die Flucht aus der Heimat und das Kriegsende in Beziehung gesetzt zur biblischen Apokalypse. Wie in der alten »Lesebuchgeschichte« – gemeint ist wohl Brentanos Gedicht *Die Gottesmauer* – warten die »letzten Menschen« in einer zugeschneiten Waldhütte auf das »Ende des Weltuntergangs«. So wie das Ende des Krieges gleichzeitig den Anfang des Friedens markiert, so finden die beiden alten Leute im Tod ihren letzten, den ewigen Frieden.

A. S.: Aus dem Nest gefallen. Geschichten aus Kalischken. Reinbek bei Hamburg: Rowohlt, 1978. S. 91–97. – Mit Genehmigung von Arno Surminski, Hamburg.

UWE TIMM

Uwe Timm, 1940 als Sohn eines Kürschners in Hamburg geboren, studierte Germanistik, Philosophie, Soziologie und Volkswirtschaftslehre und lebt als freier Schriftsteller in München.

Timms Novelle *Die Entdeckung der Currywurst* (1993) erzählt

die Geschichte Lena Brückers, die am Ende des Krieges den jungen
Marinesoldaten Bremer zur Desertion verleitet und in ihrer Hamburger Wohnung versteckt. Um das entstandene Liebesverhältnis
nicht zu stören, verschweigt sie ihm die Einstellung der Kämpfe.
Erst nachdem sie Fotos aus den befreiten KZs gesehen hat, gibt sie
ihr Geheimnis preis, woraufhin Bremer spurlos verschwindet. Ein
von ihm zurückgelassenes Reiterabzeichen tauscht Lena Brücker auf
dem Schwarzmarkt über mehrere Stationen gegen die Start-Ausstat-
tung eines Imbißstandes ein, bei dessen Einrichtung sie auf überraschende Weise die Currywurst entdeckt. Timm erzählt vom Kriegsende als Zeit ›unerhörter Begebenheiten‹, deren Gehalt mit dem Geschmack der Currywurst korrespondiert: »Trümmer und Neubeginn, süßlichscharfe Anarchie«.

U. T.: Die Entdeckung der Currywurst. Novelle. Köln: Kiepenheuer & Witsch,
1993. S. 103–115. – © 1993 Verlag Kiepenheuer & Witsch, Köln.

PETER WEISS

Peter Weiss wurde 1916 in Nowawes bei Berlin als Sohn eines jüdischen Textilfabrikanten geboren. 1934 emigrierte die Familie nach
London. Nach seinem 1936 begonnenen Studium an der Kunstaka-
demie in Prag emigrierte Peter Weiss 1939 nach Schweden, wo er in
der Textilfirma seines Vaters arbeitete. Der vielseitige Künstler, Fil-
memacher und Schriftsteller, seit 1946 schwedischer Staatsbürger,
starb 1982 in Stockholm.
    Der 1962 erschienene Künstlerroman *Fluchtpunkt* ist die Fortset-
zung der ein Jahr zuvor veröffentlichten autobiographischen Erzählung *Abschied von den Eltern*, in der Weiss eine rigorose Aufarbei-
tung seiner Kindheit und Jugend unternahm. Der ebenfalls stark
autobiographische Roman beschreibt das Leben und die Schaffens-
probleme von Mitgliedern der Stockholmer Exil-Boheme in den Jahren 1940 bis 1947. Der Ich-Erzähler vertritt zunächst eine nihilisti-
sche Kunst- und Lebensauffassung. In der ausgewählten Textpassage
– einer Schlüsselszene des Romans – wird er sich angesichts eines
Dokumentarfilms über Auschwitz seiner »Vermessenheit des Abstandnehmens« bewußt. Tief erschüttert und mit dem »Schuldgefühl
des Überlebenden« erkennt er schließlich die Notwendigkeit, Stellung zu beziehen.

P. W.: Fluchtpunkt. Roman. Frankfurt a. M.: Suhrkamp, 1979. S. 135–138. –
© 1979 Suhrkamp Verlag, Frankfurt am Main.

CHRISTA WOLF

Christa Wolf, geboren 1929, flüchtete im Januar 1945 aus Landsberg
an der Warthe (Gorzów Wielkopolski). Das Kriegsende erlebte sie
nicht als Befreiung, sondern als Verlust von Heimat und Kindheit,
als Zusammenbruch aller für gültig gehaltenen Werte. Die Gestaltung dieser traumatischen Erfahrung zieht sich wie ein roter Faden
durch Wolfs Werk.

Die Erzählung *Blickwechsel* entstand im Sommer 1969 als Auftragsarbeit für die Textsammlung *Der erste Augenblick der Freiheit*.
Aus dem offiziellen SED-Rahmen dieser zum 25. Jahrestag des
Kriegsendes veröffentlichten Anthologie fällt Wolfs Erzählung jedoch heraus: Thematisiert werden nicht nur die Schrecken der
Flucht vor der sowjetischen Armee. Durch die Parallelführung der
politisch-historischen und psychischen Vorgänge wird auch der
Neubeginn im Sinne einer plötzlichen »Zeitenwende« verneint, die
den einzelnen in die anonyme Masse der »Sieger der Geschichte«
entläßt. Unter dem Stichwort »Befreiung« wird Einblick gegeben in
einen schwierigen Erinnerungs- und Schreibprozeß. Befreiung wäre
demnach eine Aufgabe, die nicht von den »zufälligen Bewegungen
der alliierten Truppen« abhängt, sondern von »gewissen, schwierigen und lang andauernden Bewegungen« im Menschen selbst.

Ch. W.: Blickwechsel. In: Ch. W.: Gesammelte Erzählungen. Frankfurt a. M.:
Luchterhand, ³1988. S. 10–19. – © 1974, 1980, 1988 Luchterhand Literaturverlag, München.

Literaturhinweise

Ausgewählte Primärliteratur

Werke einzelner Autoren

Aichinger, Ilse: Die größere Hoffnung. Roman. Amsterdam 1948.

Anders, Günther: Tagebücher und Gedichte. München 1985. [S. 94: »Wenn Euer Kind«; S. 324 f.: »Die Prozession«; S. 330: »Tafel auf einem deutschen Schutthaufen«; S. 363: »Verlaufenes Kind«.]

Andreas-Friedrich, Ruth: Der Schattenmann. Tagebuchaufzeichnungen 1938–1945. Berlin 1947.

– Schauplatz Berlin. Tagebuchaufzeichnungen 1945–1948. Frankfurt a. M. 1984.

Aptiz, Bruno: Nackt unter Wölfen. Roman. Halle 1958.

Baring, Arnulf: 8. Mai 1945. In: Merkur. Deutsche Zeitschrift für europäisches Denken 5 (1975) S. 449–459.

Bender, Hans: Forgive me. In: H. B.: Worte, Bilder, Menschen. Geschichten, Roman, Berichte, Aufsätze. München 1969. S. 52–55.

Bieler, Manfred: Der Bär. Roman. Hamburg 1983.

Bienek, Horst: Erde und Feuer. Roman. München/Wien 1982.

– Königswald oder Die letzte Geschichte. Erzählung. München/Wien 1984.

Böll, Heinrich: Die Botschaft. [1947.] In: H. B.: Werke. Romane und Erzählungen. Hrsg. von Bernd Balzer. Bd. 1. Köln [1977]. S. 308 bis 448.

– Als der Krieg zu Ende war. [1962.] Ebd. Bd. 4. S. 28–45.

– Gruppenbild mit Dame. [1971.] Ebd. Bd. 5. S. 11–384.

– Heimat und keine. [1965.] In: H. B.: Werke. Essayistische Schriften und Reden. Hrsg. von Bernd Balzer. Bd. 2. Köln 1978. S. 113 bis 116.

– Stichworte. [1965.] Ebd. S. 145–152.

– Bericht an meine Söhne oder vier Fahrräder. In: H. B.: Die Fähigkeit zu trauern. Schriften und Reden 1984–85. München 1988. S. 206–228.

Böll, Heinrich / Born, Nicolas / Manthey, Jürgen: »Ich habe nichts über den Krieg aufgeschrieben.« Ein Gespräch. In: Literaturmagazin 7. Nachkriegsliteratur. Hrsg. von Nicolas Born und Jürgen Manthey. Reinbek bei Hamburg 1977. S. 30–74.

Borowski, Tadeusz: Die steinerne Welt. Erzählungen. Aus dem Polnischen von Vera Cerny. München 1963. [S. 225–227: »Das Kriegsende«; S. 228–231: »Die Begegnung mit einem Kind«; S. 235–238: »Independence-Day«.]

Boveri, Margret: Tage des Überlebens. Berlin 1945. München 1968.

Brasch, Thomas: Lovely Rita. Rotter. Lieber Georg. Drei Stücke. Frankfurt a. M. 1989.

Braun, Volker: Simplex Deutsch. In: V. B.: Gesammelte Stücke. Bd. 2. Frankfurt a. M. 1989. [S. 52–55: »Befreiung«.]

Brecht, Bertolt: Rückkehr. In: B. B.: Große kommentierte Berliner und Frankfurter Ausgabe. Hrsg. von Werner Hecht, Jan Knopf, Werner Mittenzwei und Klaus-Detlef Müller. Bd. 12: Gedichte 2. Berlin / Frankfurt a. M. 1988. S. 125.

Brückner, Christine: Nirgendwo ist Poenichen. Berlin 1977.

Bruyn, Günter de: Zwischenbilanz. Eine Jugend in Berlin. Frankfurt a. M. 1992.

Carossa, Hans: Der volle Preis (Mai 1945). In: H. C.: Sämtliche Werke. Bd. 1. Frankfurt a. M. 1962. S. 82 f.

Chotjewitz, Peter O.: Die Stunde Null. In: Geschichte in Geschichten. Ein bundesdeutsches Lesebuch. Hrsg. von Fritz Noll und Rutger Booß. Dortmund 1980. S. 7–11.

Dönhoff, Marion Gräfin: Zwischen Zusammenbruch und Staatengründung. In: M. G. D.: Von Gestern nach Übermorgen. Hamburg 1981. S. 28 ff.

– Namen die keiner mehr nennt. Ostpreußen – Menschen und Geschichte. Düsseldorf 1962.

Drach, Albert: Unsentimentale Reise. Ein Bericht. München/Wien 1988.

Durlacher, Gerhard L.: Streifen am Himmel. Geschichten aus Krieg und Verfolgung. Aus dem Niederländischen von Rosemarie Still. Reinbek bei Hamburg 1988. [Niederl. Orig. 1985.]

Fallada, Hans: Der Alpdruck. Berlin 1947.

Fichte, Hubert: Detlevs Imitationen »Grünspan«. Roman. Reinbek bei Hamburg 1971.

Fried, Erich: Von Bis nach Seit. Gedichte aus den Jahren 1945–1958. Wien 1985.

Frisch, Max: Als der Krieg zu Ende war. In: M. F.: Gesammelte Werke in zeitlicher Folge. Hrsg. von Hans Mayer. Bd. 3. Frankfurt a. M. 1976. S. 229–281.

Fuchs, Gerd: Stunde Null. Roman. München 1981.

Fühmann, Franz: Kapitulation. In: F. F.: Werkausgabe. Bd. 1. Rostock 1993. S. 73–99.
– Pläne in der Brombeerhöhle. Ebd. Bd. 3. S. 117–133.
Geschonneck, Erwin: Meine unruhigen Jahre. Berlin 1984.
Giordano, Ralph: Die Bertinis. Frankfurt a. M. 1982.
Grass, Günter: Katz und Maus. [1961.] In: G. G.: Werkausgabe in zehn Bänden. Hrsg. von Volker Neuhaus. Bd. 3. Darmstadt/Neuwied 1987. S. 5–140.
– Hundejahre. [1963.] Ebd. S. 141–835.
Gregor, Manfred: Die Brücke. Roman. München 1988.
Grün, Max von der: Wie war das eigentlich? Kindheit und Jugend im Dritten Reich. Darmstadt/Neuwied 1979.
Hacks, Peter: Moritz Tassow. In: P. H.: Ausgewählte Dramen. Bd. 1. Berlin/Weimar 1971. S. 153–275.
Härtling, Peter: Eine Frau. Roman. Darmstadt/Neuwied 1974.
– Nachgetragene Liebe. Darmstadt/Neuwied 1980.
Hagelstange, Rudolf: Das Ende des Tyrannen. In: R. H.: Lied der Jahre. Gesammelte Gedichte 1931–1961. Frankfurt a. M. 1961. S. 25 f.
Harig, Ludwig: Weh dem, der aus der Reihe tanzt. München/Wien 1990.
Haufs, Rolf: Kapitulation. In: R. H.: Größer werdende Entfernung. Gedichte 1962–1979. Reinbek bei Hamburg 1979. S. 57.
Haushofer, Marlen: Schreckliche Treue. In: M. H.: Schreckliche Treue. Erzählungen. Düsseldorf 1986. S. 189–196.
Hein, Christof: »Wir werden es lernen müssen, mit unserer Vergangenheit zu leben«. Gespräch mit Krzysztof Jachimczak. In: Lothar Baier (Hrsg.): Christof Hein. Texte, Daten, Bilder. Frankfurt a. M. 1990. S. 45–67.
Hermlin, Stephan: In diesem Mai. In: S. H.: Begegnungen 1954–1959. Berlin 1960.
– Rückkehr. In: S. H.: Bestimmungsorte. Berlin 1985. S. 39–64.
Hesse, Hermann: Politik des Gewissens. Bd. 2: Die politischen Schriften 1932–1964. Frankfurt a. M. 1977. [S. 685: »Dem Frieden entgegen«; S. 690–692: »Rigi-Tagebuch«.]
Heym, Stefan: The Crusaders. Boston 1948. Dt.: Kreuzfahrer von heute. Roman unserer Zeit. Leipzig 1950. Der bittere Lorbeer. Roman. München 1960.
– Nachruf. München 1988.
Hofmann, Gert: Unsere Eroberung. Darmstadt/Neuwied 1984.
Hürlimann, Thomas: Der Gesandte. Zürich 1991.

Kästner, Erhart: Zeltbuch von Tumilat. Frankfurt a. M. 1985.

Kästner, Erich: Marschlied 45. [In: Der tägliche Kram.] In: E. K.: Gesammelte Schriften. Bd. 5: Vermischte Beiträge. Köln 1959. S. 48–50.

Kaschnitz, Marie-Luise: Tagebuch 1945. In: M. L. K.: Gesammelte Werke. Bd. 7. Frankfurt a. M. 1989. S. 420–432.

Kempowski, Walter: Uns gehts ja noch gold. Roman einer Familie. München 1972.

Kluge, Alexander: Die Zerstreuung. In: A. K.: Neue Geschichten. Hefte 1–18. Unheimlichkeit der Zeit. H. 4. Frankfurt a. M. 1977. S. 153–156.

Koeppen, Wolfgang: Das Treibhaus. [1953.] In: W. K.: Gesammelte Werke. Hrsg. von Marcel Reich-Ranicki in Zus.arb. mit Dagmar von Briel und Hans-Ulrich Treichel. Bd. 2: Romane II. Frankfurt a. M. 1986. S. 221–390.

Kolbenhoff, Walter: Von unserem Fleisch und Blut. München 1947.

Kopelew, Lew: Aufbewahren für alle Zeit. Hamburg 1976.

Kordon, Klaus: Der erste Frühling. Roman. Weinheim/Basel 1993.

Kreuder, Ernst: Inmitten der Niemandszeit. In: Hans Rauschning (Hrsg.): 1945. Ein Jahr in Dichtung und Bericht. Frankfurt a. M. 1965. S. 126–132.

Kriesten, Edmund von: Das Jahr 1945. Zwölf Monate – zwölf deutsche Geschichten. München/Berlin 1979.

Kunert, Günter: Im Namen der Hüte. Roman. München 1967.

– Tücke des Feindes. In: G. K.: Warnung vor Spiegeln. Gedichte. München 1970. S. 72.

Langgässer, Elisabeth: Glück haben. In: E. L.: Ausgewählte Erzählungen. Hamburg 1964. S. 230–236.

Lenz, Hermann: Neue Zeit. Roman. Frankfurt a. M. 1975.

Lenz, Siegfried: Heimatmuseum. Roman. Hamburg 1978.

– Ich zum Beispiel. Kennzeichen eines Jahrgangs. [1966.] In: S. L.: Beziehungen. Ansichten und Bekenntnisse zur Literatur. Hamburg 1970. S. 11–41.

– Ein Kriegsende. Hamburg 1984.

Lind, Jakov: Das Sterben der Silberfüchse. Hörspiel. In: J. L.: Die Heiden. Das Sterben der Silberfüchse. Neuwied/Berlin 1965. S. 53–69.

Loest, Erich: Durch die Erde ein Riß. Ein Lebenslauf. Hamburg 1981.

Lommer, Horst: Der Spuk ist aus (Mai 1945). In: H. L.: Das Tausendjährige Reich. Berlin 1946. S. 89 ff.

Mann, Heinrich: An das befreite Berlin [1945]. In: H. M.: Verteidigung der Kultur. Antifaschistische Streitschriften und Essays. Hamburg 1960. S. 380–390.

Mann, Heinrich: Ein Zeitalter wird besichtigt. Stockholm 1960.

Mann, Klaus: Der Wendepunkt. Ein Lebensbericht. München 1989.

Mann, Thomas: Deutschland und die Deutschen. In: Th. M.: Gesammelte Werke in 13 Bänden. Bd. 11: Reden und Aufsätze 3. Frankfurt a. M. 1960. S. 1126–48.

– Das Ende. Ebd. Bd. 12: Reden und Aufsätze 4. S. 944–950.

– Die Lager. Ebd. S. 951–953.

– Warum ich nicht nach Deutschland zurückgehe. Ebd. S. 953–962.

Mühlberger, Josef: Der Kranzträger. In: J. M.: Erzählungen. Karlsruhe 1960. S. 58–61.

– Sienesischer Totentanz. Ebd. S. 19–33.

– Einundzwanziger. Ebd. S. 51–57.

Müller, Heiner: Die heilige Familie. In: H. M.: Germania Tod in Berlin. Berlin 1977. [Texte 5.] S. 58–63.

Müller, Inge: Liebe 45. In: I. M.: Wenn ich schon sterben muß. Gedichte. Berlin/Weimar 1985. S. 35.

Neutsch, Erik: Der Friede im Osten. München 1974.

Nossak, Hans Erich: Der Untergang. Hamburg 1948.

Paepcke, Lotte: Unter einem fremden Stern (»Ich wurde vergessen«). [1952/1979.] Moos/Baden-Baden 1989.

Pausewang, Gudrun: Fern von der Rosinkawiese. Die Geschichte einer Flucht. Ravensburg 1989.

Perel, Sally: Ich war Hitlerjunge Salomon. Aus dem Französischen von B. Restorff. München 1993.

Piontek, Heinz: Stunde der Überlebenden. Autobiographischer Roman. Würzburg 1989.

Plivier, Theodor: Berlin. Roman. Wien [u. a.] 1954.

Pohl, Klaus: Das alte Land. Schauspiel in fünf Akten. Frankfurt a. M. 1984.

Reinig, Christa: Mai. In: Ch. R.: Sämtliche Gedichte. Düsseldorf 1984. S. 137 f.

Reinshagen, Gerlind: Sonntagskinder. In: G. R.: Gesammelte Stücke. Frankfurt a. M. 1986. S. 267–343.

Richter, Hans Werner: Die Geschlagenen. Roman. München 1949.

– Du sollst nicht töten. Roman. München 1955.

– Sie fielen aus Gottes Hand. Roman. München 1976.

– Die Stunde der falschen Triumphe. Roman. München 1981.

Schmidt, Arno: Leviathan. Stuttgart/Hamburg 1949.

Schneider, Reinhold: Die letzten Tage. Baden-Baden 1945.
– Das Unzerstörbare. In: R. S.: Gesammelte Werke. Hrsg. von Edwin Maria Landau. Bd. 9: Das Unzerstörbare. Religiöse Schriften. Frankfurt a. M. 1978. S. 212–218.
– An die Jugend. Ebd. Bd. 5.: Lyrik. Frankfurt a. M. 1981. S. 203.
Schneider, Rolf: »Der Frieden begann mit Süßigkeit«. In: Wolfgang Malanowski (Hrsg.): 1945. Deutschland in der Stunde Null. Reinbek bei Hamburg 1985. S. 172–182.
Schnurre, Wolfdietrich: Das Haus am See. In: W. Sch.: Die Erzählungen. Olten/Freiburg i. Br. 1966. S. 79–119.
– Auf der Flucht. Ebd. S. 24–28.
Schnurre, Wolfdietrich / Sandmeyer, Peter: Schreiben nach 1945. Ein Interview. In: Literaturmagazin 7. Nachkriegsliteratur. Hrsg. von Nicolas Born und Jürgen Manthey. Reinbek bei Hamburg 1977. S. 191–202.
Schröder, Rudolf A.: Brief an einen Heimkehrer. [1945.] In: R. A. S.: Gesammelte Werke in fünf Bänden. Bd. 3: Die Reden und Aufsätze 3. Frankfurt a. M. 1952. S. 1169–94.
Seghers, Anna: Das Schilfrohr. In: A. S.: Die Kraft der Schwachen. Darmstadt/Neuwied 1966. S. 65–79.
– Das Ende. In: A. S.: Erzählungen. Bd. 1. Darmstadt/Neuwied 1964. S. 273–334.
Senger, Valentin: Kurzer Frühling. Erinnerungen. Zürich 1984.
Strache, Wolf: Ich kam aus den zerbombten Städten. Berichte aus Deutschland 1945. Düsseldorf 1988.
Surminski, Arno: Jokehnen oder wie lange fährt man von Ostpreußen nach Deutschland? Stuttgart 1974.
– Erinnerungen des Soldaten Pawel. Aus: A. S.: Wie Königsberg im Winter. Geschichten gegen den Strom. Reinbek bei Hamburg 1985.
Tabori, George: 8. Mai 1945. In: Jörg W. Gronius / Wend, Kassens: Tabori. Frankfurt a. M. 1989.
Vesper, Bernward: Die Reise. Berlin 1977.
Walser, Martin: Die Verteidigung der Kindheit. Roman. Frankfurt a. M. 1991.
Weinert, Erich: Genau so hat es damals angefangen. In: Die Weltbühne 20 (1946) S. 357 f.
Weisenborn, Günther: Memorial. München 1947.
– Die Illegalen. In: G. W.: Theater. Bd. 2: Stücke und Komödien. München [u. a.] 1964. S. 7–66.
Weiss, Peter: Die Ästhetik des Widerstands. Bd. 3. Frankfurt a. M. 1981.
Wolf, Christa: Kindheitsmuster. Frankfurt a. M. 1988.

Zeller, Eva: Zerfallen sehen wir in diesen Tagen ... In: Ingeborg
Drewitz (Hrsg.): Städte 1945. Bericht und Bekenntnis. Düssel-
dorf/Köln 1970. S. 24–28.

Anthologien

Als der Krieg zu Ende war. Ein Lesebuch vom Neubeginn in Hamburg und Schleswig-Holstein. Hamburg 1985.

Casdorff, Claus Hinrich (Hrsg.): Weihnachten 1945. Ein Buch der
Erinnerungen. Königstein i. Ts. 1981.

Drewitz, Ingeborg (Hrsg.): Städte 1945. Bericht und Bekenntnis.
Düsseldorf/Köln 1970.

Europa in Trümmern. Augenzeugenberichte 1944–1948. Gesammelt
von Hans Magnus Enzensberger. Frankfurt a. M. 1990.

Faber, Elmar / Wurm, Carsten (Hrsg.): Allein mit Lebensmittelkarten ist es nicht auszuhalten. Autoren- und Verlegerbriefe
1945–1949. Berlin 1991.

Gosztony, Peter (Hrsg.): Der Kampf um Berlin 1945 in Augenzeu-
genberichten. Düsseldorf 1970.

Jentzsch, Bernd (Hrsg.): Ich sah aus Deutschlands Asche keinen
Phönix steigen. Rückkehr und Hoffnung in poetischen Zeugnis-
sen. München 1979.

Neunzig, Hans A. (Hrsg.): Der Ruf. Unabhängige Blätter für die
junge Generation. Eine Auswahl. München 1976.

Rauschning, Hans (Hrsg.): 1945. Ein Jahr in Dichtung und Bericht.
Frankfurt a. M. 1965.

Richter, Hans Werner (Hrsg.): Deine Söhne Europa. Gedichte deutscher Kriegsgefangener. München 1947.

Scherpe, Klaus R. (Hrsg.): In Deutschland unterwegs. Reportagen,
Skizzen, Berichte 1945–1948. Stuttgart 1983.

Schmidt, Bernd / Schwenger, Hannes (Hrsg.): Die Stunde Eins. Erzählungen, Reportagen, Essays aus der Nachkriegszeit. München
1982.

Schmitt, Elli (Hrsg.): Der erste Augenblick der Freiheit. Rostock
1970.

Schwab-Felisch, Hans (Hrsg.): Der Ruf. Eine deutsche Nachkriegs-
zeitschrift. München 1962.

Weyrauch, Wolfgang (Hrsg.): Tausend Gramm. Ein deutsches Bekenntnis in 30 Geschichten aus dem Jahr 1949. Hamburg/Stuttgart
1949. Überarb. und erw. Neuausg. Reinbek bei Hamburg 1989.

Ausgewählte Sekundärliteratur

»Als der Krieg zu Ende war«. Literarisch-politische Publizistik 1945–1950. Eine Ausstellung des Deutschen Literaturarchivs im Schiller-National-Museum Marbach a. N. Ausstellung und Katalog von Gerhard Hay, Hartmut Rambaldo, Joachim W. Storck unter Mitarb. von Ingrid Kußmaul und Harald Böck. München 1973.

Beier, Gerhard: Befreiung – Der Mai 1945 aus der Perspektive der Arbeiterbewegung. In: Uwe Danker [u. a.] (Hrsg.): 8. Mai 1945 – Stunde Null? Wiedergabe der im Rahmen des gleichnamigen Symposiums am 4. 5. 1985 gehaltenen Vorträge. Kiel 1986.

Brettschneider, Jürgen: Zorn und Trauer. Aspekte deutscher Gegenwartsliteratur. Berlin 1979.

Demetz, Peter: Die süße Anarchie. Deutsche Literatur seit 1945. Berlin / Frankfurt a. M. / Wien 1970.

Emmerich, Wolfgang: Kein »Nullpunkt«: Traditionsbildung und neuer Anfang im Zeichen des Antifaschismus (1945–49). Das Programm der antifaschistisch-demokratischen Erneuerung. In: W. E.: Kleine Literaturgeschichte der DDR. 1945–1988. Frankfurt a. M. 1989. S. 45–52.

– Nullpunkt. In: Wolfgang R. Langenbucher (Hrsg.): Handbuch zur deutsch-deutschen Wirklichkeit. Bundesrepublik Deutschland – Deutsche Demokratische Republik im Kulturvergleich. Stuttgart 1988. S. 538–542.

Endler, Adolf: Fragt mich nicht wie. Zur Lyrik Inge Müllers. In: Sinn und Form 31 (1979) H. 2. S. 152–161.

Esselborn, Karl: Neubeginn als Programm. In: Hansers Sozialgeschichte der deutschen Literatur vom 16. Jahrhundert bis zur Gegenwart. Hrsg. vn Rolf Grimminger. Bd. 10: Literatur in der Bundesrepublik Deutschland bis 1967. München 1986. S. 230–243.

Glaser, Hermann / Pufendorf, Lutz von / Schöneich, Michael: So viel Anfang war nie. Deutsche Städte 1945–1949. Berlin 1989.

Hay, Gerhard: Zur literarischen Situation 1945–1948. Kronberg i. Ts. 1977.

Helbig, Louis Ferdinand: Der ungeheure Verlust. Flucht und Vertreibung in der deutschsprachigen Belletristik der Nachkriegszeit. Wiesbaden 1988.

Hermand, Jost [u. a.] (Hrsg.): Nachkriegsliteratur in Westdeutschland 1945–1949: Schreibweisen, Gattungen, Institutionen. Hamburg/Berlin 1982.

Hermand, Jost [u. a.] (Hrsg.): Nachkriegsliteratur in Westdeutschland 1945–1949: Autoren, Sprache, Traditionen. Berlin/Hamburg 1983.

Hüppauf, Bernd (Hrsg.): »Die Mühen der Ebenen«. Kontinuität und Wandel in der deutschen Literatur und Gesellschaft 1945–49. Heidelberg 1981.

Jaspers, Karl: Die Schuldfrage. In: K. J.: Erneuerung der Universität. Reden und Schriften 1945/46. Heidelberg 1986. S. 113–213.

Joho, Wolfgang: Wir begannen nicht im Jahre Null. In: Neue deutsche Literatur 13 (1965) H. 5. S. 5–11.

Jung, Carl Gustav: Nach der Katastrophe. In: C. G. J.: Zivilisation im Übergang. Olten 1974. S. 219–244.

Kaminski, Winfried: Überhänge der Tradition und Versuche des Neuanfangs. Kinder- und Jugendliteratur in den Jahren nach 1945. In: Akten des VII. Internationalen Germanisten-Kongresses. Bd. 10. Göttingen 1985. S. 138–146.

Koopmann, Helmut: Nullpunkt und Kontinuität des Ichs im deutschen Roman der Nachkriegszeit. In: W. Seifert (Hrsg.): Literatur und Medien in Wissenschaft und Unterricht. Köln 1987. S. 27–36.

Kraiker, Gerhard (Hrsg.): 1945 – Die Stunde Null? Beiträge zum Symposium im Rahmen der Ossietzky-Tage '85 am 3. Mai 1985. Oldenburg 1986.

Kurzke, Hermann: Strukturen der »Trauerarbeit« in der deutschen Literatur nach 1945. In: Literatur für Leser. 1983. S. 234–243.

Lehmann, Albrecht: »Organisieren«. Über Erzählen aus der Kriegs- und Nachkriegszeit. In: Der Deutschunterricht 39 (1987) H. 6. S. 51–63.

Literaturmagazin 7. Nachkriegsliteratur. Hrsg. von Nicolas Born und Jürgen Manthey. Reinbek bei Hamburg 1977.

Malanowski, Wolfgang (Hrsg.): 1945: Deutschland in der Stunde Null. Reinbek bei Hamburg 1985.

Mayer, Hans: Zur deutschen Literatur der Zeit. Zusammenhänge. Schriftsteller. Bücher. Reinbek bei Hamburg 1967.

– Die umerzogene Literatur. Deutsche Schriftsteller und Bücher. Bd. 1: 1945–1967. Berlin 1988.

– Als der Krieg zu Ende war. Nachdenken über eine Erbschaft. In: H. M.: Aufklärung heute. Reden und Vorträge 1978–1984. Frankfurt a. M. 1985.

Mecklenburg, Norbert: Hilfloser Antimilitarismus. Deserteure in der Literatur. In: Ursula Heukenkamp (Hrsg.): Militärische und zivile Mentalität. Ein literaturkritischer Report. Berlin 1991. S. 225–251.

Meinecke, Friedrich: Die deutsche Katastrophe. Betrachtungen und Erinnerungen. Wiesbaden 1946.

Mitscherlich, Alexander und Margarete: Die Unfähigkeit zu trauern. Grundlagen kollektiven Verhaltens. München 1969.

Pfeifer, Jochen: Der deutsche Kriegsroman 1945–1960. Ein Versuch zur Vermittlung von Literatur und Sozialgeschichte. Königstein i. Ts. 1981.

Richter, Hans Werner: Zwischen Freiheit und Quarantäne. Eine Einführung. In: H. W. R. (Hrsg.): Bestandsaufnahme. Eine deutsche Bilanz 1962. München/Wien/Basel 1962. S. 11–25.

Roberts, David: Nullpunkt und kein Ende? Perspectives and Theses on Postwar German Literature. In: Orbis litterarum 35 (1980) S. 250–273.

Salzmann, Bertram: Eiserne Wege. Die deutsche Nachkriegszeit (1945–48) im Spiegel des literarischen Eisenbahnmotivs. Stuttgart 1994.

Scheichl, Sigurd Paul: Weder Kahlschlag noch Stunde Null. Besonderheiten der Voraussetzungssystems der Literatur in Österreich zwischen 1945 und 1966. In: Akten des VII. Internationalen Germanisten-Kongresses. Bd. 10. Göttingen 1985. S. 37–51.

Scherpe, Klaus R. / Winckler, Lutz (Hrsg.): Frühe DDR-Literatur. Hamburg/Berlin 1988.

Scherpe, Klaus R.: Bilder des »Zusammenbruchs« und der »Befreiung« in der Literatur der unmittelbaren Nachkriegszeit. In: G. Albrecht [u. a.] (Hrsg.): Zusammenbruch oder Befreiung? Zur Aktualität des 8. Mai 1945. Eine Berliner Universitätsvorlesung. Berlin 1989. S. 140–153.

Schneider, Irmela: Verschlüsselte Opposition und verspätete »Stunde Null«. Zum Hörspiel nach 1945 in der Bundesrepublik Deutschland. In: Akten des VII. Internationalen Germanisten-Kongresses. Bd. 10. Göttingen 1985. S. 160–166.

Schneider, Ronald: Realismustradition und literarische Moderne. Überlegungen zu einem Epochenkonzept »Nachkriegsliteratur«. In: Der Deutschunterricht 33 (1981) H. 3. S. 3–22.

Schröder, Jürgen: Hamlet als Heimkehrer. Zum deutschen Nachkriegsdrama. In: Beda Allemann (Hrsg.): Literatur und Germanistik nach der »Machtübernahme«. Bonn 1983.

Schwiedrzik, Wolfgang M.: Träume der ersten Stunde. Die Gesellschaft Imshausen. Berlin 1991.

Trommler, Frank: Der Nullpunkt 1945 und seine Verbindlichkeit für die Literaturgeschichte. In: R. Grimm und J. Hermand (Hrsg.): Basis. Jahrbuch für deutsche Gegenwartsliteratur. Bd. 1. Frankfurt a. M. 1970. S. 9–25.

– Der zögernde Nachwuchs. In: Thomas Koebner (Hrsg.): Tendenzen der deutschen Literatur seit 1945. Stuttgart 1971. S. 1–116.

– Auf dem Wege zu einer kleineren Literatur. In: Thomas Koebner (Hrsg.): Tendenzen der deutschen Gegenwartsliteratur. Stuttgart 1984. S. 1–106.

Vormweg, Heinrich: Deutsche Literatur 1945–1960. Keine Stunde Null. In: Manfred Durzak (Hrsg.): Deutsche Gegenwartsliteratur. Stuttgart 1981. S. 14–31.

Wehdeking, Volker: Der Nullpunkt. Über die Konstituierung der deutschen Nachkriegsliteratur (1945–1948) in den amerikanischen Kriegsgefangenenlagern. Stuttgart 1971.

Wehdeking, Volker / Blamberger, Günter: Erzählliteratur der frühen Nachkriegszeit (1945–1952). München 1990.

Wende-Hohenberger, Waltraud: Ein neuer Anfang?: Schriftstellerreden zwischen 1945 und 1949. Stuttgart 1990.

– (Hrsg.): Quo vadis, Deutschland? Zur literarischen und kulturpolitischen Situation der Jahre zwischen 1945 und 1949. Siegen 1991.

Widmer, Urs: 1945 oder die »Neue Sprache«. Studien zur Prosa der »Jungen Generation«. Düsseldorf 1966.

Zongjian, Hu: »Trümmerliteratur« und »Wundenliteratur«. In: Arcadia 22 (1987) S. 192–205.

Zürcher, Gustav: »Trümmerlyrik«. Politische Lyrik 1945–1950. Kronberg i. Ts. 1977.

Nachwort

Der 8. Mai ist für uns vor allem ein Tag der Erinnerung an
das, was Menschen erleiden mußten. Er ist zugleich ein Tag
des Nachdenkens über den Gang unserer Geschichte.

Richard von Weizsäcker

Der 8. Mai 1945 wird von den Geschichtsbüchern als Tag
der bedingungslosen Kapitulation des Hitler-Reiches ver-
zeichnet. Für Deutschland und die Deutschen ging mit ihm
der Zweite Weltkrieg offiziell zu Ende. Aber dieser 8. Mai
1945 ist nicht nur ein festes historisches Datum, er ist auch
zu einer historischen Chiffre geworden, die für das unda-
tierbare Kriegsende und seine widersprüchlichen Bedeutun-
gen überhaupt einsteht. Denn dieses Kriegsende fiel nicht
für alle Menschen auf den gleichen Tag, und jeder erlebte es
auf seine Weise. Für viele kam es schon früher: für die Soldaten, die desertierten oder in Gefangenschaft gerieten; die
Zivilbevölkerung, deren Orte von alliierten Truppen besetzt wurden; die Flüchtlinge, die über Nacht ihre Heimat
verließen; die KZ-Häftlinge, die endlich befreit wurden.
Für den Dichter Hans Erich Nossack fand der »Untergang«
schon im Juli 1943 statt, als seine Heimatstadt Hamburg
von einem schrecklichen Bombenangriff heimgesucht wurde. Für viele aber war der Krieg auch im Sommer 1945
noch nicht zu Ende: für diejenigen, deren Familien ver-
sprengt wurden und die auf den vermißten Ehemann oder
Vater warteten; für die Bevölkerung der großen Trümmer-
städte, deren Überlebenskampf in zwei harten trostlosen
Wintern weiterging; für alle, deren Wunden noch lange
nicht heilten. Vielleicht hat sogar jeder Mensch, der das Jahr
1945 in Europa erlebte, seinen eigenen äußeren und inneren
8. Mai gehabt. Ja, vielleicht ist es überhaupt, bei aller Realität, eine unsichtbare, imaginäre Grenzlinie und Zäsur, die
damals Krieg und Frieden, Tod und Leben trennte, und der

buchstäbliche 8. Mai 1945 ist nur der oberflächlichste und nichtssagendste Versuch, sie zu benennen.

Dann aber wäre es nicht die Geschichtsschreibung, die ein solches Datum, eine solche Zeiten- und »Atemwende« wahrhaftig zur Sprache bringen und überliefern könnte, sondern allein eine Literatur, die die Sache des einzelnen Menschen und die ganze Vielfalt und Widersprüchlichkeit seiner einsamen und kollektiven Geschichte vertritt und die auch die Wirklichkeit des Unwirklichen auszudrücken vermag. Dann wäre sie die authentischere Geschichtsschreiberin.

Mit dieser Hypothese haben wir (die fünf Herausgeberinnen und Herausgeber) uns auf die Suche gemacht, herausgefordert auch von der Behauptung Hans Magnus Enzensbergers, daß die deutschen Erzähler und Erzählerinnen, mit wenigen Ausnahmen, vor diesem Thema kapituliert hätten: »die sogenannte Trümmerliteratur ist über das Schlagwort kaum hinausgekommen« (*Europa in Trümmern*, S. 7). Unsere Fragestellung war freilich enger und weiter gefaßt. Enger, weil sie sich zentral auf den zugleich realen und metaphorischen 8. Mai 1945 richtete, weil sie die Chiffre vor der »Stunde Null« – die bekannteste und langlebigste Interpretation dieses Datums – wieder wörtlich nahm, weil sie also möglichst genau wissen wollte, wie der einzelne Mensch diese gravierende Schattenlinie zwischen Krieg und Frieden, seine »Minute« oder »Sekunde Null« konkret erfahren hat. Weiter gefaßt, weil sie diese Frage an die deutsche Nachkriegsliteratur im umfassendsten Sinne stellte, ohne zeitliche Begrenzung und ohne Einschränkung auf eine literarische Gattung, ausnahmsweise sogar ohne Rücksicht auf eine deutschsprachige Erstveröffentlichung (Helen Epstein, Tadeusz Borowski). Klaus R. Scherpe hat schon 1985 gezeigt, daß die unmittelbare Nachkriegsliteratur am befangensten und kurzsichtigsten gewesen ist. So stammt nicht einmal die Hälfte der Beiträge aus den vierziger Jahren und viele von ihnen sind erst in den siebziger Jahren entstanden und veröffentlicht worden.

Die vorliegende Anthologie belegt, wie ertragreich die Suche war und wie wenig die Annahme berechtigt ist, daß die deutsche Nachkriegsliteratur vor der Aufgabe, eine eigene Sprache für das Kriegsende zu finden, versagt habe. Im Gegenteil, ihre Bezeugungen und Zeugnisse sind derart vielfältig und reichhaltig, daß es sehr schwierig wurde, eine stichhaltige Auswahl zu treffen. Von den in den Literaturhinweisen dokumentierten Schriften konnte nicht einmal ein Drittel, nämlich einundfünfzig besonders charakteristische und repräsentative Beispiele, aufgenommen werden. Sie bewegen sich durch fast alle literarischen Gattungen, aber es dominieren doch Roman, Gedicht, Autobiographie (wenngleich auf diesem weiten Feld die größten Einschränkungen gemacht werden mußten) und Erzählung. Die Wahrheit der Fiktion überwiegt die Wahrheiten des Dokumentarischen.

Dennoch hoffen wir, daß diese Auswahl leistet, worauf es uns ankommt: nämlich alle Formeln und Verkrustungen zu sprengen, durch die sich die Erlebnisse und Erfahrungen des Kriegsendes und des Friedensanfangs in den letzten fünfzig Jahren reduziert, entwirklicht und entzogen haben. Statt Schlagworten und Einheitsnennern – heißen sie nun »Befreiung«, »Katastrophe«, »Zusammenbruch« oder »deutsche Schicksalstragödie« – versucht die Anthologie, ein möglichst breites Spektrum, eine lebendige Vielfalt der damaligen Erfahrungen zu bieten, sei es durch zeitgenössische Zeugnisse, sei es gefiltert durch den Abstand vieler Jahre und durch die mit diesem Abstand gewachsene Erkenntniskraft der Literatur. So ist Uwe Timms *Die Entdeckung der Currywurst* erst 1993 erschienen, und der Verfasser der Erzählung *Hecke*, Hanns-Josef Ortheil, wurde erst sechs Jahre nach Kriegsende geboren.

Zwar haben sich fünf thematische Blöcke herauskristallisiert, aber auch sie vereinigen jeweils sehr verschiedene Stimmen, die von ganz verschiedenen Standpunkten, Ländern und Schicksalen her sprechen, unterschiedlich auch im literarischen Niveau, und die über das Ensemble der einzel-

nen Kapitel oft hinausweisen. Diese Stimmen, unter denen
die aus dem Exil sicherlich am schärfsten und klarsten klingen, mögen den älteren Lesern, den vor 1945 Geborenen,
wieder hörbar und sichtbar machen, was sie vielleicht ver-
drängt und vergessen haben, und den jüngeren Generationen, den Nachkriegskindern, wollen sie eine möglichst
sinnliche Anschauung eines Ereignisses geben, unter dessen
Wirkungen sie aufgewachsen sind und weiterhin aufwach-
sen und das sie doch nur vom Hörensagen, von vereinzelter
Lektüre sowie Kino- und Fernsehbildern kennen.

Zugleich möchte unser kleines Lesebuch zu weiterer Lektüre der Werke anregen, denen nur Textausschnitte ent-
nommen werden konnten. Die knappen Kapiteleinleitun-
gen und die Kurzkommentare zu den Autoren und Texten
im Anhang bieten nicht mehr als eine erste und vorläufige
Orientierung. Für intensivere Interessen und Erkundungen
in Schule und Universität haben wir Hinweise auf weitere
Autoren und Texte zum Thema und ein Verzeichnis ausge-
wählter Sekundärliteratur beigefügt, in der Hoffnung, daß
sich die Beschäftigung mit der deutschen »Stunde Null«
durch das Jubiläumsjahr 1995 intensivieren wird.

Denn der eigentliche Sinn von Jubiläen sollte es ja sein,
sie überflüssig zu machen. Jedes Jubiläum ist ein Zeichen
unserer Vergessenheit; wir benutzen es, um unsere fern ge-
rückte und fremd gewordene Vergangenheit herbeizureden
und herbeizufeiern.

Diesmal hat das Gedenkjahr allerdings einen besonderen
und neuen Sinn erhalten. Nicht deshalb, weil uns von 1945
ein rundes halbes Jahrhundert trennt, sondern durch das
Jahr 1989 – schon das vierte deutsche Ende- und Wendejahr
in diesem Jahrhundert (nach 1918, 1933 und 1945). Mit 1945
ist das Jahr 1989 oft genug verglichen worden, aber meistens
sehr einseitig, zu Lasten der ehemaligen DDR. Tatsächlich
aber hat sich auch das Verhältnis der Bundesrepublik zum
Ende des Zweiten Weltkriegs mit der Wiedervereinigung
1989 noch einmal verändert. Seitdem seine gravierendste

Folge, die deutsche Teilung, nicht mehr besteht, ist der 8. Mai 1945, ähnlich wie der 20. Juli 1944, erst zu einem gesamtdeutschen Erbe und die Auseinandersetzung mit ihm zu einer nationalen Verpflichtung geworden. Obwohl manche diesen Tag mit dem erneut ausgerufenen ›Ende der Nachkriegszeit‹ nun eher für erledigt halten und ihm endlich den Rücken kehren wollen, hängt die weitere demokratische und friedliche Entwicklung unseres Landes auch davon ab, wie nahe wir uns diesen Tag kommen lassen und wie nahe wir ihm bleiben.

Dieser gemeinsamen Annäherung könnte die Textsammlung ebenfalls dienen. Sie vereinigt ostdeutsche und westdeutsche Stimmen, deren Konsonanzen weitaus größer sind als die zu erwartenden Dissonanzen. Denn beide Seiten folgen nicht den vorgegebenen ideologischen Mustern, dort nicht dem Dogma von der großen Befreiung und den mehrfachen sozialistischen Revolutionen, hier nicht der Legende von der »Stunde Null« und einem grandiosen Wiederaufbau. Selbst das optimistische Wendepathos eines Johannes R. Becher klingt noch erträglich, vielleicht, weil sein Gedicht *Zeitenschlag* schon 1943, im schweren Moskauer Exil, entstanden ist.

Gerade den wiedervereinigten Deutschen dürfte es doppelt guttun, sich auf den bittersten und hoffnungsvollsten ›Tiefpunkt‹ ihrer Geschichte zurückzubesinnen. Es könnte das Mitgefühl für das Elend anderer Menschen und Völker wieder lebendiger und ehrlicher machen, vorausgesetzt freilich, daß bei diesem Rückblick auf die eigene Not die nationalen Vorurteile und Wunschvorstellungen beiseite gelassen werden. Erst dann wird das ganze polyphone Konzert der Stimmen vernehmbar, erst dann werden die ungewöhnlichen Fragen und Maximen eines Elias Canetti wieder zugänglich, der am 8. Mai 1945 die Verpflichtung fühlte, den Deutschen ihre verlorene Sprache wieder zurückzugeben.

Jürgen Schröder

Deutschsprachige Erzähler der Gegenwart

IN RECLAMS UNIVERSAL-BIBLIOTHEK

Eine Auswahl

Philipp Reclam jun. Stuttgart